Het zesde slachtoffer

Van dezelfde auteur

Alex Cross
Slaap kindje, slaap...
Meisjes plagen...
Pak me dan...
Kat en muis
Wie het laatst lacht
Schepen vergaan
Wie niet horen wil...
Het uur van de Wolf
Zij die gaan sterven
In naam van de vader
Cross

Women's Murder Club
De eerstverlorene
Mijn wil geschiede
De derde aanslag
De vierde seconde
De vijfde vrouw

Overig
Slotpleidooi
Belofte maakt schuld
Een hart van glas
Ontrafeld verleden
Zomer van verraad
Hittegolf

Het zesde slachtoffer

James Patterson

A.W. Bruna Uitgevers B.V., Utrecht

Oorspronkelijke titel
The 6th Target

First published by Little, Brown and Company, New York, NY.
Published by arrangement with Linda Michaels Limited, International Literary Agents.
Vertaling
Riek Borgers-Hoving
Omslagontwerp
Studio Eric Wondergem

ISBN 978 90 229 9245 6
NUR 332

Proloog

De dagjestoerist

1

Moordenaar in spe Fred Brinkley hangt onderuitgezakt op de blauwe, gestoffeerde bank op het bovendek van de veerboot. De novemberzon blikt als een nijdig wit oog neer op de catamaran die de baai van San Francisco binnen vaart en Fred Brinkley staart net zo nijdig terug naar de zon.

Er valt een schaduw over hem heen en een kinderstem vraagt: 'Meneer, wilt u een foto van ons maken?'

Fred schudt zijn hoofd. Nee, nee, nee. Woede kolkt door hem heen en zijn zenuwen zijn tot het uiterste gespannen, alsof een draad steeds strakker om zijn hoofd wordt aangedraaid.

Hij zou het kind het liefst als een irritante mug pletten.

Fred kijkt weg, zingt in zijn hoofd ay, ay, ay, ay, Sau-sa-lito-lindo en probeert de stemmen buiten te sluiten. Hij legt zijn hand op Bucky, zoekend naar steun, en voelt hem door zijn blauwe nylon jack heen, maar toch blijven de stemmen als drilboren in zijn hoofd dreunen.

Sukkel. Stuk onbenul.

Meeuwen krijsen, het zijn net schreeuwende kinderen. De zon brandt zich een weg door de wolken en maakt hem zo doorzichtig als glas. Ze weten wat hij gedaan heeft.

Passagiers met zonnebrillen en korte broeken verdringen zich bij de reling en maken foto's van Angel Island, Alcatraz en de Golden Gate Bridge.

Een zeilboot met dubbel gereefd grootzeil scheert voorbij, schuim spat van de reling en Fred krimpt ineen terwijl het kwaad zijn hoofd binnen stormt. Hij ziet de giek zwaaien. Hij hoort het misselijkmakende gekraak. O, mijn hemel! De zeilboot!

Hier moet iemand voor boeten.

Hij schrikt wanneer de motoren van de veerboot onder luid geknars achteruitslaan en het dek trilt wanneer de veerboot aanlegt.

Fred staat op, baant zich een weg door de menigte en passeert acht witte

tafels en vele rijen versleten blauwe stoelen, terwijl de andere passagiers hem boos nastaren.
Hij stapt het open voordek op en ziet dat een moeder haar zoontje, een knulletje van negen of tien met donkerblond haar, een flinke uitbrander geeft.
'Ik word helemaal gek van je!' schreeuwt de vrouw.
Er knapt iets in Fred. Hier móét iemand voor boeten!
Zijn rechterhand glijdt in zijn jaszak en vindt Bucky. Zijn vinger buigt zich om de trekker.
De veerboot schokt wanneer hij de kade raakt. Passagiers zoeken lachend houvast bij elkaar. Zowel voor als achter wordt de boot met trossen aan de kade vastgemaakt.
Fred kijkt weer naar de vrouw die nog steeds haar zoon op zijn kop geeft. Ze is klein, draagt een bruine kuitbroek en een witte blouse van een soepele stof waardoor de contouren van haar borsten duidelijk zichtbaar zijn. Haar tepels steken recht vooruit.
'Wat heb je toch?' schreeuwt ze boven het lawaai van de motoren uit. 'Ik heb het helemaal gehad met je.'
Bucky, de Smith & Wesson-revolver, model 10, ligt in Freds hand en pulseert alsof hij tot leven is gekomen.
De stem buldert: dood haar, dood haar, ze heeft zichzelf niet meer in de hand!
Bucky's loop wijst precies tussen de borsten van de vrouw.
BAM.
Fred voelt de schok van de terugslag en ziet dat de vrouw achteruit schiet terwijl ze een klaaglijk gilletje slaakt en er een grote rode bloem op haar witte blouse ontstaat.
Mooi zo.
Het knulletje kijkt met grote, angstige ogen toe en ziet zijn moeder tegen het dek slaan. Het bolletje ijs valt uit zijn hoorn, op de voorkant van zijn broek verschijnt een natte plek en een straaltje urine sijpelt langzaam langs een broekspijp naar beneden.
De jongen heeft ook iets slechts gedaan.
BAM.

2

Een verblindend wit licht vult Freds hoofd terwijl het dek langzaam rood kleurt van het bloed.
Zijn vertrouwde Bucky voelt warm aan in zijn hand. Freds ogen schieten over het dek.
De stem binnen in zijn hoofd buldert: rennen. Maak dat je wegkomt. Je wilde dit niet doen.
Fred ziet vanuit zijn ooghoek dat een beer van een kerel op hem afrent met een woedende blik op zijn gezicht en haat in zijn ogen. Fred strekt zijn arm.
BAM.
Een andere man, een Aziaat met harde zwarte ogen en een vertrokken gezicht, doet een uitval naar Bucky.
BAM.
Een zwarte vrouw staat vlakbij, ingesloten door de menigte. Ze draait zich met grote ogen naar hem toe, staart hem aan... en leest zijn gedachten.
'Oké,' zegt ze en ze steekt een trillende hand uit, 'zo is het wel genoeg. Geef die revolver maar aan mij.'
Ze weet wat hij gedaan heeft. Hoe weet ze dat?
BAM.
Fred voelt opluchting door zich heen golven wanneer de vrouw die zijn gedachten las, in elkaar zakt. De mensen op het kleine boegdek deinzen als één man terug en golven van links naar rechts wanneer Fred zijn hoofd beweegt.
Ze zijn bang voor hem. Bang voor hém.
De zwarte vrouw die aan zijn voeten op de grond ligt, heeft een mobieltje in haar bebloede handen. Ze haalt moeizaam adem en wil met haar duim een nummer intoetsen. O, nee, dat doe je niet! Fred zet zijn voet op de pols van de vrouw. Hij buigt zich voorover en kijkt haar recht aan.
'Je had me moeten tegenhouden,' bijt hij haar tussen opeengeklemde

kaken toe. 'Dat is je taak.' Bucky perst zijn loop tegen haar slaap.
'Niet doen,' smeekt ze. 'Alsjeblieft.'
Iemand schreeuwt: 'Mam!'
Een magere, zwarte knul van een jaar of zeventien komt op hem af met een stuk pijp over zijn schouder geslagen, alsof het een knuppel is.
Op het moment dat Fred de trekker overhaalt, maakt de veerboot een slingerbeweging: BAM.
Het schot mist zijn doel. De metalen pijp klettert op het dek en rolt weg. De knul rent naar de vrouw en werpt zich op haar. Beschermt hij haar? Mensen duiken weg onder banken en hun angstige geschreeuw kolkt om hem heen als hete vlammen.
De herrie van de motoren krijgt gezelschap van het metalige geratel van de loopplank die wordt uitgeschoven. Bucky blijft de menigte aanstaren terwijl Fred over de reling kijkt.
Hij schat de afstand.
Eerst bijna anderhalve meter tot de loopplank en dan nog een flinke sprong naar de kade.
Fred steekt Bucky in zijn zak en legt beide handen op de reling. Hij springt eroverheen en landt op de zolen van zijn Nikes. Er schuift een wolk voor de zon die hem verbergt, hem onzichtbaar maakt.
Snel, matroos. Ga ervoor.
En hij gaat ervoor, hij maakt de sprong naar de kade en rent in de richting van de boerenmarkt, waar hij opgaat in de menigte die het parkeerterrein bevolkt.
Hij loopt, bijna nonchalant, richting Embarcadero.
Hij neuriet terwijl hij op een drafje de trap naar het metrostation af loopt en neuriet nog steeds wanneer hij op de trein naar huis stapt.
Goed gedaan, matroos.

Deel een

Kent u deze man?

3

Ik had die zaterdagochtend begin november geen dienst, maar moest toch komen opdraven op een plaats delict omdat mijn visitekaartje in een van de zakken van het slachtoffer was aangetroffen.
Ik stond in de schemerige woonkamer van een dubbele woning aan 17th Street en keek neer op een smerig stuk vreten met de naam Jose Alonzo. Hij droeg geen shirt, had een bierbuik, hing op een uitgezakte bank van een ondefinieerbare kleur en was in de handboeien geslagen. Zijn hoofd hing op zijn borst en de tranen stroomden over zijn wangen.
Ik had geen medelijden met hem.
'Is hij op zijn rechten gewezen?' vroeg ik aan rechercheur Warren Jacobi, mijn voormalige partner, die nu aan mij rapporteerde. Jacobi was net eenenvijftig geworden en had meer moordslachtoffers gezien in de vijfentwintig jaar dat hij dit werk deed dan tien agenten in een heel leven onder ogen zouden moeten krijgen.
'Ja, dat heb ik gedaan, inspecteur. Voor hij bekende.' Jacobi's gebalde vuisten, die langs zijn zij hingen, schokten even en er trok een uitdrukking van afkeer over zijn doorleefde gezicht.
'Begrijpt u uw rechten?' vroeg ik aan Alonzo.
Hij knikte en begon weer te jammeren. 'Ik had het niet moeten doen, maar ze maakte me pisnijdig.'
Een peuter met een smoezelige, witte haarband in haar haar en een natte luier die tot op haar mollige knietjes hing, klemde zich aan haar vaders been vast. Haar verdrietige gehuil ging me door merg en been.
'Wat had Rosa gedaan waardoor je pisnijdig werd?' vroeg ik Alonzo. 'Dat zou ik weleens willen weten.'
Rosa Alonzo lag op de grond, haar mooie gezichtje was naar het afbladderende karamelkleurige behang gedraaid. Haar achterhoofd was opengespleten met het strijkijzer dat haar echtgenoot had gebruikt om haar in elkaar te slaan en te vermoorden.

De strijkplank was in elkaar geklapt en ik rook de geur van verbrand stijfsel.
De laatste keer dat ik Rosa had gezien, had ze me verteld dat ze haar echtgenoot niet kon verlaten omdat hij gezegd had dat hij haar dan toch zou opsporen en vermoorden.
Ik wenste met heel mijn hart dat ze toch met de baby was gevlucht.
Rechercheur Richard Conklin, Jacobi's partner en het nieuwste en jongste lid van mijn team, liep de keuken binnen.
Rich schepte een paar lepels kattenvoer in een bakje voor een oude lapjeskat die op de rode formicatafel zat te mauwen. Interessant.
'Hij zou hier weleens een hele tijd in zijn eentje kunnen zitten,' zei Conklin.
'Dan bel je de dierenbescherming toch.'
'Die hadden het te druk, inspecteur.' Conklin draaide de kraan open en vulde een bakje met water.
'Weet u wat ze zei, agent? Ze zei: "Zoek toch werk." Toen knapte er iets in me, begrijpt u wel?'
Ik bleef hem recht aanstaren tot hij zijn hoofd afdraaide en tegen zijn overleden vrouw jammerde: 'Ik wilde het niet doen, Rosa. Toe. Geef me nog een kans.'
Jacobi reikte naar Alonzo's geboeide arm, trok hem overeind en zei: 'Ja hoor, ze vergeeft het je, maat. Kom, we gaan een ritje maken.'
De peuter begon net weer met lange uithalen te jammeren toen Patty Whelk van de kinderbescherming de kamer binnen stapte.
'Hallo, Lindsay,' zei ze, en ze stapte om het slachtoffer heen. 'Wie is dit kleine schatje?'
Ik tilde de peuter op, haalde de smoezelige haarband uit haar krullen en overhandigde haar aan Patty.
'Anita Alonzo,' zei ik treurig tegen het meisje, 'je komt nu onder de hoede van de overheid.'
Patty en ik wierpen elkaar een hulpeloze blik toe, waarna Patty het kleine meisje op haar heup tilde en de slaapkamer binnen liep op zoek naar een schone luier.
Conklin bleef achter om op de lijkschouwer te wachten en ik liep met Jacobi en Alonzo mee naar buiten.
'De mazzel,' zei ik tegen Jacobi en ik stapte in mijn drie jaar oude Explorer die naast een gigantische hoop afval langs de stoeprand stond ge-

parkeerd. Ik had net de sleutel omgedraaid toen de Nextel aan mijn riem tot leven kwam. Het is zaterdag. Laat me verdomme met rust.
Bij het tweede belletje nam ik op.
Het was mijn baas, chef Anthony Tracchio. Hij moest hard praten om boven het geluid van gillende sirenes uit te komen en zijn stem was ongewoon gespannen.
'Boxer,' zei hij, 'er is een schietpartij geweest op een van de veerboten. De *Del Norte*. Er zijn drie doden. En ook nog een paar gewonden. Ik heb je hier nodig. *Pronto*.'

4

Toen ik nadacht over wat er in vredesnaam gebeurd kon zijn waardoor de chef op een zaterdag zijn comfortabele huis in Oakland had verlaten, kreeg ik een akelig gevoel. Dat akelige gevoel werd versterkt toen ik een stuk of vijf surveillanceauto's bij de toegang tot het havenhoofd zag staan en twee surveillanceauto's aan weerszijden van het Ferry Building.

Een agent die het verkeer regelde, riep me toe: 'Deze kant op, inspecteur.' Hij gebaarde naar de zuidelijke oprit die naar de kade leidde.

Ik reed langs de politiewagens, ambulances en brandweerwagen en parkeerde voor de terminal. Ik deed mijn portier open en kwam in een waternevel van een graadje of dertien terecht. Een stevig briesje van zo'n twintig knopen had voor flinke golven in de baai gezorgd waardoor de *Del Norte* heen en weer slingerde aan haar meertrossen.

De politieactiviteiten hadden voor een opgewonden stemming onder de menigte gezorgd en zo'n duizend mensen liepen heen en weer tussen het Ferry Building en de boerenmarkt, maakten foto's en vroegen agenten wat er gebeurd was. Het was alsof ze de geur van kruit en bloed in de lucht konden ruiken.

Ik dook onder het afzetlint door waarmee de kade was afgezet, knikte naar agenten die ik kende en keek op toen ik Tracchio mijn naam hoorde roepen.

De chef stond op het voordek van de *Del Norte*.

Hij droeg een leren jasje, had Dockers aan zijn voeten en zijn haar zat zoals altijd; dat wil zeggen dat een lange lok haar zorgvuldig de beginnende kaalheid bedekte. Hij gebaarde dat ik aan boord moest komen. Zei de spin tegen de vlieg.

Ik liep zijn richting uit, maar voor ik vijf passen op de loopplank had gezet, moest ik terug omdat twee ambulanceverplegers op een drafje met een brancard op wielen de loopplank af kwamen.

Mijn ogen gleden naar het slachtoffer, een forse Afro-Amerikaanse vrouw van wie het gezicht grotendeels schuilging achter een zuurstofmasker. Ze

had een infuuslijn in haar arm en bloed sijpelde door het laken dat strak om haar heen was getrokken.
Ik voelde een pijnlijke steek door mijn hart schieten, dat het al begrepen had voor mijn hersens het verwerkt hadden.
Het slachtoffer was Claire Washburn!
Mijn beste vriendin was op deze veerboot neergeschoten!
Ik greep de brancard beet met het gevolg dat de achterste ambulanceverpleger, een blonde vrouw, me toeblafte: 'Mevrouw, aan de kant.'
'Ik ben politieagente,' zei ik tegen haar en ik liet haar mijn penning zien.
'Al was u God,' zei de blonde. 'Ze moet naar de SH.'
Mijn mond hing open en mijn hart klopte in mijn keel.
'Claire,' riep ik, terwijl ik met grote passen naast de brancard liep die over de loopplank ratelde. 'Claire, ik ben het, Lindsay. Kun je me horen?'
Geen antwoord.
'Hoe staat ze ervoor?' vroeg ik aan de ambulanceverpleger.
'Begrijpt u dat we haar zo snel mogelijk naar een ziekenhuis moeten brengen?'
'Geef verdomme antwoord!'
'Dat weet ik niet!'
Een van de ambulanceverplegers opende de deuren van de ziekenauto en ik kon alleen hulpeloos toekijken.
Het was ruim tien minuten geleden dat Tracchio me had gebeld. Al die tijd had Claire op het dek van de veerboot gelegen, bloedend, en met moeite ademhalend vanwege het kogelgat in haar borstkas.
Ik greep haar hand vast en meteen sprongen de tranen in mijn ogen.
Mijn vriendin draaide haar gezicht naar me toe en haar oogleden knipperden toen ze haar ogen met moeite opende.
'Linds,' leek ze te zeggen. Ik schoof het zuurstofmasker opzij. 'Waar is Willie?' vroeg ze me.
Toen herinnerde ik het me, Claires jongste zoon Willie werkte in het weekend op de veerboot. Daarom was Claire waarschijnlijk op de *Del Norte* geweest.
'We zijn elkaar kwijtgeraakt,' wist Claire snakkend naar adem uit te brengen. 'Ik geloof dat Willie de schutter achterna is gegaan.'

5

Claires ogen rolden omhoog en ze verloor het bewustzijn. De ambulanceverplegers schoven de brancard de ziekenauto in. De deuren werden dichtgeslagen. De sirene werd aangezet en de ziekenauto die mijn beste vriendin vervoerde, ging plankgas op weg naar het San Francisco General. De tijd werkte tegen ons.

De schutter was verdwenen en Willie was hem achternagegaan.

Tracchio legde zijn hand op mijn schouder. 'We krijgen al beschrijvingen van de dader binnen, Boxer...'

Ik liep bij Tracchio weg, rende naar de boerenmarkt, liet mijn blik over de gezichten glijden en baande me een weg door de menigte. Het was alsof je je door een kudde vee probeerde te werken.

Ik zocht in elk groentestalletje en tussen de stalletjes en liet mijn ogen over de gangpaden dwalen, wanhopig op zoek naar Willie, maar het was Willie die mij vond.

Hij baande zich een weg in mijn richting en riep mijn naam. 'Lindsay! Lindsay!'

De voorkant van zijn T-shirt was doorweekt met bloed. Hij hijgde en zijn gezicht stond strak van angst.

Ik greep met beide handen zijn schouders vast en voelde de tranen weer opborrelen.

'Willie, waar ben je geraakt?'

Hij schudde zijn hoofd. 'Dat is mijn bloed niet. Mam is neergeschoten!'

Ik trok hem naar me toe, omhelsde hem stevig en voelde dat ik iets minder angstig werd. Willie was in elk geval in orde.

'Ze is al onderweg naar het ziekenhuis,' zei ik en ik wenste dat ik hem kon zeggen dat alles weer goed zou komen. 'Heb je de schutter gezien? Hoe ziet hij eruit?'

'Het is een magere, blanke vent,' zei Willie, terwijl we door de menigte liepen. 'Met een baard en lang, bruin haar. Hij hield zijn ogen neergeslagen, Lindsay. Ik heb zijn ogen helemaal niet gezien.'

'Hoe oud is hij?'
'Een paar jaar jonger dan jij, denk ik.'
'Dus begin dertig?'
'Ja. En hij is langer dan ik, ongeveer een meter vijfentachtig. Hij droeg een camouflagebroek en een blauw jack. Lindsay, ik hoorde hem tegen mam zeggen dat zij hem tegen had moeten houden. Dat het haar taak was. Wat bedoelde hij daarmee?'
Claire is hoofdpatholoog-anatoom van San Francisco. Ze is forensisch patholoog en geen diender.
'Denk je dat het persoonlijk was? Dat hij je moeder als doelwit uitkoos? Kende hij haar?'
Willie schudde zijn hoofd. 'Ik hielp mee om de boot vast te leggen toen ik hoorde schreeuwen,' zei hij. 'Hij had eerst een paar anderen neergeschoten. Mam was de laatste. Hij had een revolver tegen haar hoofd gezet. Ik greep een stuk pijp. Daar wilde ik hem zijn hersens mee inslaan, maar hij schoot op me. Daarna sprong hij overboord. Ik ging achter hem aan, maar raakte hem kwijt.'
Pas toen drong het tot me door.
Wat Willie had gedaan. Ik greep zijn schouders beet en zei op harde toon: 'En stel dat je hem had ingehaald? Willie, heb je daar al aan gedacht? Die "magere, blanke vent" was wel gewapend. Hij zou je vermoord hebben.'
Willies ogen vulden zich met tranen die langzaam over zijn lieve, jonge gezicht druppelden. Ik trok hem in mijn armen. 'Je was heel moedig, Willie,' zei ik. 'Het was heel moedig van je om het tegen een moordenaar op te nemen om je moeder te beschermen. Ik denk dat je haar leven hebt gered.'

6

Ik gaf Willie door het openstaande raampje van de surveillanceauto een kus op zijn wang. Daarna reed agent Pat Noonan Willie naar het ziekenhuis. Ik stapte aan boord van de veerboot en liep naar Tracchio die op het open bovendek van de *Del Norte* stond.

Ik kreeg een afgrijselijk tafereel onder ogen, want de lichamen lagen er nog. Het glasvezeldek van zo'n 25 vierkante meter was glibberig van het bloed en overal waren voetafdrukken zichtbaar die kriskras door elkaar liepen. Her en der lagen een paar achtergelaten kledingstukken. Ik zag een vertrapt, rood basketbalpetje tussen een stel papieren koffiebekers liggen, en hotdogverpakkingen en kranten die doorweekt waren met bloed.

Ik voelde een misselijkmakend gevoel van wanhoop in me opwellen. De dader kon overal zijn en de bewijsstukken die ons misschien in zijn richting zouden hebben geleid, waren verloren gegaan vanwege alle agenten, passagiers en ambulancebroeders die over het dek hadden gelopen.

Daar kwam nog bij dat ik de gedachte aan Claire niet uit mijn hoofd kon krijgen.

'Gaat het wel?' vroeg Tracchio me.

Ik knikte, durfde niets te zeggen omdat ik bang was dat als ik ging huilen, ik nooit meer zou kunnen ophouden.

'Dat is Andrea Canello,' zei Tracchio, en hij wees naar een dode vrouw bij de voorsteven die een bruine broek droeg met daarop een witte blouse. 'Volgens die knaap daar,' zei hij, en hij gebaarde naar een tiener met stekeltjeshaar en een roodverbrande neus, 'heeft de dader haar als eerste neergeschoten. Daarna was haar zoontje aan de beurt. Een klein knulletje van een jaar of negen.'

'Haalt de jongen het?' vroeg ik.

Tracchio haalde zijn schouders op. 'Hij heeft veel bloed verloren.' Hij wees naar een ander slachtoffer; een blanke man met grijs haar van in de vijftig die half onder een bank lag. 'Per Conrad. Ingenieur. Werkte op de

veerboot. Waarschijnlijk hoorde hij de schoten en wilde hij helpen. En dit slachtoffer,' zei hij, en hij wees naar een Aziatische man die plat op zijn rug midden op het dek lag, 'is Lester Ng. Verzekeringsagent. Nog een vent die een held had kunnen zijn. Getuigen hebben verteld dat alles zich binnen een paar minuten afspeelde.'
Ik probeerde in gedachten het tafereel voor me te zien en maakte gebruik van wat Willie me verteld had en van Tracchio's informatie. Ik keek naar de bewijsstukken en probeerde de stukjes dusdanig te rangschikken dat er een plaatje ontstond waaruit ik wijs kon worden.
Ik vroeg me af of de schietpartij gepland was of dat iets de schutter ertoe had aangezet en zo ja, wat de aanleiding was geweest.
'Een van de passagiers denkt dat hij de schutter in zijn eentje zag zitten voor het gebeurde,' zei Tracchio. 'Volgens die getuige rookte de schutter een sigaret. We hebben een pakje Camel onder een tafeltje gevonden.'
Ik liep achter Tracchio aan naar de achtersteven waar een aantal angstige passagiers op een halfronde gestoffeerde bank zat, die langs de reling stond. Sommigen zaten onder het bloed. Een paar hielden elkaars handen vast. Op alle gezichten was de doorstane angst nog zichtbaar; dat kwam door de shock.
Geüniformeerde agenten waren bezig namen, telefoonnummers en getuigenverklaringen te noteren. Brigadier Lexi Rose draaide zich naar ons toe en zei: 'Chef, inspecteur. Meneer Jack Rooney hier heeft goed nieuws voor ons.'
Een al wat oudere man in een felrood nylon jack stapte moeizaam naar voren. Hij droeg een bril met een groot montuur en had een digitale minicam ter grootte van een stuk zeep aan een zwart koord om zijn nek hangen. Er lag een verbeten trek om zijn mond. 'Hier staat hij op,' zei Rooney, die zijn camera omhooghield. 'Ik heb die gestoorde gefilmd toen hij bezig was.'

7

Een paar tellen nadat de getuigen van boord waren gegaan, kwam het hoofd van de technische recherche, Charlie Clapper, samen met zijn team de loopplank op. Charlie kwam even naar ons toe, groette de chef, zei mij gedag en wierp een blik om zich heen.

Hij stak zijn hand in de zak van zijn grijze jasje van visgraattweed, haalde een paar latex handschoenen tevoorschijn en trok ze aan.

'Wat een puinhoop,' zei hij.

'We moeten positief blijven,' zei ik en het lukte me niet helemaal de geërgerde toon uit mijn stem te weren.

'Je kent me toch,' zei hij. 'Ik ben een rasoptimist.'

Ik keek samen met Tracchio toe terwijl Charlie en zijn mannen zich verspreidden, bordjes neerzetten, de lichamen fotografeerden, en foto's maakten van de bloedspetters, die overal leken te zijn. Ze peuterden een kogel uit de boeg en stopten een voorwerp in een bewijszak dat ons misschien naar de moordenaar zou leiden: het halflege pakje Camel dat onder een tafel bij de achtersteven was aangetroffen.

'Ik ga ervandoor, inspecteur,' zei Tracchio tegen me, die even op zijn Rolex keek. 'Ik heb een vergadering met de burgemeester.'

'Ik wil aan deze zaak werken, ik wil de straat op,' zei ik.

Hij wierp me een norse blik toe. Ik had op het verkeerde knopje gedrukt, maar ik kon niet anders.

Tracchio was een goede vent en meestal mocht ik hem graag. Maar de chef was van huis uit een bureauman die zich had opgewerkt. Hij had nog nooit aan een zaak gewerkt en daarom zag hij de dingen maar op één manier.

Hij wilde dat ik mijn werk vanachter mijn bureau deed.

En ik presteerde het best op straat.

De laatste keer dat ik Tracchio had verteld dat ik weer de straat op wilde, had hij me verteld dat ik ondankbaar was, dat ik nog heel wat te leren had over leidinggeven, dat ik gewoon mijn werk moest doen, én dat ik me gelukkig moest prijzen dat ik tot hoofd Moordzaken was bevorderd. Op nogal scherpe toon herinnerde hij me eraan dat een van mijn partners op straat was omgekomen en dat het nog maar een paar maanden geleden was dat Jacobi en ik in een achterafstraatje in de Tenderloin waren neergeschoten. Dat was waar. We hadden bijna het loodje gelegd. Maar deze keer zou hij het me niet weigeren. Mijn beste vriendin had een kogel in haar borst gekregen en de schutter liep vrij rond.

'Ik zal het onderzoek samen met Jacobi en Conklin doen. Een driemansteam. McNeil en Chi kunnen als back-up fungeren. En mocht het nodig zijn, dan zal ik de rest van de afdeling erbij halen.'

Tracchio knikte met tegenzin, maar ik had het groene licht gekregen. Ik bedankte hem en belde Jacobi op mijn mobieltje. Daarna belde ik het ziekenhuis en kreeg ik van een vriendelijke verpleegkundige te horen dat Claire nog onder het mes lag.

Ik verliet de veerboot met Jack Rooneys camera in mijn hand en was van plan om op het bureau naar de beelden te kijken; om de schietpartij met eigen ogen te zien.

Ik liep de loopplank af en vloekte binnensmonds voor ik het asfalt op stapte. Er stonden verslaggevers van drie plaatselijke televisiezenders en van de *Chronicle* op me te wachten. Ik kende ieder van hen. Camera's klikten en zoemden en er werden microfoons onder mijn neus geduwd.

'Was het een terroristische aanval, inspecteur?'

'Wie heeft er geschoten?'

'Hoeveel mensen zijn er omgekomen?'

'Geef me een beetje tijd, mensen. Het is vanmorgen pas gebeurd,' zei ik en ik wenste dat deze verslaggevers Tracchio of een van de andere veertig agenten hadden benaderd die hier rondliepen en maar wat graag zichzelf op het nieuws van zes uur zouden terugzien.

'De namen van de slachtoffers worden vrijgegeven zodra we hun familie op de hoogte hebben gesteld. En we zullen de dader van deze afgrijselijke misdaad oppakken,' zei ik met zo veel mogelijk overtuiging in mijn stem. 'Hij komt hier niet mee weg.'

8

Het was twee uur 's middags toen ik mezelf voorstelde aan Claires dokter Al Sassoon, die met Claires status in zijn hand in het midden van de ICU stond.

Sassoon was halverwege de veertig, had donker haar en lachrimpeltjes om zijn mond. Hij zag er betrouwbaar en zelfverzekerd uit en ik had meteen vertrouwen in hem.

'Onderzoekt u de schietpartij?' vroeg hij me.

Ik knikte. 'Ja, en Claire is ook een vriendin van me.'

'Ze is ook een vriendin van mij.' Hij glimlachte en zei: 'Wat ik u kan vertellen, is dit: de kogel heeft een rib gebroken en haar linkerlong laten inklappen, maar hij heeft haar hart en de belangrijkste slagaderen gemist. Ze zal pijn hebben van die gebroken rib en voorlopig blijft de thoraxdrain, dat buisje in haar borst, zitten tot de long zijn oorspronkelijke omvang weer terug heeft, maar ze is in goede conditie en ze heeft geluk gehad. En ze wordt hier omringd door mensen die allemaal het beste met haar voorhebben.'

De tranen die ik de hele dag al met moeite had ingehouden, dreigden alsnog te komen. Ik sloeg mijn ogen neer en zei met schorre stem: 'Ik wil met haar praten. De man die Claire heeft neergeschoten, heeft drie mensen vermoord.'

'Ze zal zo wel wakker worden,' vertelde Sassoon me. Hij klopte me even op mijn schouder en hield de deur van Claires kamer voor me open. Ik liep naar binnen.

Het hoofdeinde van Claires bed was schuin omhoog gezet zodat ze gemakkelijker kon ademhalen. Ze had een neuscanule en lag aan een infuus. Haar dichte ogen waren opgezwollen en omdat ze een dun ziekenhuishemd droeg, was duidelijk te zien dat haar borstkas ingezwachteld was. In al de jaren dat ik Claire kende, had ik nog nooit meegemaakt dat ze ziek was.

Claires echtgenoot Edmund, die in de stoel naast het bed zat, sprong

overeind toen ik binnenstapte.
Hij zag er verschrikkelijk uit; zijn gezicht was vertrokken van angst en ongeloof.
Ik zette mijn boodschappentas neer, liep naar hem toe en omhelsde hem. Ik hoorde hem zachtjes zeggen: 'O, god, Lindsay. Dit is te erg.'
Ik mompelde al de dingen die je zegt als woorden eigenlijk tekortschieten. 'Voor je het weet is ze weer de oude, Eddie. Dat weet je toch.'
'Dat moet ik nog zien' zei Edmund, toen we elkaar eindelijk loslieten. 'Zelfs als die wond helemaal geneest, bedoel ik. Want ben jij alweer de oude sinds je bent neergeschoten?'
Ik antwoordde niet want de waarheid was dat ik 's nachts af en toe nog steeds badend in het zweet wakker schrok omdat ik weer over die afgrijselijke nacht in Larkin Street had gedroomd. De hulpeloosheid die ik toen had gevoeld en de wetenschap dat ik misschien zou sterven, stonden me nog kristalhelder voor de geest. Lichamelijk was ik geheeld, maar geestelijk?
'En wat dacht je van Willie?' zei Edmund. 'Vanmorgen is zijn hele wereld op zijn kop gezet. Wacht, ik help je wel even.'
Edmund hield de boodschappentas voor me open zodat ik er een grote zilverkleurige ballon uit kon halen. Ik bond de ballon vast aan het onderstel van Claires bed, waarna ik me over het bed boog en haar hand even aanraakte. 'Heeft ze al iets gezegd?' vroeg ik.
'Ze opende haar ogen een paar tellen. Ze vroeg: "Waar is Willie?" Ik zei dat hij veilig thuis was. Toen zei ze: "Ik moet weer aan het werk." Daarna vielen haar ogen weer dicht. Dat was een halfuur geleden.'
In gedachten ging ik terug naar de laatste keer dat ik Claire voor de schietpartij had gezien. Gisteren. Na het werk hadden we elkaar gedag gezwaaid op het parkeerterrein tegenover het paleis van justitie. Gewoon een vriendschappelijke zwaai.
'Groetjes.'
'Prettige avond, vlinder.'
Het waren van die alledaagse woorden geweest. Je beschouwde het leven zo gemakkelijk als vanzelfsprekend. Maar stel dat Claire vandaag was gestorven? Stel dat ze ons verlaten had?

9

Ik hield Claires hand nog steeds vast toen Edmund zich weer op de stoel liet vallen en met de afstandsbediening de televisie boven het bed aanzette. Hij zette het geluid zachtjes en vroeg: 'Heb je dit al gezien, Lindsay?'

Ik keek op en zag de waarschuwing over het beeld rollen: DEZE REPORTAGE BEVAT SCHOKKENDE BEELDEN EN IS NIET GESCHIKT VOOR JEUGDIGE KIJKERS.

'Ja, vlak na de schietpartij,' zei ik tegen Edmund, 'maar ik wil hem nog een keer zien.'

Edmund knikte en zei: 'Ik ook.'

Toen kwam Jack Rooneys amateurfilm van de schietpartij op de veerboot op het scherm.

Edmund en ik zagen wat Claire nog maar een paar uur geleden had meegemaakt. Rooneys korrelige, schokkerige film begon met een opname van drie toeristen die glimlachend naar de camera zwaaiden. Op de achtergrond was een zeilboot te zien en even later volgde een prachtig shot van de Golden Gate Bridge.

De camera draaide naar het open voordek van de veerboot en liet een stel kinderen zien die hotdogbroodjes aan zeemeeuwen voerden. Een jongen met een rood basketbalpetje achterstevoren op zijn hoofd, zat met een viltstift aan een tafeltje te kleuren. Dat was Tony Canello. Een slungelige man met een baard die bij de reling zat, plukte afwezig aan de haartjes op zijn arm.

Het beeld werd bevroren en er verscheen een lichtcirkel om de bebaarde man.

'Dat is hem,' zei Edmund. 'Is hij psychisch gestoord, Lindsay? Of is hij een koelbloedige moordenaar die het juiste ogenblik afwacht?'

'Misschien allebei wel,' zei ik. Mijn ogen leken aan het scherm vastgekleefd toen de rest van de film getoond werd. Een uitbundige menigte stond bij de reling toen de veerboot de kade naderde. Plotseling zwaaide

de camera naar links en er kwam een jonge vrouw in beeld. Haar gezicht vertrok van pijn toen ze naar haar borst greep en in elkaar zakte. Het knulletje, Tony Canello, draaide zich naar de camera toe.
De producers hadden zijn gezicht wazig gemaakt zodat hij niet herkenbaar was. Ik kromp ineen toen er een schok door hem heen trok en hij met een ruk van de schutter wegdraaide.
De volgende shots waren wild en onbeheerst alsof iemand Rooney had aangestoten. Daarna stabiliseerde het beeld weer.
Ik sloeg mijn hand voor mijn mond en Edmund greep de leuning van de stoel beet toen we Claire haar hand naar de schutter zagen uitsteken. Hoewel we door het geschreeuw van de menigte niet konden horen wat ze zei, was het duidelijk dat ze om het wapen vroeg.
'Wat moedig,' zei ik. 'Mijn hemel.'
'Veel te moedig, verdomme,' bromde Edmund, die zijn hand door zijn grijzende haar haalde. 'Claire en Willie. Alle twee veel te moedig, verdomme.'
De schutter stond met zijn rug naar de camera toen hij de trekker overhaalde. Het wapen bokte in zijn hand; de terugslag. Claire greep naar haar borst en stortte neer. Er volgde een opname van met afschuw vertrokken gezichten in een geschokte menigte. Ineens zagen we de schutter weer die voorovergebogen stond met zijn gezicht van de camera afgedraaid. Hij ging op Claires pols staan en schreeuwde recht in haar gezicht.
Edmund riep: 'Jij gore klootzak!'
Achter me hoorde ik Claire kreunen. Ik keek om, maar ze sliep nog steeds. Mijn ogen schoten weer naar het televisiescherm. De schutter draaide zich om en zijn gezicht kwam in beeld. Zijn ogen waren neergeslagen en een baard bedekte de onderste helft van zijn gezicht. Hij liep op de cameraman af, die zijn zenuwen niet langer in bedwang kon houden en stopte met filmen.
'Daarna schoot hij op Willie,' zei Edmund.
Plotseling zag ik mezelf op televisie: mijn haar zat verward vanwege mijn sprintje over de boerenmarkt; Claires bloed was via Willies T-shirt op mijn jasje gekomen; en er lag een uitdrukking van schok en verbeten intensiteit op mijn gezicht.
Mijn stem zei: 'Als u informatie hebt die kan leiden tot de opsporing van deze man, bel dan alstublieft.'

Mijn gezicht werd vervangen door een bevroren opname van de dader. Het telefoonnummer en de website van de politie stonden onder in het beeld vermeld met daarboven in grote letters: KENT U DEZE MAN?

Edmund draaide zich met een verslagen gezicht naar me toe. 'Hebben jullie al wat, Lindsay?'

'We hebben de video van Jack Rooney,' zei ik, en ik wees naar de televisie. 'We hebben volop media-aandacht en ongeveer tweehonderd ooggetuigen. We krijgen hem te pakken, Eddie. Dat zweer ik.'

Ik zei niet wat er door me heen schoot: als we deze vent niet te pakken krijgen, heb ik niets bij de politie te zoeken.

Ik ging staan, pakte de boodschappentas op en maakte aanstalten om te vertrekken.

Eddie zei: 'Kun je niet nog een paar minuutjes blijven? Claire wil je vast zien.'

'Ik kom straks terug,' zei ik tegen hem. 'Ik moet even bij iemand langs.'

10

Ik verliet Claires kamer op de vierde verdieping en liep de trap af naar de kinder-IC op de eerste. Ik zette me mentaal schrap voor het hartverscheurende gesprek dat me zonder twijfel te wachten stond. Ik dacht aan de jonge Tony Canello, die had gezien dat zijn moeder werd neergeschoten vlak voor hijzelf werd neergeschoten. En ik moest dit kind vragen of hij de schutter al eerder had gezien; of de man iets had gezegd voor of nadat hij de trekker had overgehaald; en of hij een reden kon bedenken waarom hij en zijn moeder waren neergeschoten.

Toen ik de onderste paar treden af liep, nam ik de boodschappentas over in mijn linkerhand en ik bedacht dat de manier waarop ik straks het gesprek voerde, Tony altijd bij zou blijven.

De politie heeft een voorraad teddybeertjes klaarliggen voor kinderen die een traumatische ervaring hebben meegemaakt, maar die kleine knuffels leken me te goedkoop om aan een kind te geven van wie de moeder voor zijn ogen was doodgeschoten. Daarom was ik bij een speelgoedwinkel langsgegaan voor ik naar het ziekenhuis was gereden en had ik een grote beer voor Tony gekocht. De beer droeg een voetbaltenue en er zat een stoffen hart op zijn borst genaaid waarop stond: BETERSCHAP.

Ik opende de deur naar de eerste verdieping en liep door de pastelkleurige gang van de kinderafdeling. Op de wanden waren vrolijke muurschilderingen van regenbogen en picknicks aangebracht.

Ik liep naar de kinder-IC en liet mijn penning zien aan de verpleegkundige achter de balie, een vrouw van in de veertig met grijzend haar en grote, bruine ogen. Ik vertelde haar dat ik met mijn getuige moest spreken en dat het gesprek niet meer dan een paar minuutjes in beslag zou nemen.

'Hebt u het over Tony Canello? Het knulletje dat op de veerboot werd neergeschoten?'

Ik zei: 'Ik heb maar drie vragen en ik zal het zo kort mogelijk houden.'

'Het spijt me, inspecteur,' zei de verpleegkundige die mijn blik vasthield.

'Hij is geopereerd, maar zijn kansen waren niet best. De kogel had meerdere vitale organen geraakt. Hij is helaas twintig minuten geleden overleden.'
Ik zakte verslagen tegen de balie aan.
De verpleegkundige bleef tegen me praten en vroeg of ze iets of iemand voor me kon halen. Ik overhandigde haar de boodschappentas met de teddybeer en vroeg haar de knuffel aan het volgende kind te geven dat de kinder-IC werd binnen gebracht.
Op de een of andere manier lukte het me mijn auto op de parkeerplaats te vinden en ik reed terug naar het paleis van justitie.

11

Het paleis van justitie is een grijze, granieten blokkendoos die een compleet blok aan Bryant Street beslaat. In dit sombere gebouw met negen verdiepingen huizen de lagere rechtbank, de kantoren van de openbaar aanklager, de zuidelijke divisie van de San Francisco politie, en op de bovenste verdieping is een cellencomplex gevestigd.

Het kantoor van de hoofdpatholoog-anatoom van San Francisco bevindt zich in een aangrenzend gebouw, maar is via een achterdeur op de begane grond van het paleis van justitie te bereiken. Ik duwde de glazen deur achter in de lobby open, verliet het gebouw aan de achterkant en liep door de overdekte passage naar het mortuarium.

Ik opende de deur naar de autopsieruimte en werd meteen omringd door ijskoude lucht. Ik gedroeg me alsof ik er kind aan huis was, een gewoonte die mijn beste vriendin Claire had aangemoedigd.

Maar uiteraard was het niet Claire die boven op de ladder stond en foto's nam van de overleden vrouw op de tafel. Het plaatsvervangend hoofd van de afdeling, een blanke man van in de veertig met peper-en-zoutkleurig haar en een lengte van ruim een meter zeventig, stond nu op de bovenste trede.

'Dokter G.,' zei ik, terwijl ik met grote passen in zijn richting beende.

'Pas op waar u loopt, inspecteur.'

Dr. Humphrey Germaniuk had pas zes uur de leiding over het mortuarium en nu al stonden zijn dossiers in nette stapels langs de muren opgesteld. Ik gebruikte de neus van mijn schoen om de stapel die ik per ongeluk iets verschoven had, weer keurig in het gareel te brengen. Germaniuk was een perfectionist, bezat een groot gevoel voor humor en deed het fantastisch in het getuigenbankje. Hij beschikte net als Claire over de juiste kwalificaties voor de functie van hoofdpatholoog en sommigen zeiden dat als Claire er ooit mee zou stoppen, dr. G. degene was die het stokje zou overnemen.

'Hoe gaat het met Andrea Canello?' vroeg ik, en ik liep naar de vrouw

op de autopsietafel. Dr. G.'s 'patiënte' was naakt, ze lag op haar rug en de kogelwond zat precies tussen haar borsten.
Ik deed een stap dichterbij om het beter te kunnen zien, maar dokter Germaniuk stelde zich tussen mij en de vermoorde vrouw op.
'Verboden terrein, inspecteur. Dit is een politievrije zone,' zei hij gevat, maar ik zag dat hij geen grapje maakte. 'Ik heb hier al een kind gehad dat mogelijk door mishandeling om het leven is gekomen, een verkeersslachtoffer, en een vrouw van wie het hoofd was opengespleten met een strijkijzer. Dan heb ik ook nog de slachtoffers van de veerboot waar ik de rest van de dag mee zoet ben. Als u vragen hebt, stel ze dan nu. Laat anders gewoon uw mobiele nummer achter op mijn bureau. Ik bel u zodra ik klaar ben.'
Vervolgens draaide hij zijn rug naar me toe en begon hij de kogelwond tussen Andrea Canello's borsten op te meten.
Ik deed een stap naar achteren, mijn hoofd klopte door de nijdige woorden die ik met moeite binnenhield. Ik kon het me niet veroorloven dr. G. tegen de haren in te strijken en daar kwam nog bij dat hij volledig in zijn recht stond. Zonder Claire was er op de toch al onderbezette afdeling helemaal sprake van een noodtoestand. Germaniuk kende me nauwelijks en hij moest zijn afdeling, zijn baan, de rechten van zijn patiënten, en de integriteit van het onderzoek beschermen. En hij moest de sectie op de veerbootslachtoffers zelf uitvoeren. Als er nog een patholoog bij deze meervoudige moordzaak werd ingezet, zou een goede advocaat proberen de twee pathologen tegen elkaar uit te spelen; hij zou op zoek gaan naar tegenstrijdigheden in hun verhalen om hun getuigenverklaringen te ondermijnen.
Ervan uitgaande dat we de gestoorde vinden die deze mensen heeft vermoord. En ervan uitgaande dat we hem voor de rechter krijgen.
Het was bijna vier uur 's middags. Als Andrea Canello Germaniuks eerste veerbootslachtoffer was, zou hij er niet alleen de rest van de dag maar ook de hele nacht mee bezig zijn.
Ik had mijn eigen problemen. Er waren vier mensen dood.
Hoe meer tijd er verstreek, hoe groter de kans dat de veerbootschutter zou ontsnappen.
'Dokter G.'
Hij draaide zich om en wierp me een norse blik toe.
'Ik was misschien wat te voortvarend, sorry, maar de schutter heeft vier

mensen gedood en we hebben geen flauw idee wie hij is of waar we hem kunnen vinden.'
'Bedoelt u niet drie?' zei Germaniuk. 'Ik heb hier maar drie slachtoffers.'
'Het zoontje van deze vrouw, Tony Canello, is een halfuur geleden overleden in het San Francisco General,' zei ik. 'Hij was negen. Dat zijn vier doden en Claire Washburn haalt adem door een buisje.'
De verontwaardigde uitdrukking op Germaniuks gezicht maakte plaats voor eentje waar medeleven uit sprak. Er klonk niet langer een scherpe toon in zijn stem door toen hij zei: 'Zeg het maar. Wat kan ik voor u doen?'

12

Dr. Germaniuk gebruikte een sonde om de wond in Andrea Cannello's borstkas te onderzoeken. 'Zo te zien is de kogel recht door het hart gegaan. Ik ben er bijna zeker van dat ze met een .38 is neergeschoten, maar de wapenexpert moet daar uitsluitsel over geven.'

Dat dacht ik al op de video gezien te hebben, maar ik wilde zekerheid. Zodra Andrea Canello was neergeschoten, was Jack Rooneys camera weg gezwaaid. Als ze nog een paar tellen had geleefd, als ze haar moordenaar had gekend, had ze misschien zijn naam geroepen.

'Is het mogelijk dat ze nog leefde nadat ze was neergeschoten?'

'Nee,' zei Germaniuk. 'De kogel ging dwars door haar hart, ze was dood voor ze de grond raakte.'

'Hij kon wel schieten,' zei ik. 'Zes kogels, vijf treffers. En dat met een revolver.'

'Het was een drukke veerboot met veel mensen. Het zat er wel in dat hij er een paar zou raken,' zei dr. G. op nuchtere toon.

We keken beiden op toen de roestvrijstalen deuren aan de achterkant van de autopsieruimte open klapten en een assistent een brancard naar binnen reed. 'Waar wilt u dit hebben, dokter G.?'

Het lijkje op de brancard, dat onder een laken schuilging, was zo'n een meter twintig lang. Dit was een kind.

'Laat maar staan,' zei Germaniuk tegen de assistent. 'Wij nemen het wel over.'

De dokter en ik liepen naar de brancard. Hij sloeg het laken terug.

Ik voelde een steek door mijn hart gaan bij de aanblik van het gestorven kind. Tony's huid was blauw en vlekkerig en over zijn magere kleine borstkas liep een felrode dertig centimeter lange snee die met zwarte hechtingen was dichtgenaaid. Ik wilde dit kind troosten dat de ongelooflijke pech had gehad om in de vuurlinie van een psychopaat terecht te komen en ik moest me bedwingen om mijn hand niet tegen zijn gezicht te leggen of over zijn haar te strijken.

‘Het spijt me zo, Tony.’
‘Hier is mijn kaartje.’ Germaniuk overhandigde me een kaartje dat hij uit een zak van zijn labjasje opdook. ‘Bel me maar op mijn mobiel, als u me nodig hebt. Zeg tegen Claire… zeg dat ik haar kom opzoeken zodra ik kan en dat we allemaal voor haar duimen. En zeg haar ook dat ze op ons kan rekenen.’

13

Mijn team had zich met stoel en al om me heen geschaard. Er werden vragen gesteld en theorieën geopperd over de *Del Norte*-schutter toen mijn mobieltje begon te rinkelen. Ik herkende Edmunds nummer en nam op.

Edmunds stem klonk schor en brak bijna toen hij zei: 'Claire komt net bij de röntgen vandaan. Ze heeft een interne bloeding.'

'Eddie, ik begrijp het niet. Wat is er gebeurd?'

'De kogel heeft haar lever gekneusd... Ze moeten haar nog een keer opereren.'

Ik had me door dr. Sassoon gerust laten stellen toen hij zei dat Claire uit de gevarenzone was. Nu voelde ik me misselijk van angst.

Toen ik de wachtkamer van de ICU binnen stapte, zag ik Edmund en Willie zitten en Reggie, Claire en Edmunds eenentwintigjarige zoon die aan de universiteit van Miami studeerde en het eerste het beste vliegtuig naar huis had gepakt. Verder zat er nog een heel stel familieleden en vrienden te wachten.

Ik omhelsde iedereen en ging naast Cindy Thomas en Yuki Castellano zitten. Cindy, Yuki, Claire en ik zijn elkaars beste vriendinnen en samen vormen we het totale ledenbestand van wat we half schertsend de 'Women's Murder Club' noemen. We zochten steun bij elkaar en wachtten in die sombere ruimte op nieuws.

Tijdens de lange, gespannen uren camoufleerden we onze angst door sterke verhalen over Claire te vertellen. We dronken smerige koffie, aten repen uit de automaat, en in de kleine uurtjes vroeg Edmund ons te bidden.

We hielden elkaars hand vast toen Eddie God vroeg om Claire te sparen. Ik wist dat we allemaal hoopten dat als we maar dicht bij haar bleven, ze niet zou sterven. Tijdens die slopende uren gingen mijn gedachten terug naar de keer dat ik was neergeschoten. Toen hadden Claire en Cindy voor me klaargestaan. En ik herinnerde me andere keren dat ik in wachtruimten als deze had gezeten. Toen mijn moeder kanker had. Toen een man van wie ik hield tijdens zijn werk was neergeschoten. Toen Yuki's moeder een beroerte had gekregen.

Al die mensen waren gestorven.

Cindy zei: 'Waar zou die gestoorde hufter nu zijn? Rookt hij een sigaretje na zijn maaltijd? Ligt hij in een lekker, zacht bed en maakt hij plannen voor zijn volgende moordpartij?'

'Hij slaapt niet in een bed,' zei Yuki. 'Ik wed om tien dollar dat die gast in een kartonnen doos slaapt.'

Rond vijf uur 's ochtends stapte de vermoeid uitziende dr. Sassoon de wachtruimte binnen. 'Het gaat goed met Claire,' zei hij. 'We hebben de schade aan haar lever hersteld en haar bloeddruk gaat al omhoog. De vitale functies zijn gestabiliseerd.'

Er werd gejuicht en er brak spontaan applaus los. Edmund en zijn zoons omhelsden elkaar met tranen in de ogen.

De dokter glimlachte en in mijn ogen was hij een held.

Ik reed naar huis en maakte samen met Martha, mijn bordercollie, ons gebruikelijke joggingrondje over Potrero Hill terwijl de zon langzaam opkwam.

Toen de zon boven het dak van mijn auto uit gluurde, belde ik Jacobi. Ik trof hem en Conklin om acht uur 's ochtends bij de liften in het paleis van justitie.

Het was zondag.

Ze hadden koffie en donuts bij zich.

Ik was gek op deze mannen.

'Kom, we gaan aan het werk,' zei ik.

14

Conklin, Jacobi en ik hadden ons net geïnstalleerd in mijn glazen kantoortje in een hoek van de afdeling toen de rechercheurs Paul Chi en Cappy McNeil de sjofele zes bij negen meter grote ruimte binnen stapten, die de thuisbasis vormt van de twaalf leden van de moordbrigade.
Cappy weegt ruim honderdtien kilo en de stoel waarin hij zich liet zakken, protesteerde luid. Chi is een lichtgewicht. Hij ging op het archiefkastje zitten naast Jacobi, die last had van een hoestbui, wat regelmatig voorkwam.
Aangezien alle zitplaatsen bezet waren, moest Conklin blijven staan. Hij ging achter me staan met zijn rug naar het raam, waardoor we een riant uitzicht hadden op de oprit naar de snelweg, en sloeg nonchalant zijn ene voet over de andere.
Mijn krappe kantoortje voelde overvol aan, als een borrelglas waarin een handvol krijtjes was geperst.
Ik voelde de lichaamswarmte die Conklin uitstraalde, waardoor ik me intens bewust was van zijn ruim een meter tachtig lange, perfect getrainde lijf, zijn bruine haar en lichtbruine ogen. Het uiterlijk van de negenentwintigjarige rechercheur deed me denken aan een kruising tussen een lid van de Kennedy-familie en een marinier.
Chi had de zondagseditie van de *Chronicle* meegenomen en legde hem op mijn bureau.
De foto van de schutter, een korrelige foto die van een filmbeeld van Jack Rooneys video was gemaakt, stond op de voorpagina met daaronder de tekst: KENT U DEZE MAN?
We bogen ons allemaal naar mijn bureau toe om het wazige gezicht te bestuderen.
Het donkere haar van de schutter hing tot op zijn kaak en zijn baard verborg alles tussen zijn onderlip en adamsappel.
'Christus,' zei Cappy. We keken hem allemaal aan.
'Wat nou? Ik bedoel dat hij op Jezus Christus lijkt.'

'We hoeven niets uit het lab te verwachten op zondagochtend, maar we hebben wel dit.'
Ik haalde de fotokopie van het pakje Camel uit mijn postbakje.
'En we hebben dit allemaal.' Ik legde mijn hand op de twee centimeter dikke stapel getuigenverklaringen, telefoonnotities, en e-mails die op de politiewebsite waren binnengekomen en door onze afdelingssecretaresse Brenda waren geprint.
'We kunnen de boel verdelen,' zei Jacobi.
Er werd flink gediscussieerd tot Chi met klem naar voren bracht: 'Luister. Sigaretten brengen geld in het laatje. En een merk als Camel wordt vooral verkocht in kleine familiebedrijfjes. Met een beetje geluk herinnert iemand zich de schutter.'
Ik zei: 'Oké, dan. Gaan jullie daar maar achteraan.'
Jacobi en Conklin namen ieder een derde van de stapel getuigenverklaringen mee terug naar hun eigen bureau en begonnen te bellen. Chi en McNeil deden hetzelfde en vertrokken toen.
Ik was in mijn eentje achtergebleven in mijn kantoor en bekeek de informatie die Brenda over de slachtoffers had opgeduikeld: stuk voor stuk brave burgers.
Bestond er een verband tussen de moordenaar en een van de slachtoffers die hij had neergeschoten?
Ik begon de telefoonnummers op de getuigenverklaringen te bellen, maar de eerste telefoontjes leverden niets schokkends op. Iets later kreeg ik een brandweerman aan de telefoon die op hooguit drie meter afstand van Andrea Canello had gestaan toen de schutter het vuur had geopend.
'Ze was tegen haar zoontje aan het schreeuwen toen de schutter haar neerschoot,' zei de getuige. 'Ze ging zo tegen hem tekeer dat ik op het punt stond er wat van te zeggen. En het volgende moment was ze dood.'
'Wat zei ze? Weet u dat nog?'
'"Ik heb het helemaal gehad met je" of zoiets. Verschrikkelijk als je bedenkt dat… Heeft die knul het gered?'
'Nee, helaas niet.'
Ik maakte nog een paar aantekeningen en probeerde fragmenten aaneen te rijgen en de grotere stukjes in het geheel in te passen. Ik sloeg de rest van mijn koffie achterover en belde de volgende persoon op mijn lijst.
Hij heette Ike Quintana. Hij had gisteren tegen het einde van de mid-

dag gebeld om te zeggen dat hij vijftien jaar geleden misschien bevriend was geweest met de schutter.
Quintana zei tegen me: 'Ik ben er bijna zeker van dat het dezelfde vent is. Als hij het is, dan hebben we aan het eind van de jaren tachtig tegelijkertijd in het Napa State Hospital gezeten.'
Ik drukte de telefoon hard tegen mijn oor want ik wilde geen lettergreep missen.
'Snapt u wat ik bedoel?' vroeg Quintana. 'We zaten beiden in het gekkenhuis.'

15

Ik krabbelde een sterretje naast Ike Quintana's telefoonnummer.
'Hoe heet je vriend?' vroeg ik met de telefoon tegen mijn oor geklemd.
Ineens begon Quintana ontwijkend te doen.
'Dat wil ik eigenlijk niet zeggen, voor het geval hij het niet is,' zei hij. 'Ik heb een foto. U kunt hem komen bekijken, als u nu meteen komt. Zo niet, dan heb ik vandaag wel wat anders te doen.'
'Waag het niet om ergens naartoe te gaan! We komen eraan!'
Ik liep de afdeling op en zei: 'We hebben misschien iets. Ik heb een adres aan San Carlos Street.'
Conklin zei: 'Ik ga hier liever mee door. Er zijn nieuwe video's van de schietpartij naar onze website ge-e-maild.'
Jacobi stond op, trok zijn jasje aan en zei: 'Ik rij, Boxer.'
Ik ken Jacobi al tien jaar en ben drie jaar zijn partner geweest voor ik tot inspecteur werd bevorderd. In de tijd dat Jacobi en ik partners waren, is er een diepe vriendschap tussen ons ontstaan en een bijna telepathische band. Maar ik geloof niet dat een van ons tweeën doorhad hoe sterk de band tussen ons was tot de nacht dat we werden neergeschoten door twee tieners die high waren van de cocaïne. Het feit dat we die nacht de dood in de ogen hadden gekeken, had de band nog sterker gemaakt.
Nu reed hij ons naar een sjofele wijk aan de rand van de Tenderloin.
Het adres dat Ike Quintana me gegeven had, bleek een laag gebouw te zijn. Op de begane grond was een kerk gevestigd en op de verdieping erboven was een stel appartementen.
Ik drukte op de deurbel en even later ging een zoemer. Ik trok de saaie, metalen deur open en Jacobi en ik stapten een donkere hal binnen. We klommen de trap op en kwamen terecht in een gang die van tapijt was voorzien dat naar schimmel stonk.
Aan elke kant van de gang was één deur.
Ik klopte op de deur waar 1R op stond en een minuut later ging hij krakend open.

Ike Quintana was een blanke man van halverwege de dertig. Hij had zwart haar dat alle kanten op stond en zag er vreemd uit door alle lagen kleding die hij over elkaar had aangetrokken. Ik zag een T-shirt onder de openstaande boord van zijn flanellen overhemd waarover hij een gebreide trui had aangetrokken en daaroverheen droeg hij een openhangend, bruin vest dat tot op zijn heupen hing. Hij had een blauwgestreepte pyjamabroek aan, droeg bruine stoffen slippers aan zijn voeten en schonk ons een scheve, vriendelijke glimlach. Hij stak zijn hand uit, gaf ons beiden een hand en vroeg ons binnen te komen.

Jacobi stapte naar binnen en ik liep achter de twee mannen aan de gang in, die van de grond tot aan het plafond vol stond met stapels kranten en doorzichtige plastic zakken met lege frisdrankflesjes. Ik had het gevoel alsof ik door een wankele tunnel liep. In de woonkamer stonden kartonnen dozen die tot de nok waren gevuld met muntjes, ballpoints en lege wasmiddeldozen.

'Zo te zien ben je op alles voorbereid,' mompelde Jacobi.

'Dat is wel de bedoeling,' zei Quintana.

We liepen door naar de keuken en ik zag dat er op elk mogelijk oppervlak potten en pannen stonden. De tafel bleek een gelaagd archief van krantenartikelen te zijn: een laag kranten, een tafelkleed, dan weer een laag kranten, vervolgens weer een tafelkleed enzovoort, tot er een archeologische stapel van wel dertig centimeter hoog was ontstaan.

'Ik volg de Giants al bijna mijn hele leven,' zei Quintana verlegen. Hij bood ons koffie aan, maar zowel Jacobi als ik bedankte.

Toch stak Quintana het fornuis aan en zette hij een ketel water op het vuur.

'U had een foto voor ons?' vroeg ik.

Quintana tilde een oude zeepdoos van de vloer en zette hem op de kussenachtige tafel. Hij rommelde door stapels foto's, menu's en andere memorabilia die ik niet kon thuisbrengen. 'Hebbes,' zei hij, en hij hield een vergeelde foto van 10 × 15 omhoog. 'Volgens mij is deze rond '88 gemaakt.'

Vijf tieners, twee meisjes en drie jongens, keken televisie in wat zo te zien de huiskamer van een instituut was.

'Dat ben ik,' zei Quintana. Hij wees naar een jongere versie van zichzelf, die onderuitgezakt in een oranje leunstoel hing. Zelfs toen had hij al lagen kleding over elkaar gedragen.

'En ziet u die knul die in de vensterbank zit?'
Ik tuurde naar de foto. De knul was dun, droeg zijn haar lang en had een poging gedaan een baard te laten groeien. Hij keek niet in de camera en ik zag alleen zijn profiel. Het zou de schutter kunnen zijn. Het zou iedereen kunnen zijn.
'Ziet u dat hij aan de haren op zijn arm zit te plukken?' vroeg Quintana.
Ik knikte.
'Daarom dacht ik dat hij het misschien was. Dat deed hij toen uren achter elkaar. Ik mocht hem graag. Ik noemde hem Fred-a-lito-lindo. Naar een liedje dat hij altijd zong.'
'Hoe heet hij?' vroeg Jacobi.
'Hij was heel erg depressief,' zei Quintana. 'Daarom zat hij in Napa. Er was een ongeluk gebeurd. Zijn kleine zusje was omgekomen. Op een zeilboot, geloof ik.'
Quintana deed het vuur onder de ketel uit en liep bij het fornuis weg.
Het mag wel een wonder heten dat dit gebouw niet tot de grond toe is afgebrand, schoot het door me heen.
'Meneer Quintana, ik wil het niet een derde keer hoeven vragen,' zei Jacobi op norse toon. 'Hoe heet die man?'
De bizar geklede man liep met zijn geschilferde koffiemok in de hand naar de tafel en straalde de zelfverzekerdheid uit van iemand die met een gouden lepel in zijn mond is geboren.
'Hij heet Fred. Alfred Brinkley. Maar ik kan niet geloven dat hij al die mensen heeft vermoord,' zei Quintana. 'Fred is de zachtaardigheid zelve.'

16

Ik belde Rich Conklin vanuit de auto, vertelde hem over Brinkley en vroeg hem de naam Fred Brinkley door de database van de NCIC te halen terwijl Jacobi ons terugreed naar Bryant Street.

Chi en McNeil zaten in MacBain's Beer O' the World Pub op ons te wachten, een donkere kroeg tegenover het bureau die ingeklemd zat tussen een paar borgtochtkantoortjes.

Jacobi en ik stapten de kroeg binnen, bestelden een paar tapbiertjes en ik vroeg Chi en McNeil of ze al wat te melden hadden.

'We hebben iemand van de Smoke Shop aan Polk in Vallejo gesproken,' zei Chi. 'De oude baas die de eigenaar is, vertelde dat hij Camel verkoopt. Hij zei dat hij zo'n twee pakjes per maand aan een vaste klant verkoopt. Hij liet zelfs de slof aan ons zien. Er waren twee pakjes uit.'

Conklin stapte naar binnen, ging zitten en bestelde een Dos Equis en een hamburger.

Er lag een tevreden glimlach rond zijn lippen.

'Mijn partner raakt opgewonden,' zei Cappy, 'van een slof sigaretten.'

'Ja, en? Wie van ons tweeën is hier nu eigenlijk de sukkel?' vroeg Chi aan McNeil.

'Schiet nou maar op, oké?' bromde Jacobi.

Het bier werd voor ons neergezet en Jacobi, Conklin en ik brachten een toost uit op Don MacBain, de eigenaar van de bar en een voormalige eigenzinnige hoofdinspecteur van de SFPD, wiens foto in een lijstje boven de bar hing.

Chi vertelde verder. 'Dus de eigenaar vertelt ons dat zijn klant een Griekse vent is van rond de tachtig. Ineens zegt hij: "Wacht eens even. Mag ik die foto nog eens zien?"'

Cappy nam het stokje van Chi over. 'Ik duw de foto van de schutter onder zijn neus en hij zegt: "Deze man? Deze man zag ik elke ochtend toen hij zijn krant hier nog kocht. Is hij de vent van die schietpartij?"'

Jacobi wenkte de serveerster en zei: 'Syd, voor mij ook graag een hamburger. Met frites.'
Chi praatte gewoon door. 'Dan zegt die Smoke Shop-vent dat hij de naam van onze verdachte niet kent, maar volgens hem woonde hij aan de overkant van de straat op Vallejo 1513.'
'Dus we lopen daarnaartoe...' zei Cappy.
'Jezus, duurt dit nog lang? Ik val zowat in slaap,' zei Jacobi. Zijn ellebogen steunden op tafel en hij wreef overdreven met zijn handen in zijn ogen alsof hij moeite had wakker te blijven.
'En uiteindelijk leverde het een naam op,' ging Cappy door. 'De conciërge van het appartementencomplex aan Vallejo 1513 identificeerde de man op de foto. Hij vertelde ons dat de verdachte twee maanden geleden uit zijn appartement was gezet, vlak nadat hij zijn baan was kwijtgeraakt.'
'Tromgeroffel, graag,' zei Chi. 'En de schutter heet... Alfred Brinkley.'
Ik vond het vervelend dat ik hen moest teleurstellen, maar het was niet anders.
'Bedankt, Paul. We weten hoe hij heet. Weten jullie waar hij destijds werkte?'
'Ja, inspecteur. Bij een boekhandel, eh, Sam's Book Emporium aan Mason Street.'
Ik draaide me naar Conklin toe. 'Richie, aan je gezicht te zien heb jij ook wat te melden. Zeg het maar.'
Conklin had het gesprek met een geamuseerde glimlach op zijn gezicht gevolgd, terwijl hij achterovergeleund in zijn stoel zat, die hij op twee achterpoten liet balanceren. De voorpoten kwamen nu met een klap op de grond en hij leunde voorover. 'Brinkley heeft geen strafblad. Maar... hij heeft twee jaar dienst gedaan bij het Presidio. In '94 heeft hij op medische gronden ontslag gekregen.'
'Hij kwam bij het leger nadat hij in een gekkenhuis had gezeten?' vroeg Jacobi.
'Hij was nog een kind toen hij in Napa State zat,' zei Conklin. 'Dus zijn medisch dossier was verzegeld. Trouwens, bij het leger zijn ze niet zo kieskeurig.'
Het wazige beeld van de schutter werd wat scherper. En ik had antwoord op de vraag die door mijn hoofd had gemaald sinds de schietpartij.
Brinkley was zo'n goede schutter omdat hij door het leger was getraind. Een beangstigend idee.

17

De volgende ochtend om negen uur parkeerden Jacobi, Conklin en ik onze onopvallende auto's aan Mason vlak bij North Point. We waren twee straten verwijderd van Fisherman's Wharf, een toeristentrekpleister waar je bijna struikelde over de hotels, restaurants, fietsenverhuurders, souvenirwinkeltjes, en straatventers die hun handel aan de rand van de stoep bedreven.

Ik voelde me gespannen toen we de enorme boekwinkel binnen stapten waar het aangenaam koel was. Jacobi liet zijn penning aan de eerste de beste verkoopster zien en vroeg of ze Alfred Brinkley kende.

De verkoopster haalde de winkelmanager erbij, die ons voorging naar de lift. We werden naar de kelderverdieping gebracht waar hij ons voorstelde aan de magazijnmanager, Edison Jones, een donkere man van in de dertig die een tot op de draad versleten Duran Duran-T-shirt aanhad en een neusringetje droeg.

Het magazijn had betonnen muren die schuilgingen achter immense stellingen. Helemaal achterin zag ik metalen roldeuren die toegang gaven tot de laadplatforms en overal om ons heen liepen mensen die karretjes met boeken van hot naar her versjouwden.

'Fred en ik waren maatjes,' zei Jones. 'Niet dat we na het werk ook nog bij elkaar over de vloer kwamen, maar hij was een slimme vent en ik mocht hem graag. Op een gegeven moment werd hij een beetje vreemd.' Jones zette het geluid zacht van een televisietoestel dat op een metalen tafel stond die vol lag met rekeningen en kantoorbenodigdheden.

'Hoe bedoel je "vreemd"?' vroeg Conklin.

'Soms zei hij dingen tegen me als: "Hoorde je wat Wolf Blitzer net tegen me zei?" Alsof de tv tegen hem praatte, snap je? En hij begon nerveus te doen en in zichzelf te neuriën en te zingen. En dat zat de directie niet lekker,' zei Jones, die met zijn hand over de voorkant van zijn T-shirt streek. 'Toen hij een paar keer niet op kwam dagen, hadden ze een reden om hem de laan uit te sturen.' Jones pauzeerde even. 'Ik heb zijn boeken

bewaard.' Hij reikte naar een plank, haalde er een doos af en zette hem op tafel.
Ik deed de doos open en zag zware kost van Jung, Nietzsche en Wilhelm Reich liggen. Er lag ook een pocket met ezelsoren in: *The Origin of Consciousness in the Breakdown of the Bicameral Mind* door Julian Jaynes.
Ik haalde de pocket uit de doos.
'Dat was zijn lievelingsboek,' zei Edison. 'Het verbaasde me dat hij er niet voor terugkwam.'
'Waar gaat het over?'
'Volgens Fred had die Jaynes een theorie dat tot zo'n drieduizend jaar geleden de beide helften van het menselijk brein niet met elkaar verbonden waren,' zei Jones, 'dus was er geen sprake van directe communicatie tussen de twee helften.'
'Ja, en?' vroeg Jacobi.
'Jaynes beweert dat de mensen in die tijd geloofden dat hun gedachten van buiten henzelf kwamen, dat hun gedachten in feite bevelen van de goden waren.'
'Dus Brinkley hoorde... wat?' vroeg Jacobi. 'De stemmen van de televisiegoden?'
'Volgens mij hoorde hij constant stemmen. En die vertelden hem wat hij moest doen.'
Bij de woorden van Jones schoot er een rilling langs mijn rug. Er was ruim achtenveertig uur verstreken sinds de schietpartij op de veerboot. En terwijl wij geen meter opschoten, liep Brinkley nog steeds ergens rond. Hij deed wat de stemmen hem opdroegen. Hij was gewapend.
'Heb je enig idee waar Brinkley nu kan zijn?' vroeg ik.
'Ik zag hem een maand geleden buiten voor een bar rondhangen,' zei Jones. 'Hij zag er slecht uit. Zijn baard was helemaal verwilderd. Ik maakte nog een grapje en zei dat hij terugkeerde naar de oermens en toen kreeg hij een vreemde uitdrukking op zijn gezicht. Hij keek me ook niet aan.'
'En waar was dat?'
'Voor de Double Shot Bar aan Geary. Fred drinkt niet, dus misschien woonde hij in het hotel boven de bar.'
Ik kende dat hotel. Hotel Barbary was een van de tientallen 'toeristenhotels' in de Tenderloin, die kamers per uur verhuurden aan hoertjes, junkies en armoedzaaiers. Daar was je nog één stap verwijderd van de

goot en dat was geen grote stap meer.
Als Fred Brinkley een maand geleden in hotel Barbary woonde, dan woonde hij er misschien nog wel.

18

De weerman zei dat het zou gaan regenen, maar de zon stond hoog aan de hemel. Toen Fred Brinkley zijn hand uitstak, kon hij er dwars doorheen kijken.

Hij ging op weg naar de donkere ondergrondse en liep op een drafje de trap af naar het metrostation van de BART, dat hij altijd had gebruikt toen hij zijn baan nog had.

Brinkley keek naar beneden en telde zijn passen aan de hand van de vertrouwde witmarmeren tegelvloer met de zwarte granieten randen. Hij liep recht door de lobby heen en keek niet naar de kantoorslaven die tickets, bloemen en mineraalwater kochten voor ze de trein naar huis pakten. Hij wilde geen gedachten oppikken uit hun stompzinnige breinen en hij wilde de nieuwsgierige blikken niet zien, die ze hem vanuit halfdichte ogen toewierpen.

Hij nam de roltrap naar beneden, maar daar werd hij niet kalmer van. Hij besefte dat hoe verder hij naar beneden afdaalde, hoe opgewondener en nijdiger hij werd.

De stemmen hadden hem weer te pakken en scholden hem uit.

Brinkley trok zijn hoofd in, hield zijn ogen neergeslagen en zong in zichzelf ay, ay, ay, ay, BART-a-lito-lindo, in een poging de stemmen buiten te sluiten.

Zodra hij op niveau –2 van de roltrap stapte, besefte hij dat hij dat niet had moeten doen. Het perron was afgeladen met slome duikelaars die eindelijk naar huis mochten.

Het waren net donderwolken met hun donkere jassen en hun ogen boorden zich in zijn hoofd; ze omsingelden hem en hielden hem gevangen.

Beelden die hij op de rij televisies in de etalage van een elektronicawinkel had gezien, stroomden Freds hoofd binnen: beelden van zichzelf terwijl hij de mensen op de veerboot neerschoot. Hij had dat gedaan!

Brinkley bewoog zich door de menigte en mompelde en neuriede binnensmonds tot hij de rand van het perron bereikte. Zijn tenen krulden

zich over de afgrond. Nog steeds voelde hij de haat en de afschuw die om hem heen kolkten en hij voelde woede opwellen. De witte tegelmuren leken te pulseren en over hem heen te golven. Fred zag vanuit zijn ooghoek dat mensen zich naar hem toe draaiden en zijn gedachten lazen.
Hij wilde schreeuwen: ik moest het wel doen! Pas maar op. Misschien ben jij wel de volgende.
Hij staarde naar de rails, bewoog zich niet, keek niemand aan en hield zijn handen in zijn zakken. Zijn rechterhand lag om Bucky.
Ze weten het, bulderden de stemmen in koor. Ze kijken dwars door je heen, Fred.
Ineens zei een schrille stem achter hem: 'Hé!' Brinkley draaide zich om en zag een vrouw met kleine zwarte oogjes die naar hem wees.
'Daar heb je hem! Hij was op die veerboot. Hij is de veerbootschutter. Bel de politie!'
Zijn wereld stortte in. Iedereen wist wat voor slechts hij had gedaan.
Sukkel. Stuk onbenul.
Ay, ay, ay, ayyyyyy.
Fred haalde Bucky uit zijn zak en zwaaide ermee boven zijn hoofd. De mensen om hem heen schreeuwden en deinsden achteruit.
De tunnel brulde.
Blauw met zilverkleurige wagons denderden het station binnen en die herrie overstemde al het andere geluid en alle gedachten.
De trein kwam tot stilstand. Mensen stroomden als ratten de wagons uit, terwijl anderen zich juist een weg naar binnen baanden. Fred zat gevangen in de stroming en werd van links naar rechts geslingerd en kon geen kant uit. Hij snakte naar adem, begon tegen de stroom in te waden en bereikte eindelijk de roltrap. Hij snelde langs het hersenloze volk de roltrappen op tot hij de frisse buitenlucht bereikte.
De stem binnen in zijn hoofd schreeuwde: wegwezen! Maak dat je hier wegkomt!

19

7:08 stond op het digitale klokje van de magnetron. Ik was zowel fysiek als geestelijk uitgeput nadat we de hele dag door de Tenderloin hadden gesjouwd met als resultaat dat we een hele lijst met adressen hadden waar Alfred Brinkley níét woonde.

Het was niet alleen frustratie, ik voelde ook angst. Fred Brinkley liep nog steeds vrij rond.

Ik deed een maaltijd macaroni met kaas in de magnetron en zette de timer op vijf minuten.

Terwijl mijn avondeten ronddraaide, liet ik in gedachten de dag opnieuw de revue passeren. Ik hoopte iets te ontdekken wat we over het hoofd hadden gezien tijdens de tientallen gesprekken met nutteloze receptionisten van verlopen hotels en huurders in armoedige pandjes, die niets hadden opgeleverd.

Martha streek langs mijn benen, ik krabde achter haar oren en schepte een portie hondenvoer in haar etensbak. Ze kwispelde vrolijk met haar staart.

'Je bent een brave meid,' zei ik. 'Oogappeltje van me.'

Ik had net een blikje bier opengetrokken toen de deurbel ging.

Wat kregen we nu?

Ik sjokte naar het raam om te zien wie het lef had me te storen, maar ik kende de man niet die op de stoep stond en omhoogkeek.

Hij was gladgeschoren, stond half in de schaduw en hield een envelop omhoog.

'Wat wilt u?'

'Ik heb iets voor u, inspecteur. Het is dringend. Ik moet dit persoonlijk aan u afleveren.'

Wie was die man? Was hij een deurwaarder? Een informant? Achter me hoorde ik de magnetron piepen; mijn avondeten was klaar.

'Doe maar in de brievenbus!' riep ik naar beneden.

'Dat zou ik kunnen doen,' zei mijn bezoeker, 'maar u zei op televisie:

“Kent u deze man?” Weet u nog wel?’
‘Kent u hem?’ riep ik.
‘Ik bén hem. Ik heb het gedaan.’

20

Ik stond een paar tellen stomverbaasd naar hem te kijken.
Stond de veerbootschutter voor mijn deur?
Toen was ik weer bij de les.
'Ik kom eraan,' schreeuwde ik naar beneden.
Ik greep de holster met mijn wapen van een stoel en klikte de handboeien aan mijn riem. Terwijl ik door de hal van de eerste verdieping rende, belde ik Jacobi op mijn mobieltje, hoewel ik heel goed besefte dat ik niet kon wachten tot hij er was.
Misschien liep ik wel een kogelregen tegemoet, maar als de man die beneden stond echt Alfred Brinkley was, dan kon ik niet het risico nemen dat hij er weer vandoor ging.
Mijn Glock lag in mijn hand toen ik de voordeur, die ik als schild gebruikte, een paar centimeter opende.
'Hou je handen zo dat ik ze kan zien,' commandeerde ik.
De man had een opgejaagde blik in zijn ogen. Hij leek te aarzelen, deed een stap naar achteren en toen weer een naar voren. Zijn ogen schoten alle kanten op en ik hoorde dat hij half binnensmonds zong.
Jezus, hij was echt gestoord, en gevaarlijk. Waar was zijn wapen?
'Handen omhoog. Blijf staan!' riep ik.
De man bleef staan. Hij stak zijn handen omhoog en zwaaide de envelop heen en weer alsof het een witte vlag was.
Ik keek hem onderzoekend aan en vergeleek het gezicht van de man voor me met het beeld dat ik van de schutter in mijn hoofd had.
Deze man had zich geschoren, maar niet zo glad als ik in eerste instantie had gedacht. Her en der zaten nog plukjes donker haar op zijn witte huid.
Voor de rest klopte het. Hij was lang, mager en droeg kleding die veel leek op of identiek was aan de kleding die de schutter zo'n zestig uur geleden had gedragen.
Was dit Alfred Brinkley? Had een gewelddadige moordenaar domweg bij

mij aangebeld om zich over te geven? Of was dit een andere gestoorde die de publiciteit zocht?
Ik stapte naar buiten, greep mijn Glock met beide handen vast en richtte hem op zijn borstkas. Hij had zich kennelijk al een tijd niet gewassen en de stank walmde me tegemoet.
'Ik ben het,' zei hij, terwijl hij zijn ogen neersloeg. 'U zei dat u me zocht. Ik zag u op televisie. In een elektronicawinkel.'
'Op de grond,' blafte ik. 'Op je buik en handen op je hoofd.'
Hij wipte heen en weer op zijn voeten.
Ik schreeuwde: 'Op de grond. Schiet op!'
Hij liet zich vallen en legde zijn handen op zijn hoofd.
Met mijn wapen tegen zijn achterhoofd gedrukt, liet ik mijn vrije hand over zijn lichaam gaan. Ik controleerde hem op wapens, terwijl beelden van Rooneys video constant door mijn hoofd schoten.
Ik haalde een wapen uit zijn jaszak, stak het achter mijn riem en zocht verder. Meer wapens had hij niet bij zich.
Ik stak de Glock terug in mijn holster en haalde de handboeien van mijn riem.
'Hoe heet u?' vroeg ik, terwijl ik de graatmagere armen op zijn rug boeide. Daarna raapte ik de envelop op van de stoep, die ik in mijn zak stopte.
'Fred Brinkley,' zei hij op geërgerde toon. 'U weet wie ik ben. U zocht me toch, weet u nog wel? U zei: "We zullen de dader van deze afgrijselijke misdaad oppakken." Ik heb het allemaal opgeschreven.'
De beelden van de Rooney-video maalden nu onafgebroken door mijn hoofd. Ik zag deze man vijf mensen neerschieten. Ik zag hem Claire neerschieten.
Met trillende hand haalde ik zijn portefeuille uit zijn broekzak. Ik sloeg hem open en in het vage schijnsel van de straatlantaarn aan de overkant van de straat zag ik het rijbewijs en las ik de naam.
Het was inderdaad Alfred Brinkley.
Ik had hem.
Ik wees Brinkley op zijn rechten, maar hij bleef zeggen: 'Ik heb het gedaan. Ik ben de veerbootschutter.'
'Hoe heb je me gevonden?' vroeg ik.
'Ik heb uw adres op internet opgezocht. In de bieb,' vertelde Brinkley. 'Sluit me maar op. Want ik heb het gevoel dat ik het nog een keer zou kunnen doen.'

Op dat moment kwam Jacobi's auto met piepende banden tot stilstand langs de stoep. Met getrokken wapen sprong hij naar buiten.
'Kon je niet op me wachten, Boxer?'
'Meneer Brinkley werkt volledig mee, Jacobi. Alles is in orde.'
Nu ik Jacobi zag en wist dat het gevaar geweken was, voelde ik een golf van opluchting door me heen slaan. Ik wilde lachen, huilen en het triomfantelijk uitschreeuwen. Tegelijkertijd!
'Goed gedaan,' hoorde ik Jacobi zeggen, en hij legde even zijn hand op mijn schouders. Ik haalde diep adem en probeerde mezelf te kalmeren, terwijl Jacobi en ik Brinkley overeind trokken.
Toen we hem op de achterbank van Jacobi's auto schoven, draaide hij zich naar me toe.
'Dank u, inspecteur,' zei hij. Zijn onrustige ogen met de waanzinnige blik erin schoten alle kanten op en ineens barstte hij in tranen uit. 'Ik wist wel dat u me zou helpen.'

21

Jacobi liep achter me aan mijn kantoor in. We stonden strak van de spanning maar moesten wachten tot Brinkley de gebruikelijke procedures had ondergaan. We dronken koffie en bespraken onze volgende stap terwijl we wachtten.

Brinkley had bekend dat hij de veerbootschutter was en had resoluut het aanbod van een advocaat afgeslagen. Maar de schriftelijke verklaring die hij me gegeven had, was een onzinnig verhaal over wit licht, hersenloze mensen en een wapen met de naam 'Bucky'.

We hadden een officiële bekentenis nodig van Brinkley waaruit bleek dat hoewel Alfred Brinkley misschien geestelijk gestoord was, hij op dit moment wél rationeel was.

Nadat ik Tracchio had gebeld, belde ik Cindy, die niet alleen een goede vriendin van me was maar ook de beste misdaadjournaliste van de *Chronicle*, om haar op de hoogte te brengen van Brinkleys arrestatie. Daarna liep ik te ijsberen over de afdeling, keek ik naar de wijzers van de klok die tergend langzaam vooruitschoven, en wachtte ik tot Tracchio zou arriveren.

Om kwart over negen waren de vingerafdrukken genomen, de foto's gemaakt en was Brinkleys kleding onderweg naar het lab om onderzocht te worden op bloedspetters en kruitsporen. Hij had er een oranje gevangenisoverall voor in de plaats gekregen.

Ik had Brinkley gevraagd of er een buisje bloed mocht worden afgenomen en hem uitgelegd waarom: 'We willen zeker weten dat je niet onder invloed van drugs of alcohol bent wanneer we je bekentenis opnemen.'

'Ik heb niets gebruikt,' zei Brinkley, die zijn mouw opstroopte.

Nu zat hij in Verhoor Twee op ons te wachten, de verhoorkamer met de camera in het plafond, die meestal werkte.

Jacobi en ik stapten de kleine verhoorkamer binnen en gingen tegenover de moordenaar aan de metalen tafel vol krassen zitten.

Ik kreeg kippenvel toen ik naar zijn bleke, ingevallen gezicht keek en me herinnerde wat hij had gezegd.
Ik heb het gedaan.

22

Brinkley was nerveus. Zijn knieën tikten tegen de onderkant van de tafel en hij had zijn geboeide polsen over elkaar geslagen zodat hij aan de haartjes op zijn onderarm kon plukken.

'Meneer Brinkley, begrijpt u dat u niets hoeft te zeggen?' vroeg ik hem. Hij knikte toen ik hem nog een keer op zijn rechten wees. En zei 'ja' toen ik vroeg: 'Begrijpt u uw rechten?'

Hij ondertekende het formulier dat ik hem toe schoof, waarin stond dat hij zijn rechten kende en begrepen had. Ik hoorde stoelpoten over de vloer schrapen in de observatieruimte achter de spiegel en boven ons hoofd ging de camera zacht zoemen. Het verhoor was begonnen.

'Weet u welke dag van de week het is?'

'Het is maandag,' zei hij.

'Waar woont u?'

'In metrostations. Computerwinkels. Soms in de bibliotheek.'

'Weet u waar u op dit moment bent?'

'In het paleis van justitie aan Bryant Street 850.'

'Heel goed, meneer Brinkley. Dan heb ik nog een vraag voor u. Bevond u zich afgelopen zaterdag, eergisteren dus, aan boord van de veerboot de *Del Norte*?'

'Ja. Het was een prachtige dag. Ik vond een kaartje toen ik op de boerenmarkt liep,' zei hij. 'Ik dacht dat het geen kwaad kon om het te gebruiken.'

'Hebt u het van iemand afgepakt?'

'Nee, het lag op de grond.'

'Dan vergeten we dat kaartje verder,' zei Jacobi tegen Brinkley.

Brinkley zag er een stuk rustiger uit en hij leek ook veel jonger dan hij in feite was. Het begon me te ergeren dat hij er zo kinderlijk en zelfs ongevaarlijk uitzag. Alsof hij het slachtoffer van zichzelf was geworden.

Hoe zou hij op de jury overkomen? Zouden ze hem sympathiek vinden? 'Niet schuldig' zowel vanwege zijn sympathieke voorkomen als het feit dat hij stapelgek was?

‘Op de terugreis, meneer Brinkley…’ zei ik.
‘U mag wel Fred zeggen.’
‘Oké, Fred. Toen de *Del Norte* de haven van San Francisco binnen liep, heb jij toen een wapen tevoorschijn gehaald en op een aantal passagiers geschoten?’
‘Ik moest wel,’ zei hij. Zijn stem stokte en er verscheen een gespannen trek op zijn gezicht. ‘Die moeder was… hoor eens, ik heb iets slechts gedaan. Dat weet ik en daar wil ik voor gestraft worden.’
‘Heb jij die mensen neergeschoten?’ drong ik aan.
‘Ja, dat heb ik gedaan! Ik heb die moeder en haar zoontje neergeschoten. En die twee mannen. En die andere vrouw die me aankeek alsof ze precies wist wat er in mijn hoofd omging. Het spijt me echt. Ik had het geweldig naar mijn zin tot alles ineens fout liep.’
‘Maar je had die schietpartij toch gepland?’ vroeg ik op kalme toon en ik glimlachte Brinkley zelfs bemoedigend toe. ‘Je had een geladen wapen bij je, nietwaar?’
‘Ik heb Bucky altijd bij me,’ zei Brinkley. ‘Maar ik wilde die mensen geen pijn doen. Ik kende ze niet. Ik wist niet eens dat ze echt waren tot ik de video op tv zag.’
‘Waarom heb je dan op ze geschoten?’ vroeg Jacobi.
Brinkley staarde over mijn hoofd naar de doorkijkspiegel. ‘De stemmen zeiden dat ik het moest doen.’
Was dat waar? Of was Brinkley al bezig met zijn verdediging en wilde hij het op ontoerekeningsvatbaarheid vanwege een psychische stoornis gooien?
Jacobi vroeg hem wat voor soort stemmen het waren, maar Brinkley zei niets meer. Hij liet zijn kin op zijn borst hangen en mompelde: ‘Ik wil dat jullie me opsluiten. Zouden jullie dat willen doen? Ik heb echt slaap nodig.’
‘Ik denk dat we nog wel een lege cel op de bovenste verdieping voor je hebben,’ zei ik.
Ik klopte op de deur waarop brigadier Steve Hall de verhoorkamer binnen stapte. Hij ging achter de verdachte staan.
‘Meneer Brinkley,’ zei ik, ‘u wordt beschuldigd van moord op vier personen, poging tot moord op een vijfde, en nog zo’n vijftien minder zware misdrijven. Zorg dat u een goede advocaat krijgt.’
‘Dank u,’ zei Brinkley, die voor het eerst recht in mijn ogen keek. ‘Bedankt voor wat u voor me hebt gedaan. Dat waardeer ik echt.’

23

Op de voorpagina van de *Chronicle* die de volgende ochtend op de stoep lag, stond met vette letters vlak boven Cindy's artikel: VEERBOOTSCHUTTER OPGEPAKT.

Toen ik bij het bureau arriveerde, stond er een kluitje journalisten op me te wachten.

'Hoe voelt u zich, inspecteur?'

'Geweldig,' zei ik met een grijns. 'Beter kan niet.'

Ik beantwoordde vragen, prees mijn team en poseerde met een brede glimlach voor een stel foto's, waarna ik naar binnen stapte en de lift naar de tweede verdieping nam.

Toen ik de afdeling op liep, sloeg Brenda op een kleine gong die op haar bureau stond. Ze stond op, liep naar me toe, sloeg haar armen om me heen en feliciteerde me hartelijk. Ik zag dat er bloemen op het bureau in mijn glazen kantoortje stonden.

Ik riep iedereen bij elkaar en dankte hen voor hun inzet en toen rechercheur Lemke vroeg of ik hem wilde leren hoe je moordenaars pal voor je neus kunt laten verschijnen, barstten we allemaal in lachen uit.

'Ik kan heel goed met mijn neus wiebelen, maar er gebeurt niets.'

'Je moet met je neus wiebelen, je armen over elkaar slaan en knipogen en dat allemaal tegelijkertijd!' riep Rodriguez.

Ik stond in de kantine en schonk een mok koffie in, waarna ik me op de stapels papierwerk wilde storten die op mijn bureau lagen te wachten, toen Brenda haar hoofd om de hoek stak en zei: 'De chef op lijn één.'

Ik liep naar mijn kantoor en zette het enorme boeket bloemen dat midden op mijn bureau stond, in de vensterbank. Ik wierp een blik op het kleine kaartje dat tussen de rozen zat. Er stonden een heleboel kruisjes op het kaartje, dat van Joe, de man van mijn dromen, afkomstig was.

Ik glimlachte nog steeds toen ik de knipperende toets op mijn telefoontoestel indrukte en chef Tracchio's stem hoorde, die me vriendelijk vroeg even langs te komen.

‘Ik zal het team meenemen,’ zei ik.
‘Nee, alleen jij,’ was zijn reactie.
Ik zei tegen Brenda dat ik vijf minuutjes weg zou zijn en nam de trap naar Tracchio’s kantoor op de vierde verdieping.
De chef stond op toen ik binnenkwam, stak zijn vlezige hand uit, greep de mijne vast en zei: ‘Boxer, gefeliciteerd met de arrestatie van die moordzuchtige idioot. Dit is een goede dag voor de SFPD. Je hebt fantastisch werk geleverd.’
Ik zei: ‘Bedankt, chef. En bedankt dat u achter me stond.’ Ik maakte al aanstalten om te vertrekken toen ik ineens een uitdrukking van gêne op zijn gezicht zag. Dat had ik nog nooit eerder meegemaakt.
Hij gebaarde dat ik moest gaan zitten en ging zelf ook zitten. Hij rolde zijn stoel een paar keer van voor naar achteren, liet zijn ellebogen op het bureaublad rusten en sloeg zijn handen in elkaar.
‘Lindsay, ik ben tot een conclusie gekomen waartegen ik me met hand en tand heb verzet.’
Kreeg ik er meer mensen bij? Een ruimer budget?
‘Ik heb met eigen ogen gezien hoe hard je aan deze zaak hebt gewerkt en ik ben onder de indruk van het doorzettingsvermogen en de vastberadenheid die je aan de dag legde.’
‘Dank u...’
‘En daarom moet ik toegeven dat jij gelijk had en ik ongelijk.’
Waar had ik gelijk in?
Ineens maakten mijn hersens de connectie, ik wist wat er ging komen en probeerde hem voor te zijn... maar faalde.
‘Zoals je zelf al zei,’ vervolgde Tracchio, ‘hoor jij op straat en niet aan een bureau. Dat snap ik nu. Eindelijk. Simpel gezegd, administratief werk is zonde van je talent.’
Ik staarde de chef aan toen hij een penning over het bureaublad naar me toe schoof.
‘Gefeliciteerd, Boxer, met je welverdiende degradatie tot brigadier.’

24

Plotseling voelde ik me duizelig. Ik hoorde Tracchio doorpraten maar het was alsof zijn bureau kilometers naar achteren was geschoven en hij vanaf de snelweg met me praatte.

'Je zult niet meer rechtstreeks aan me rapporteren. Je houdt uiteraard je huidige salaris...'

Ik moest me aan de rand van zijn bureau vastgrijpen voor steun. Ik zag Tracchio in zijn stoel vallen en de uitdrukking op zijn gezicht maakte me duidelijk dat hij net zo verbaasd was door mijn reactie als ik door zijn aankondiging.

'Wat heb je, Boxer? Dit is toch wat je wilde? Je hebt me maanden aan mijn kop gezeurd...'

'Nee, ik bedoel, ja. Ik had alleen niet verwacht dat...'

'Kom nou toch, Boxer. Wat maak je me nu? Ik heb me uit de naad gewerkt om dit voor elkaar te boksen omdat jíj zei dat je dit wilde.'

Ik opende mijn mond en sloot hem weer. 'Geef me even de tijd om het te verwerken, oké, Tony?' stamelde ik.

'Ik geef het op,' zei Tracchio, die zijn nietmachine oppakte en hem met een klap op zijn bureau liet neerkomen. 'Ik begrijp je niet. En dat zal ook wel nooit gebeuren. Ik geef het op, Boxer!'

Ik kan me niet herinneren dat ik zijn kantoor uit liep, maar de lange wandeling terug naar de trap staat me nog helder voor de geest, net als de kramp in mijn kaken van de geforceerde glimlach waarmee ik de felicitaties van de mensen die ik passeerde, beantwoordde.

Mijn hersens maalden in hetzelfde kleine kringetje rond.

Wat had ik me godver in mijn hoofd gehaald?

En wat wilde ik nu eigenlijk?

Ik kwam bij het trappenhuis en liep als verdoofd de trappen af naar beneden. Halverwege zag ik Jacobi die naar boven kwam.

'Warren, dit geloof je nooit!'

'Kom, we gaan een frisse neus halen,' zei hij.

We liepen de trappen af naar de begane grond, verlieten het paleis en liepen in de richting van de Flower Mart.
'Tracchio belde me gisteravond,' zei Jacobi tijdens het lopen.
Mijn hoofd schoot omhoog. Jacobi en ik hebben nooit geheimen voor elkaar gehad, maar nu lag er een gepijnigde trek op zijn gezicht waar ik van schrok.
'Hij bood me de baan aan, Lindsay. Jouw baan. Maar ik zei dat ik hem niet wilde hebben, tenzij dat oké was met jou.'
Het gerommel onder mijn voeten was waarschijnlijk de metro die het station binnen reed, toch leek het net een aardbeving.
Ik wist wat ik nu hoorde te zeggen. Gefeliciteerd. Een uitstekende keuze. Je zult het fantastisch doen, Jacobi.
Ik kreeg de woorden niet uit mijn mond.
'Ik heb wat tijd nodig om erover na te denken, Jacobi. Ik neem de rest van de dag vrij,' wist ik uit te brengen.
'Best, Lindsay. We doen niets tot...'
'Misschien wel twéé dagen.'
'Lindsay, stop! Praat met me.'
Maar ik was al weg. Ik schoot de straat over, haalde mijn auto van het parkeerterrein, reed van Bryant naar Sixth en vandaar de 280 op, richting Potrero Hill.
Ik rukte mijn gsm van mijn riem en drukte de J in, waarop Joe's mobiele nummer automatisch werd gebeld. Ik hoorde de telefoon overgaan terwijl ik het gaspedaal vol indrukte en de Explorer schoot vooruit.
Het was één uur 's nachts in Washington.
Neem op, Joe!
Ik kreeg zijn voicemail, dus sprak ik een boodschap in. 'Bel me, alsjeblieft.'
Daarna belde ik het ziekenhuis en vroeg ik de telefoniste me door te verbinden met Claire.

25

Ik hoopte Claires stem te horen, maar Edmund nam op. Zo te horen had hij nog een nacht in de stoel bij Claires bed doorgebracht.

'Hoe is het met haar?' wist ik ondanks de brok in mijn keel uit te brengen.

'Ze krijgt net nog een MRI,' zei hij.

'Zeg tegen haar dat we de schutter hebben,' zei ik. 'Hij heeft bekend en we hebben hem achter slot en grendel.'

Ik zei tegen Edmund dat ik Claire nog zou bellen en probeerde opnieuw Joe te bereiken. Deze keer kreeg ik de voicemail van zijn kantoor, dus belde ik hem thuis.

Daar kreeg ik ook zijn voicemail.

Ik stopte voor het verkeerslicht op 18th Street, tikte ongeduldig met mijn vingers op het stuur en trapte het gas vol in zodra het licht op groen sprong.

Ineens schoten mijn gedachten terug naar de dag dat ik tot inspecteur was bevorderd. Dat was nadat ik de seriemoordenaar had opgepakt die bruidsparen vermoordde. Die moordzuchtige klootzak had met recht een plek in de top tien van de eregalerij met Meest Gestoorde Moordenaars verdiend. Destijds beschouwde ik mijn promotie eerlijk gezegd als een politieke zet. Er had nog nooit een vrouw aan het hoofd van Moordzaken gestaan. Ik had de ceremonie ter ere van mijn promotie ondergaan zonder dat ik wist of ik de invloed en de verantwoordelijkheid die de baan met zich meebracht, echt wel wilde.

Eigenlijk wist ik dat nog steeds niet.

Ik had zélf gevraagd om teruggezet te worden, daarom was het niet zo vreemd dat Tracchio mijn reactie niet begreep. Ik begreep mijn reactie zelf niet eens!

Soms wist je nu eenmaal niet hoe je op iets zou reageren tot het zover was.

Je zult niet meer rechtstreeks aan me rapporteren. Nee, dat was wel dui-

delijk. Ik ging terug in rang. Kon ik orders aannemen van Jacobi?
'Ik zei dat ik hem niet wilde hebben, tenzij dat oké was met jou,' had Jacobi gezegd.
Ik moest met Joe praten.
Ik griste de telefoon van de passagiersstoel en drukte op de herhaaltoets. Joe's stem op de voicemail bracht herinneringen boven aan de romantische uitjes die we gemaakt hadden; aan de nachten vol hartstocht; aan alle dingen waardoor ik zoveel van hem hield. Ik koesterde elk moment dat we samen waren, omdat ik nooit wist wanneer ik hem weer zou zien. Met heel mijn hart wenste ik dat ik deze nacht in zijn armen kon doorbrengen. Ik wilde zijn armen geruststellend om me heen voelen in de wetenschap dat hij me zag zoals ik echt was. Wanneer hij me aanraakte, vergat ik alles om me heen...
Ik kreeg weer zijn voicemail maar liet geen boodschap achter. Ik belde zijn twee andere nummers en kreeg daar ook zijn voicemail.
Ik reed een parkeerterrein op, trok de handrem aan, zat wezenloos voor me uit te staren en wenste dat ik bij Joe was.
Ineens kreeg ik een helder idee.
Dan liet ik die wens toch zelf uitkomen.

26

Ik leek totaal niet op de andere mensen in de wachtruimte: allemaal zakenmannen in grijze pakken met rode of blauwe dassen... en ik. Ik droeg een nieuwe, cognackleurige kasjmiertrui met V-hals, een strakke spijkerbroek en een nauwsluitend, kort tweedjasje. Mijn haar glansde als satijn. Er werden heimelijke blikken op me geworpen en dat deed mijn ego goed.

Terwijl ik wachtte tot ik aan boord mocht, ging ik in gedachten nog een keer mijn lijstje na: de hondenoppas voor Martha was gebeld; mijn wapen en holster zaten in de la van mijn kledingkast; en mijn telefoon lag in mijn auto. Eerlijk gezegd was dat laatste een foutje. Ik had mijn mobieltje per ongeluk in mijn auto laten liggen. En ik had geen zielenknijper nodig om me te vertellen dat ik door mijn wapen af te leggen en mijn telefoon achter te laten, heel duidelijk liet merken hoe ik op dit moment over mijn werk dacht.

Toch had ik de belangrijkste dingen wel bij me: mijn lipstick en het retourticket naar Reagan National dat Joe me samen met zijn sleutel en een briefje had gegeven. De tekst op het briefje luidde: DIT IS JE 'KOM-NAAR-JOE'-PAS DIE ALTIJD GELDIG IS. LIEFS, JOE.

Ik voelde me vreemd roekeloos toen ik het vliegtuig in stapte. Niet alleen omdat ik vertrok zonder dat ik een belangrijke kwestie had afgehandeld, maar ook vanwege iets anders.

Joe had weleens verrassingsbezoekjes bij mij afgelegd, maar ik had hém nog nooit onaangekondigd opgezocht.

Het glas champagne dat voor de vlucht werd geserveerd, kalmeerde me en zodra het vliegtuig opsteeg, klapte ik mijn stoel achterover en deed ik mijn ogen dicht. Pas toen de stem van de piloot aankondigde dat de landing werd ingezet, schrok ik wakker.

Eenmaal buiten hield ik een taxi aan en gaf ik de chauffeur Joe's adres op.

Een halfuur later reed de chauffeur om de planten en fonteinen heen voor het luxe, L-vormige Kennedy Warren-appartementencomplex. Een paar minuten later liep ik over het hoogpolige tapijt in de hal op de bovenste verdieping van de historische vleugel en drukte ik op Joe's bel. Hier ben ik dan.

Er kwam geen reactie, dus belde ik nog een keer. Daarna deed ik de ene sleutel in het onderste slot, gebruikte ik de andere voor het nachtslot, en duwde ik de deur open.

Ik stapte de donkere hal binnen en riep: 'Joe?' Ik liep naar de keuken en riep nog een keer zijn naam.

Waar was Joe?

Waarom had hij geen van zijn telefoons beantwoord?

De keuken kwam uit in een grote, aantrekkelijke ruimte die zowel eetkamer als woonkamer was. De hardhouten vloer glansde in het zonlicht dat door de hoge ramen stroomde. Hij had zelfs een dakterras, zag ik. Het donkerhouten meubilair met de weelderige stoffering zag eruit om door een ringetje te halen. Toen ik mijn blik verder liet dwalen, sloeg mijn hart over van schrik.

Op een van de banken zat een vrouw een tijdschrift te lezen. Ze zat met haar gezicht naar het raam gekeerd en langs haar nek bungelden witte snoertjes van een iPod.

Ik stond als aan de grond genageld en kon geen woord uitbrengen.

27

Mijn hart bonkte luid toen ik de jonge vrouw aandachtig opnam, die een broodje en een kop thee op het tafeltje naast zich had neergezet. Ze had een zwart topje en een zwarte joggingbroek aan, droeg haar blonde haar in een knotje en had blote voeten.

Mijn lichaam leek helemaal verdoofd op mijn tintelende vingertoppen na. Had Joe een dubbelleven geleid terwijl ik in San Francisco wachtte op zijn telefoontjes en zijn bezoekjes?

Mijn gezicht was rood van nijd, maar ook van schaamte. En nu? Wegvluchten of woedend gaan schreeuwen.

Hoe kon Joe me bedriegen?

De vrouw had waarschijnlijk een glimp van me opgevangen in de spiegel want ze liet haar tijdschrift vallen, bracht haar handen naar haar gezicht en begon te schreeuwen.

Ik schreeuwde ook. 'Wie ben jij verdomme?'

'Wie ben jíj?' schreeuwde ze terug, terwijl ze de iPod uit haar oren rukte, waardoor het blonde haar uit het knotje schoot.

'Ik ben Joe's vriendin,' zei ik. Ik voelde me ongelooflijk kwetsbaar.

O, Joe, wat heb je gedaan?

'Ik ben Milda,' zei ze. Ze sprong van de bank en ging me voor naar de keuken. 'Ik werk hier. Ik maak het huis schoon voor meneer Molinari.'

Ik lachte niet vanwege de humor van de situatie, maar van pure schrik.

Ze trok een cheque uit haar broekzak, die ze me voorhield.

Ik keek nauwelijks naar het stuk papier. Beelden van de afgelopen paar dagen maalden door mijn hoofd en door de aanwezigheid van deze jonge vrouw dreigde ik het laatste beetje grip op mijn emoties te verliezen.

'Ik was vroeg klaar en zat een paar minuten te lezen,' zei ze, terwijl ze de mok en het bordje afwaste, dat ze had gebruikt. 'Zeg het alstublieft niet tegen hem, oké?'

Ik knikte versuft. 'Nee. Natuurlijk niet.'

'Ik ga nu,' zei ze, en ze draaide de kraan dicht. 'Ik moet mijn zoontje op-

halen en ik wil niet te laat komen, dus ik ga nu, oké?'
Ik knikte.
Ik liep de gang door en deed de deur van de badkamer open. Ik trok het medicijnkastje open en zocht tussen de flesjes en doosjes naar nagellak, tampons en make-up.
Toen ik niets vond, stapte ik zijn slaapkamer binnen, die uitkeek op de binnenplaats. Ik trok zijn kledingkast open, keek of er onderin vrouwenschoenen stonden en liet mijn hand langs de kledinghangers gaan. Geen rokken, geen blouses. Waar was ik in vredesnaam mee bezig?
Ik kende Joe toch?
Ik draaide me naar het bed toe en zou net het beddengoed terugslaan om de lakens te inspecteren toen ik een foto op het nachtkastje zag staan. Het was een foto van Joe en mij in Sausalito, een halfjaar geleden. Hij had zijn arm om me heen geslagen, de wind speelde met mijn haar en we zagen er verliefd uit.
Ik sloeg mijn handen voor mijn gezicht.
Ik schaamde me diep. Ineens biggelden de tranen me over de wangen. Ik stond in Joe's slaapkamer en bleef maar huilen.
Toen de huilbui eindelijk voorbij was, trok ik de deur achter me dicht en ging ik terug naar Californië.

Deel twee

Het meisje met de bruine ogen

28

Madison Tyler hinkelde over de tegels van de stoep, rende terug naar haar kindermeisje en greep haar hand vast, waarna ze hand in hand in de richting van het Alta Plaza Park liepen. 'Luisterde je wel, Paola?'
Paola Ricci kneep even in Madisons kleine handje.
Af en toe begreep Paola helemaal niets van de vijfjarige, die zich veel ouder gedroeg dan je op haar leeftijd zou verwachten.
'Natuurlijk luisterde ik, lieverd.'
'Zoals ik al zei,' zei het kind op de aandoenlijk volwassen manier die zo typerend voor haar was, 'wanneer ik Beethovens *Bagatelle* speel, lijken de eerste noten net een blauwe ladder...'
Ze zong de noten.
'En in het volgende deel, wanneer ik C-D-C speel, zijn de noten roze-groen-roze!' riep ze triomfantelijk uit.
'Dus je doet net alsof die noten kleuren hebben?'
'Nee, Paola,' zei het kind op geduldige toon. 'De noten hebben echt die kleuren. Zie jij geen kleuren wanneer je zingt?'
'Nee. Ik ben denk ik een beetje onnozel,' zei Paola. 'Ik ben een OO.'
'Ik weet niet wat een OO is,' zei Madison met een hartverwarmende glimlach die weerkaatst werd in haar grote, bruine ogen. 'Maar het klinkt grappig.'
'Een OO is een onnozele oppas, suffie.'
Ze moesten beiden lachen. Madison sloeg haar armen om Paola's middel en begroef haar gezicht in de jas van haar kindermeisje toen ze langs de exclusieve Waldorf School liepen. Ze woonde nog geen twee straten bij haar school vandaan.
'Het is zaterdag,' fluisterde Madison tegen Paola. 'Op zaterdag hoef ik niet eens naar mijn school te kíjken.'
Het park lag een straat verderop en bij de aanblik van de stenen ommuring raakte Madison helemaal opgewonden en veranderde ze van onderwerp.

'Mammie zegt dat ik een Lakeland-terriër mag als ik wat ouder ben,' vertrouwde Madison Paola toe, terwijl ze Divisadero overstaken. 'En dan noem ik hem Wolfgang.'
'Wat een deftige naam voor een hondje,' zei Paola, die het kind stevig vasthield en met haar gedachten bij het oversteken was. Ze keurde de zwarte minivan die voor de toegangshekken van het park stond nauwelijks een blik waardig. Het stikte in Pacific Heights van de dure, zwarte minivans.
Paola hield Madisons hand omhoog, het meisje sprong op de stoep en bleef plotseling stilstaan toen er iemand uit de minivan stapte en op hen af kwam.
'Paola, wie is dat?' vroeg Madison.
'Wat is er aan de hand?' riep Paola naar de man die uit de auto was gestapt.
'Er is een ongeluk gebeurd. Jullie moeten beiden meteen met ons meekomen. Je moeder is van de trap gevallen, Madison.'
Madison, die zich achter Paola's rug had verscholen, stapte tevoorschijn en riep: 'Mijn papa zegt dat ik nooit bij vreemden in de auto mag stappen. En u bent heel vreemd.'
De man pakte het meisje op alsof hij een zak zand oppakte en gooide haar op de achterbank van de minivan, terwijl Madison schreeuwde: 'Help! Zet me neer.'
'Stap in,' zei de man tegen Paola en hij richtte een wapen op haar.
'Stap in, anders zie je het kind nooit meer.'

29

Rich Conklin en ik waren net terug op de afdeling nadat we de hele ochtend onderzoek hadden gedaan naar een moord die vanuit een rijdende auto was gepleegd, toen Jacobi gebaarde dat we bij hem moesten komen. We liepen over het grijze linoleum naar het glazen kantoortje en namen plaats. Conklin liet zich zakken op het archiefkastje waar Jacobi vroeger altijd zat en ik ging in de bezoekersstoel voor Jacobi's bureau zitten en zag dat hij het zich gemakkelijk maakte in de stoel die ooit van mij was geweest.

Ik moest nog steeds wennen aan de nieuwe situatie. Ik keek om me heen naar de puinhoop die Jacobi in nog geen twee weken van mijn voormalige kantoortje had gemaakt. Op de grond en in de vensterbank stonden stapeltjes kranten en uit de prullenbak kwam de geur van oud voedsel.

'Je bent een varken, Jacobi,' zei ik. 'Een smeerpijp van de eerste orde.'

Jacobi lachte, iets wat hij de afgelopen paar dagen vaker had gedaan dan in de afgelopen twee jaar en ondanks de deuk in mijn ego was ik blij dat hij niet langer hijgend en puffend heuvels op hoefde te rennen.

Hij was een fantastische agent en hij had het zooitje ongeregeld dat zijn team was, perfect in de hand. Ik ging zelfs weer van hem houden.

Jacobi kuchte een paar keer en zei: 'We hebben een ontvoeringszaak.'

'Waarom hebben ze die op ons bordje geschoven?' vroeg Conklin.

'Zware Delicten is er een paar uur aan bezig geweest, maar toen kwam er een getuige naar voren en nu lijkt het erop dat het een moordzaak is,' zei Jacobi. 'We stemmen het onderzoek af met inspecteur Macklin.'

De computer begon te zoemen toen Jacobi hem aanzette. Voor hij tot inspecteur was bevorderd, zat hij nooit aan de computer. Jacobi viste een cd uit de puinhoop op zijn bureau en schoof hem onhandig in de cd-speler van zijn pc.

'Een vijfjarig meisje en haar kindermeisje waren vanmorgen om negen uur onderweg naar het park toen ze beiden ontvoerd werden. De naam van het kindermeisje is Paola Ricci, een Italiaanse au pair uit Cremona

die hier op een werkvisum is. Het kind heet Madison Tyler.'
'Van de *Chronicle*-Tylers?' vroeg ik.
'Ja. Henry Tyler is haar vader.'
'Zei je dat er een getuige van de ontvoering was?'
'Dat klopt, Boxer. Een vrouw die haar schnauzer uitliet voor ze naar haar werk ging, zag een gedaante in een grijze jas uit een zwarte minivan stappen die voor het Alta Plaza Park aan Scott Street geparkeerd stond.'
'Wat bedoel je met "gedaante"?' vroeg Conklin.
'Het enige wat ze kon zeggen, was dat het een persoon in een grijze jas was. Ze kon niet zien of het een man of een vrouw was omdat ze die persoon op de rug zag en ze heeft maar heel even gekeken. Ze weet ook niet welk merk de auto had. Het gebeurde allemaal heel snel volgens haar.'
'En waarom is er sprake van een mogelijke moordzaak?' vroeg ik.
'De getuige zei dat zodra de auto optrok, ze een schot hoorde. En daarna zag ze bloed op de achterruit van de minivan.'

30

Jacobi klikte een paar keer met zijn muis en draaide zijn beeldscherm een halve slag zodat Conklin en ik de video konden bekijken die werd afgespeeld.

'Dit is Madison Tyler,' zei hij.

De camera liet beelden zien van een klein, blond meisje dat vanuit de coulissen een podium op stapte. Ze droeg een eenvoudig, marineblauw fluwelen jurkje met een kanten kraag, witte sokken en felrode lakschoentjes.

Ze was het mooiste kleine meisje dat ik ooit had gezien en de intelligente blik in haar ogen maakte duidelijk dat het geen minimissverkiezing was.

Er klonk applaus in Jacobi's kantoortje op toen het kleine meisje op een pianokruk voor een Steinway-vleugel plaatsnam.

Het applaus stierf weg en ze begon een klassiek stuk te spelen dat ik niet herkende, maar dat gecompliceerd klonk en het kind leek geen fouten te maken.

Ze strekte haar armpjes zo ver mogelijk over de toetsen en hield de laatste noot even aan, waarna het applaus losbarstte.

Madison draaide zich om naar het publiek en zei: 'Wanneer mijn armen wat langer zijn, kan ik nog veel beter spelen.'

Er werd vrolijk gelachen en uit de coulissen kwam een knulletje van een jaar of negen, dat haar een boeket overhandigde.

'Hebben de ouders al een telefoontje gekregen?' vroeg ik, toen ik mijn ogen eindelijk van het scherm wist los te rukken.

'Het is nog vroeg, maar nee, ze hebben nog niets gehoord,' zei Jacobi. 'Geen woord. Geen telefoontje over losgeld. Helemaal niets.'

31

Cindy Thomas zat in haar thuiskantoor te werken dat ze in de kleine, tweede slaapkamer van haar nieuwe appartement had gecreëerd. CNN zorgde voor achtergrondgeluid terwijl ze geconcentreerd typte en helemaal opging in het verhaal dat ze over Alfred Brinkleys aanstaande rechtszaak schreef. Toen de telefoon naast haar elleboog begon te rinkelen, dacht ze erover hem niet op te nemen.

Ze wierp een blik op de nummerherkenner... en greep het toestel uit de houder.

'Meneer Tyler?' zei ze.

Henry Tylers stem klonk griezelig hol en was bijna onherkenbaar. Even dacht ze dat hij misschien een grap uithaalde, maar dat was zijn stijl niet. Ze luisterde geconcentreerd, haalde geschokt adem en zei: 'Nee... o, nee.' Ze probeerde de man te verstaan die in snikken uitbarstte, vergat wat hij net had verteld en haar moest vragen wat hij gezegd had.

'Ze droeg een blauwe jas,' hielp Cindy hem.

'Dat klopt, ja. Een donkerblauwe jas, rode trui, blauwe broek en rode schoenen.'

'Binnen een uur hebt u een kopie,' zei Cindy, 'en tegen die tijd hebben die smeerlappen vast al gebeld om u te vertellen hoeveel het gaat kosten om Maddy terug te krijgen. Want u kríjgt haar terug.'

Cindy beëindigde het gesprek met de uitgever van de *Chronicle*, legde de telefoon neer, greep de armleuningen van haar stoel stevig vast en voelde een golf van angst door zich heen slaan. Ze had genoeg ontvoeringszaken verslagen om te weten dat als het meisje deze dag niet gevonden werd, de kans om haar levend terug te vinden met ongeveer vijftig procent verminderde. Als ze de volgende dag niet werd gevonden, bleef daar nog vijfentwintig procent van over.

Ze dacht terug aan de laatste keer dat ze Madison had gezien. Dat was aan het begin van de zomer geweest toen het meisje met haar vader mee naar kantoor was gekomen.

Madison had zo'n twintig minuten lang rondjes gedraaid in de draaistoel voor Cindy's bureau. Ze had aantekeningen op een stenoblok gekrabbeld toen ze net deed of ze een journaliste was die Cindy interviewde over haar werk.

'Ben je weleens bang als je over slechte mensen schrijft? Wat is het stomste onderwerp waar je ooit over geschreven hebt?'

Maddy was een heerlijk kind, grappig en onbedorven en Cindy had zich zelfs een beetje gegriefd gevoeld toen Tylers secretaresse haar had opgehaald met de woorden: 'Kom, Madison. Mevrouw Thomas heeft het druk.'

Cindy had het meisje impulsief een kus op haar wang gegeven en gezegd: 'Je bent een schatje.'

Madison had haar armen om Cindy's nek geslagen en haar ook een kus gegeven.

'Kom snel nog een keertje langs,' had Cindy haar nageroepen en Madison had zich omgedraaid, gegrijnsd en gezegd: 'Doe ik. Dag!'

Cindy richtte haar ogen afwezig op het lege beeldscherm en dacht aan Madison die gevangen werd gehouden door mensen die niet van haar hielden. Ze vroeg zich af of het meisje vastgebonden in een kofferbak lag of seksueel misbruikt was, of misschien zelfs al dood was.

Cindy opende een nieuw document op haar computer en na een paar valse starts voelde ze het verhaal onder haar vingers tot leven komen. De vijfjarige dochter van *Chronicle*-uitgever Henry Tyler werd vanochtend vlak bij haar huis ontvoerd...

In gedachten hoorde ze Henry Tyler weer, die met gesmoorde stem zei: 'Schrijf het verhaal, Cindy. En bid dat we Maddy terug hebben voor we het afdrukken.'

32

Yuki Castellano zat op de derde rij van de publiekstribune in een zaal van de rechtbank en wachtte tot de griffier het zaaknummer zou afroepen.
Ze was pas een maand bij het OM en hoewel ze verscheidene jaren als advocate bij een vooraanstaand advocatenkantoor had gewerkt, was de overstap naar de andere kant zwaarder geweest dan ze had gedacht. Het spel werd daar harder gespeeld dan ze had verwacht en het werk deed veel realistischer aan dan witteboordencriminelen in civiele zaken verdedigen. Met andere woorden: het was precies wat ze wilde.
Haar voormalige collega's zouden nooit geloven hoezeer ze genoot van haar nieuwe leven aan de 'duistere zijde'.
Het doel van de hoorzitting was het vastleggen van een datum voor de rechtszaak tegen Alfred Brinkley. Er was een hulpofficier van justitie, een HOVJ, bij het OM die de taak had om deze saaie procedures bij te wonen en alle data te noteren.
Maar Yuki wilde niets van deze zaak delegeren.
Ze was door het hoofd van de afdeling, HOVJ Leonard Parisi, aangewezen om hem bij te staan in een rechtszaak die veel voor haar betekende. Alfred Brinkley had vier mensen vermoord. Het was puur geluk geweest dat het er niet vijf waren, omdat Claire Washburn, een van haar beste vriendinnen die ook gewond was geraakt, het had overleefd.
Haar blik gleed langs de rijen stoelen naar de junkies en kindermisbruikers; hun moeders en vriendinnen; en de pro-Deoadvocaten in ad-hocvergaderingen met hun cliënten.
Als laatste bleef haar blik op pro-Deoadvocaat Barbara Blanco rusten, die iets tegen de veerbootschutter fluisterde. Blanco was een slimme vrouw die net als zijzelf een dijk van een kaart toegespeeld had gekregen met de zaak-Alfred Brinkley.
Op de voorgeleiding had Blanco bekendgemaakt dat haar cliënt zich 'niet schuldig' verklaarde en ze zou zeker proberen om Brinkleys bekentenis nog voor de rechtszaak door de rechter te laten uitsluiten als bewijs.

Ze zou aanvoeren dat Brinkley geestelijk compleet in de war was geweest ten tijde van de moorden en dat hij sindsdien medicijnen gebruikte. Ze zou stellen dat hij niet berecht moest worden maar behandeld.
Ze ging haar gang maar.
De griffier riep het zaaknummer om en Yuki's hart ging sneller slaan toen ze haar laptop dichtklapte en opstond.
Alfred Brinkley liep gedwee achter zijn advocate aan en zag er gladgeschoren en minder gespannen uit dan tijdens zijn voorgeleiding. Mooi zo, dacht Yuki.
Yuki, Blanco en Brinkley liepen naar voren en bleven voor rechter Norman Moore staan, die zijn grijsblauwe ogen even vluchtig over hen heen liet gaan en toen op de rol keek.
'Oké. Wat dachten jullie ervan als we deze zaak zo snel mogelijk op de rol zetten, zeg voor maandag 17 november?'
'Wat het OM betreft is dat geen probleem, edelachtbare,' zei Yuki.
Maar Blanco dacht daar anders over. 'Edelachtbare, meneer Brinkley heeft een lange geschiedenis van psychische aandoeningen. Gezien die voorgeschiedenis dient eerst onderzocht te worden of mijn cliënt geestelijk wel in staat is om terecht te staan.'
Moore liet zijn handen op het tafelblad rusten, zuchtte en zei: 'Best, mevrouw Blanco. Dokter Charlene Everedt is terug van vakantie en vanmorgen zei ze dat ze nog wel wat tijd vrij heeft. Zij zal het psychologisch onderzoek doen.'
Zijn blik ging naar Yuki. 'U bent mevrouw Castellano, nietwaar?'
'Jawel, edelachtbare. Maar dit is een vertragingstactiek,' zei Yuki, die zoals gewoonlijk in sneltreinvaart sprak. 'Mevrouw Blanco wil haar cliënt uit de publieke schijnwerpers halen zodat de media-aandacht verdwijnt. En mevrouw Blanco weet heel goed dat meneer Brinkley geestelijk wel degelijk in staat is om terecht te staan. Hij heeft vier mensen doodgeschoten. Hij heeft zichzelf aangegeven. Hij heeft uit vrije wil een bekentenis afgelegd. Het OM wil deze zaak dan ook zo snel mogelijk afwikkelen...'
'Ik begrijp wat het OM wil, mevrouw Castellano,' zei de rechter die haar woordenvloed afbrak. Hij had een lijzige manier van praten. 'Maar we zullen niet lang op dokter Everedt hoeven te wachten. Hooguit een paar dagen. Zo lang kan het OM toch wel wachten, nietwaar?'
'Jawel, edelachtbare,' zei Yuki.
'Volgende zaak,' zei de rechter, die zich naar zijn griffier draaide. Yuki

liep de rechtszaal uit en duwde de dubbele toegangsdeuren van de rechtbank open. Ze sloeg rechts af in de richting van haar kantoor en hoopte dat de door de rechtbank aangewezen psychiater tot dezelfde conclusie zou komen als Lindsay en zij.

Alfred Brinkley mocht dan niet sporen, wettelijk gezien was hij niet ontoerekeningsvatbaar. Hij had met voorbedachten rade vier mensen vermoord. Als alles goed ging, zou het OM al heel snel de kans krijgen om dat te bewijzen.

33

Ik gooide de sleutels naar Conklin en stapte aan de passagierskant in. Conklin floot nerveus toen we over Bryant optrokken, in noordelijke richting over Sixth Street reden, vervolgens Market Street overstaken en naar Pacific Heights reden.

'Als er een reden is om niet aan kinderen te beginnen, is dit het wel,' zei hij.

'En anders?'

'Zou ik wel een compleet elftal willen.'

We hadden het over de ontvoering en vroegen ons af of we echt met een moord te maken hadden en of het kindermeisje op een of andere manier betrokken was geweest bij de ontvoering.

'Ze woonde bij hen,' zei ik. 'Ze wist wat er in dat huishouden speelde. Hoeveel geld ze hadden, hun dagelijkse bezigheden, hun routine. Als Madison haar vertrouwde, zou de ontvoering een fluitje van een cent zijn geweest.'

'Waarom zou je het kindermeisje dan ombrengen?' bracht Conklin naar voren.

'Misschien had ze geen nut meer.'

'Een persoon minder om het losgeld mee te delen? Maar toch, om haar voor de ogen van dat kleine meisje dood te schieten...'

'Was het wel het kindermeisje?' vroeg ik. 'Of hebben ze het kind doodgeschoten?'

Er heerste stilte in de auto toen we Washington op draaiden, een van de mooiste straten in Pacific Heights.

Het huis van de familie Tyler stond in het midden van de met bomen omzoomde straat: een imposant victoriaans huis, zachtgeel van kleur, met prachtig bewerkte boeiborden en plantenbakken in de vensterbanken. Het was een droomhuis; het soort huis dat je nooit associeert met zaken als ontvoering of moord.

Conklin zette de auto langs de stoeprand en we liepen de zes bordestreden op naar de voordeur.

Ik liet de koperen klopper op de oude, eiken deur neerkomen en besefte dat in dit prachtige huis twee mensen woonden die doodsangsten uitstonden om hun kind.

34

Henry Tyler opende de voordeur en verbleekte zichtbaar toen hij mijn gezicht leek te herkennen. Ik liet hem mijn penning zien.
'Ik ben brigadier Boxer en dit is rechercheur Conklin...'
'Ik weet wie u bent,' zei hij tegen me. 'U bent die vriendin van Cindy Thomas, die bij Moordzaken werkt.'
'Dat klopt, meneer Tyler, maar u hoeft niet te schrikken, we hebben nog geen nieuws over uw dochter.'
'Er zijn hier al agenten geweest,' zei hij, en hij ging ons voor door een hal met hoogpolig tapijt naar een weelderige woonkamer die in de stijl van de negentiende eeuw was ingericht: veel antiek, Perzische tapijten en schilderijen van mensen uit vervlogen tijden met hun honden. Schuin voor het raam dat een adembenemend uitzicht op de baai bood, stond een piano.
Tyler gebaarde ons plaats te nemen en ging tegenover ons zitten op een prachtige, fluwelen sofa.
'We zijn hier omdat een getuige van de ontvoering een schot heeft gehoord,' zei ik.
'Een schot?'
'We hebben geen reden om aan te nemen dat Madison gewond is geraakt, meneer Tyler, maar we willen meer over uw dochter en Paola Ricci weten.'
Elizabeth Tyler, die een crèmekleurige zijden blouse op een crèmekleurige wollen broek droeg, kwam de kamer binnen met rode opgezwollen ogen van het huilen. Ze ging naast haar echtgenoot zitten en greep zijn hand vast.
'De brigadier vertelde net dat de vrouw die zag dat Madison werd ontvoerd een schot hoorde!'
'O, lieve god,' zei Elizabeth Tyler, die steun zocht bij haar echtgenoot en zachtjes begon te huilen.
Ik legde de situatie nog een keer uit en deed mijn best om Madisons ou-

ders gerust te stellen door te zeggen dat we alleen wisten dat er een schot was afgevuurd. Ik vertelde niets over het bloed op de achterruit.
Nadat mevrouw Tyler tot bedaren was gekomen, vroeg Conklin of een van hen iemand in de buurt had zien rondhangen die er niet thuishoorde of zich vreemd gedroeg.
'We hebben niets vreemds gezien,' zei Tyler.
'We letten allemaal op in deze buurt,' zei Elizabeth. 'Als een van ons iets verdachts had gezien, zouden we de politie hebben gebeld.'
We vroegen de ouders wat ze de afgelopen paar dagen hadden gedaan en wat hun gewoonten waren: hoe laat ze 's ochtends van huis gingen; hoe laat ze 's avonds naar bed gingen; en meer van dat soort dingen.
'Ik wil zo veel mogelijk over uw dochter weten,' zei ik. 'Alles wat u maar kunt bedenken.'
Even lichtte het gezicht van mevrouw Tyler op. 'Ze is een opgewekt meisje. Helemaal gek van honden. En ze is een muzikaal genie.'
'Ik heb een video gezien waarop ze pianospeelde,' zei ik.
'Wist u dat ze synesthesie heeft?' vroeg Elizabeth Tyler.
Ik schudde mijn hoofd. 'Wat is synesthesie?'
'Wanneer ze muziek hoort of zelf speelt, ziet ze de noten in kleur. Het is een fantastische gave...'
'Het is een neurologische aandoening,' kwam Henry Tyler ongeduldig tussenbeide. 'Het heeft niets met haar ontvoering te maken. Dit moet wel om geld draaien. Wat zou het anders kunnen zijn?'
'Wat kunt u ons over Paola vertellen?' vroeg ik.
'Ze sprak uitstekend Engels,' zei Tyler. 'Ze is pas een paar maanden bij ons. Vanaf wanneer ook alweer, lieverd?'
'Vanaf september. Vlak nadat Mala terugging naar Sri Lanka. Paola was ons aanbevolen,' zei mevrouw Tyler. 'En Maddy was meteen dol op haar.'
'Weet u wie Paola's vrienden zijn?'
'Nee,' antwoordde mevrouw Tyler. 'We stonden niet toe dat ze iemand mee naar huis bracht. Ze had elke donderdagmiddag en zondagmiddag vrij, maar wat ze dan deed, weet ik niet.'
'Ze belde heel veel met haar mobieltje,' zei Tyler. 'Dat vertelde Madison me. Dus ze zal best vrienden hebben. Wat bedoelt u eigenlijk, brigadier? Denkt u dat zij hierachter zit?'
'Denkt u dat dat mogelijk is?'

'Natuurlijk,' antwoordde Tyler. 'Ze zag hoe we woonden. Ze wist hoe rijk we zijn. Misschien wilde ze daar een deel van. Of misschien heeft haar vriend haar er wel toe aangezet.'
'Op dit moment kunnen we niets uitsluiten,' merkte ik op.
'Breng alstublieft onze kleine meid terug,' zei Henry Tyler, die een arm om zijn huilende vrouw sloeg. 'Het maakt me niet uit wat het kost of wie erachter zit, als we haar maar terugkrijgen.'

35

De kamer die Paola Ricci in het huis van de familie Tyler bewoonde, was klein en zag er vrouwelijk uit. Aan de muur tegenover haar bed had ze een poster van een Italiaans voetbalteam opgehangen en boven haar bed hing een met de hand gemaakt houten kruisbeeldje.

Er waren drie deuren in de kleine kamer: eentje leidde naar de gang, eentje gaf toegang tot de badkamer en de derde vormde de tussendeur met Madisons kamer.

Op Paola's opgemaakte bed lag een blauwe sprei en haar kleding hing netjes in de kast: smaakvolle truien, effen rokken en blouses en een plank vol sweaters in neutrale kleuren. Onder in de kast stonden een paar schoenen met lage hakken en aan de knop van de kledingkast hing een zwartleren handtas.

Ik opende Paola's handtas en haalde haar portemonnee eruit.

Volgens het rijbewijs was ze negentien jaar.

'Ze is een meter vierenzeventig lang, heeft bruin haar, blauwe ogen… en is niet vies van een beetje hasj.'

Ik zwaaide met een plastic zakje waarin drie joints zaten, dat ik achter een rits had aangetroffen. 'Maar er zit geen gsm in, Richie. Die moet ze meegenomen hebben.'

Ik opende een lade van haar ladekast terwijl Conklin haar make-uptafel aan een onderzoek onderwierp.

Paola had wit katoenen ondergoed voor doordeweekse dagen en een paar satijnen lingeriesetjes in pastelkleuren voor haar vrije dagen.

'Niet alleen onschuldig, maar ook een tikje ondeugend,' zei ik hardop.

Ik liep de badkamer binnen en opende het medicijnkastje. Er stonden verschillende lotions en potjes crème; een shampoo tegen gespleten haarpunten; en een doosje met de pil.

Met wie ging ze naar bed?

Een vriendje? Henry Tyler?

Het zou niet de eerste keer zijn dat een kindermeisje een verhouding

kreeg met de heer des huizes. Zou dat het zijn? Een avontuurtje dat verkeerd was gelopen?
'Ik heb iets, inspecteur,' riep Conklin. 'Ik bedoel, brigadier.' Hij stapte de slaapkamer weer binnen.
'Als je me geen Boxer wilt noemen,' zei ik, 'zeg dan Lindsay.'
'Best,' zei hij en er verscheen een grijns op zijn knappe gezicht. 'Lindsay, Paola houdt een dagboek bij.'

36

Toen Conklin Madisons kamer onderzocht, bladerde ik door het dagboek van het kindermeisje. Paola had een prachtig handschrift en doorspekte haar uitbundige schrijfstijl met symbolen en emoticons. Zelfs een korte blik op de bladzijden maakte me duidelijk dat Paola Ricci dol was op Amerika.

Ze was helemaal weg van de cafeetjes en winkels aan Fillmore Street en schreef dat ze uitkeek naar mooi weer zodat zij en haar vrienden net als thuis buiten konden zitten.

Ze schreef bladzijden vol over kleding die ze in etalages had gezien en haalde aan wat haar vrienden in San Francisco over mannen, kleding en mediasterren zeiden.

Wanneer Paola het over haar vrienden had, gebruikte ze alleen hun initialen, waaruit ik opmaakte dat ze op haar vrije avonden hasj rookte met ME en LK.

Ik zocht verwijzingen naar Henry Tyler, maar Paola had het slechts heel af en toe over hem en wanneer ze dat deed, noemde ze hem 'meneer B'. Ze versierde de kapitaal wel van iemand die ze 'G' noemde.

Paola schreef over de keren dat ze 'G' had gezien en de zwoele blikken die werden uitgewisseld, toch kreeg ik sterk de indruk dat ze eerder verlangend uitkeek naar seks met 'G' dan dat ze daadwerkelijk met hem naar bed ging, wie hij ook mocht zijn.

De persoon die het meest in Paola's dagboek voorkwam, was Maddy. Het was duidelijk dat ze dol was op het kind. Ze had zelfs een paar tekeningen en gedichten van Madison op de bladzijden geplakt.

Ik las niets over plannen, aanslagen of wraak.

Ik klapte Paola's kleine rode boekje dicht; dit waren alleen de zielenroerselen van een onschuldige tiener in het buitenland.

Of misschien had ze het dagboek met opzet achtergelaten zodat we dat zouden denken.

Henry Tyler liep met Conklin en mij de voordeur uit en bleef boven aan

de bordestrap stilstaan. Hij greep mijn arm vast.
'Ik stel het op prijs dat u mijn vrouw niet nog ongeruster hebt gemaakt dan ze al is, maar ik begrijp waarom u hier bent. Voor hetzelfde geld is er al iets met mijn dochter gebeurd. Wilt u me alstublieft op de hoogte houden van alles wat er gebeurt? En ik sta erop dat u me de waarheid vertelt.'
Ik gaf mijn mobiele telefoonnummer aan de diepbedroefde vader en beloofde dat ik om de paar uur even contact zou opnemen. Technisch rechercheurs sloten de telefoons van de Tylers op afluisterapparatuur aan en rechercheurs van de afdeling Zware Delicten waren bezig aan een buurtonderzoek in Washington Street toen Conklin en ik vertrokken.
We reden naar Alta Plaza Park, een historisch park met prachtige terrastuinen en adembenemende doorkijkjes.
Behalve kindermeisjes, kleuters, hondenuitlaters en joggers, die genoten van de rustgevende groene pracht, liepen er nu ook agenten rond die iedereen ondervroegen.
Conklin en ik droegen ook ons steentje bij. Met ieder kindermeisje en ieder kind dat Madison kende, werd een praatje gemaakt, zo ook met een kindermeisje met de initialen ME, de vriendin die in Paola's dagboek werd vermeld.
Madeline Ellis barstte in tranen uit en vertelde ons hoe bezorgd ze was om Paola en Maddy.
'Het is net of de hele wereld op zijn kop is gezet,' zei ze. 'Dit zou juist een veilige plek moeten zijn!'
Madeline had een kinderwagen met een slapende baby bij zich en haar stem brak bijna toen ze zei: 'Paola is een schatje. Ze is wel erg jong voor haar leeftijd.'
Ze vertelde ons dat de 'G' in Paola's dagboek George was, achternaam onbekend, een ober in café Rhapsody. Hij had met Paola geflirt en zij met hem, maar volgens Madeline hadden de twee nooit een afspraakje gemaakt.
Toen we bij het café aankwamen, was George Henley op het terras aan het serveren. We ondervroegen hem en zetten hem onder druk, maar mijn gevoel zei me dat hij niets te maken had met een ontvoering of een moord.
Hij was een doodgewone knul die overdag werkte om zijn avondstudie te bekostigen. Hij studeerde kunstgeschiedenis.

George veegde zijn handen schoon aan zijn schort, nam Paola's rijbewijs van me over en keek naar haar foto.
'Ja. Die heb ik hier wel gezien met haar vriendinnen,' zei hij. 'Maar ik wist niet hoe ze heette.'

37

De zon ging langzaam onder toen we het appartement van een klusjesman met de naam Willy Evans verlieten, die boven de garage van een van Tylers buren woonde. Evans was een griezel met onvoorstelbaar smerige vingernagels en hij had een stuk of twintig terraria waarin hij slangen en hagedissen hield. Evans mocht dan een glibberige griezel zijn, hij had wel een waterdicht alibi voor het tijdstip waarop Madison en Paola waren ontvoerd.

Conklin en ik ritsten onze jassen dicht en hielpen een handje mee bij het buurtonderzoek en lieten foto's van Madison en Paola zien aan bewoners die net thuiskwamen van hun werk.

We joegen heel veel onschuldige mensen de stuipen op het lijf, maar het leverde niet één aanwijzing op.

Later op het bureau verwerkten we onze aantekeningen in een rapport, waarin we melding maakten van de gesprekken die we gevoerd hadden: dat de familie Devine, die pal naast de familie Tyler woonde, op vakantie was geweest voorafgaand aan, tijdens en na de ontvoering en daarom niet ondervraagd was; en dat de vrienden van Paola Ricci haar als een halve heilige beschouwden.

Er trok een intens droef gevoel door me heen.

De enige getuige van de ontvoering had Jacobi verteld dat ze vanmorgen rond negen uur een schot had gehoord waarna er bloedspetters op de achterruit van de minivan waren verschenen.

Was het Paola's bloed?

Of had het kind zich verzet en was ze daarom neergeschoten?

Ik wenste Conklin een prettige avond en reed naar het ziekenhuis.

Claire sliep toen ik haar kamer binnen stapte.

Ze opende haar ogen, zei: 'Hoi, lieverd,' en viel weer in slaap.

Ik bleef een tijdje bij haar zitten, leunde achterover in mijn stoel en doezelde zelfs even weg voor ik opstond, haar een kus op haar wang gaf en vertrok.

Ik parkeerde de Explorer zo'n honderd meter voor mijn huis, haalde de sleutels eruit, stapte uit en liep in gedachten verzonken het laatste stukje bergopwaarts.
Ik knipperde een paar keer met mijn ogen om er zeker van te zijn dat ik niet hallucineerde.
Joe zat op de stoep voor mijn appartement met een hondenriem in zijn hand en een arm om Martha heen geslagen.
Hij stond op toen hij me zag. Ik wierp me in zijn armen en hij tilde me op en zwaaide me rond in het maanlicht.
Het was zalig om zijn armen om me heen te voelen.

38

Voor zover ik wist, was Joe nooit achter mijn mislukte tripje naar Washington gekomen en dit leek me niet het aangewezen moment om hem erover te vertellen.

'Heb je Martha eten gegeven?' vroeg ik. Ik trok hem nog dichter tegen me aan, sloeg mijn armen om zijn nek en kuste hem.

'Ik heb haar ook al uitgelaten,' mompelde hij na een hartstochtelijke kus. 'En ik heb geroosterde kip en sla voor de tweevoeters gekocht. En een fles witte wijn in de koelkast gelegd.'

'Er komt een dag dat ik mijn appartement binnen loop en jou per ongeluk neerschiet.'

'Dat zou je toch niet doen, hè, Blondie? Of wel?'

Ik trok me terug, grijnsde hem toe en zei: 'Welnee, dat zou ik nooit doen, Joe.'

'Zo mag ik het horen, Blondie.'

Daarna kuste hij me zo intens dat mijn knieën slap werden en ik tegen hem aan moest leunen. We liepen de trap op naar mijn appartement terwijl Martha luid blaffend en vrolijk kwispelend om ons heen dartelde. Dat was zo'n komisch gezicht dat we bijna slap lagen van het lachen tegen de tijd dat we de bovenste verdieping bereikten.

En zoals altijd bij ons... moest het eten wachten.

Joe trok eerst mijn kleding uit, vervolgens zijn eigen kleding en zette de douche aan. Zodra we beiden in de douchecabine stonden, zette hij mijn handen tegen de muur en begon hij me langzaam en teder te wassen, waardoor ik zo opgewonden werd dat ik het bijna uitschreeuwde.

Hij wikkelde me in een badlaken, bracht me naar de slaapkamer, liet me op het bed zakken en knipte het schemerlampje op het nachtkastje aan, dat een zachtroze schijnsel door de kamer wierp. Hij sloeg het badlaken open alsof dit onze eerste keer was, alsof hij mijn lichaam voor het eerst ging verkennen.

Dat gaf me de tijd om van zijn brede borstkas te genieten en van het pa-

troon van donkere krulletjes waardoor mijn ogen als vanzelf naar beneden gleden.
'Ga maar lekker achteroverliggen,' fluisterde hij in mijn oor.
Omdat er vaak zoveel tijd tussen zat voor ik Joe weer zag, was er naast de veilige vertrouwdheid ook altijd sprake van een vleugje spanning vanwege het 'onbekende' wanneer we weer bij elkaar waren en dat gaf er een extra dimensie aan.
Ik leunde achterover tegen de kussens en Joe's mond en vingers verkenden elke centimeter van mijn lichaam. Zijn harde lijf drukte tegen het mijne. Hoewel mijn lichaam in brand leek te staan en ik intens naar hem verlangde, maalde er iets door mijn hoofd. Ik vocht tegen mijn gevoelens voor Joe en ik wist niet waarom.
Ineens wist ik het antwoord: ik wilde dit niet.

39

Het leek wel alsof ik stapelgek was: ik verlangde naar Joe en tegelijkertijd ook niet.

In het begin maakte ik mezelf wijs dat het kwam omdat ik bezorgd was om Madison en Paola, maar wat echt door mijn hoofd spookte, was de schaamte die me had overspoeld toen ik twee weken geleden in Joe's appartement stond met het gevoel alsof ik ergens was binnengedrongen waar ik niet hoorde.

Hij lag nu naast me en had zijn hand op mijn buik gelegd.

'Wat is er, Lindsay?'

Ik schudde mijn hoofd: er is niets, maar Joe draaide mijn gezicht naar zich toe waardoor ik zijn onderzoekende, blauwe ogen niet kon ontwijken.

'Ik heb een rotdag achter de rug,' zei ik.

'Dat zal best,' zei hij, 'maar dat is niet voor het eerst. Die stemming van je wel.'

Ik voelde tranen in mijn ogen springen en voelde me gegeneerd. Ik wilde me niet kwetsbaar voelen. Niet nu.

'Kom op, Blondie, vertel op,' zei hij.

Ik draaide me naar hem toe en sloeg mijn arm over zijn borstkas. 'Ik kan dit niet aan, Joe.'

'Dat weet ik. Ik snap hoe je je voelt. Ik zou het liefst hiernaartoe verhuizen, maar op het moment zit dat er niet in.'

Mijn ademhaling kreeg haar normale ritme terug toen hij me bijpraatte over de strijd tegen het terrorisme; de verkiezingen die volgend jaar gehouden werden; de bomaanslagen in grote steden; en de belangrijke positie die de Binnenlandse Veiligheidsdienst tegenwoordig innam. Op een gegeven moment hield ik op met luisteren en stapte ik uit bed. Ik trok een ochtendjas aan.

'Kom je nog terug?' vroeg Joe.

'Grappig dat je dat vraagt,' zei ik, 'want dat vraag ik me altijd af over jóú.'

Joe wilde wat zeggen, maar ik zei: 'Laat me even uitpraten.'
Ik ging op de rand van het bed zitten en zei: 'Het was een zalige verrassing dat je ineens voor mijn neus stond, echt waar, maar aan de andere kant is dat ook precies wat me dwarszit. Ik kan niet op je rekenen, Joe. Ik weet nooit wanneer ik je weer zie. Het lijkt wel of we een knipperlichtrelatie hebben en daar ben ik gewoon te oud voor.'
'Linds...'
'Je weet dat ik gelijk heb. Ik weet nooit van tevoren of en wanneer ik je zie en als ik je bel is het afwachten of ik je kan bereiken. Het ene moment ben je er en het volgende moment ben je weg en blijf ik in mijn eentje achter en mis ik je. We krijgen niet eens de kans om samen een normaal leven te leiden. We hebben het zo vaak gehad over je verhuizing hiernaartoe, maar we weten allebei dat het er niet in zit. '
'Lindsay, ik zweer...'
'Ik wil niet wachten tot er een nieuwe regering zit of de oorlog voorbij is. Snap je dat?'
Hij zat nu rechtop en keek me met zoveel liefde aan dat ik mijn hoofd wegdraaide.
'Ik hou van je, Lindsay. Laten we alsjeblieft geen ruzie maken. Ik moet morgenochtend weer weg.'
'Nee, je moet nú weg, Joe,' hoorde ik mezelf zeggen. 'Ik wil geen goedbedoelde beloften meer die toch niet uitkomen,' zei ik. 'Laten we er een punt achter zetten, oké? We hebben een fantastische tijd gehad. Oké? Als je van me houdt, laat me dan gaan.'
Joe gaf me nog één kus en vertrok.
Ik lag op bed en staarde voor mijn gevoel uren naar het plafond terwijl mijn kussen doorweekt raakte van de tranen. Ik vroeg me af wat me in hemelsnaam had bezield.

40

Het was zaterdagavond, bijna middernacht. Cindy lag in de slaapkamer van haar nieuwe appartement in de Blakely Arms te slapen – alleen – toen ze wakker werd van een vrouw die zich een verdieping hoger de longen uit het lijf schreeuwde in het Spaans.

Iemand sloeg een deur dicht. Ze hoorde iemand rennen en vervolgens werd er weer een deur dichtgeslagen. Voor Cindy's gevoel bevond die laatste deur zich een stuk dichterbij.

Was het misschien de deur naar het trappenhuis?

Ze hoorde nog meer geschreeuw, deze keer op straat. Het geluid van boze mannenstemmen steeg op naar haar appartement op de tweede verdieping en zo te horen gingen de mannen even later op de vuist.

Er vlogen gedachten door Cindy's hoofd die ze in haar oude appartement nooit had gehad.

Was ze hier wel veilig?

Was deze flat geen lot uit de loterij maar had ze een kat in de zak gekocht?

Ze sloeg de dekens van zich af, liep de slaapkamer uit en stapte de hal binnen, die uitkwam op een ruime woonkamer. Ze tuurde door het kijkgaatje in de deur maar zag niemand. Ze controleerde of ze de deur op het nachtslot had gedaan en liep toen naar haar bureau.

Ze ging met haar handen door haar blonde haar, maakte een knotje boven op haar hoofd en deed er een elastiekje om. Jezus. Haar handen trilden gewoon!

Misschien kwam het niet alleen door het nachtleven in het gebouw. Misschien had ze ook wel de bibbers gekregen door het verhaal dat ze over ontvoerde kinderen aan het schrijven was. Na het telefoontje van Henry Tyler was ze op internet gaan surfen en had ze zitten lezen over de duizenden kinderen die elk jaar in de Verenigde Staten werden ontvoerd.

Het merendeel van die kinderen werd door familieleden ontvoerd, opgespoord en naar huis gebracht. Maar er waren elk jaar ook een paar

honderd kinderen die gewurgd, doodgestoken of levend begraven werden door hun ontvoerders.
Het overgrote deel van die kinderen werd vermoord in de paar uur na hun ontvoering.
Statistisch gezien was het veel waarschijnlijker dat Madison ontvoerd was door een afperser dan door een perverse, moordzuchtige gluiperd. Het enige probleem met dat scenario was de ijzingwekkende vraag die door haar hoofd spookte.
Waarom hadden de ontvoerders dan geen contact opgenomen met de Tylers en losgeld geëist?
Cindy liep terug naar haar slaapkamer en was halverwege toen de deurbel rinkelde. Ze bleef verschrikt staan. Ze kende nog niemand in dit gebouw.
Dus wie belde er dan?
Opnieuw werd er op de bel gedrukt, langdurig deze keer.
Cindy sloeg haar ochtendjas om zich heen en staarde door het kijkgaatje.
Ze kon niet geloven wie er terugstaarde.
Het was Lindsay.
En ze zag er belazerd uit.

41

Ik stond net op het punt me om te draaien en weg te gaan toen Cindy de deur opendeed. Ze droeg een roze pyjama en haar blonde krullen waren in een knotje op haar hoofd vastgezet. Ze keek me aan alsof ze een geest zag.

'Is alles goed met je?' vroeg ik.

'Met míj? Met mij gaat het best, Lindsay. Ik woon hier, weet je nog wel? Maar wat is er in vredesnaam met jóú aan de hand?'

'Ik had van tevoren willen bellen,' zei ik. Ik omhelsde mijn vriendin en gebruikte het moment om mezelf weer in de hand te krijgen. Maar kennelijk had Cindy meer op mijn gezicht gelezen dan ik had gedacht. Eerlijk gezegd zag ze er zelf ook niet best uit. 'Maar ik wist pas dat ik hiernaartoe ging toen ik voor je deur stond.'

'Kom toch binnen en ga zitten,' zei ze, en ze nam me onderzoekend op toen ik me op de bank liet vallen.

Tegen een van de muren stond een stapel lege verhuisdozen en de vloer lag bezaaid met stukken noppenfolie.

'Wat is er gebeurd, Lindsay? Yuki zou zeggen dat je eruitziet alsof je door een wals bent overreden.'

Ik wist een flauw glimlachje te produceren. 'Zo voel ik me ook wel.'

'Wil je wat drinken? Thee? Of iets sterkers?'

'Thee, graag.'

Ik leunde achterover tegen de kussens en een paar minuten later kwam Cindy uit de keuken terug. Ze trok een voetenbankje bij, ging zitten en overhandigde me een mok thee. 'Kom op, vertel,' zei ze.

Cindy was het schoolvoorbeeld van een paradox: aan de buitenkant een en al roze ruches en blonde krullen. Ze was iemand die nooit de deur achter zich dichttrok zonder een lipstick in haar handtas en de perfecte schoenen aan haar voeten. Maar vanbinnen was deze op-en-top vrouwelijke vrouw een pitbull die als ze eenmaal beet had, niet meer losliet tot je toegaf en alles vertelde wat ze wilde weten.

Ik voelde me plotseling een idioot. Alleen al door de aanblik van Cindy was mijn stemming een stuk opgeknapt en ik wilde niet langer over Joe praten en alles spuien wat me op het hart lag.
'Ik wilde je appartement zien.'
'Doe normaal!'
'Je geeft ook niet op, hè?'
'Dat komt vast door mijn beroep.'
'En daar ben je nog trots op ook, zeker?'
'Nou en of.'
'Kreng.' Onwillekeurig moest ik lachen.
'Dat kun je wel beter. Gooi het er maar uit,' zei ze. 'Ik kan het wel hebben.'
'Perverse perspoedel! Verder kom ik niet.'
'Oké, dan hebben we dat gehad. Wat is er nu echt aan de hand, Linds?'
Ik sloeg een sierkussentje voor mijn gezicht en zuchtte. 'Ik heb het uitgemaakt met Joe.'
Cindy greep het kussen voor mijn gezicht vandaan.
'Dat meen je toch zeker niet?'
'Doe een beetje aardig, anders kots ik zo over je vloerkleed.'
'Oké, oké. Maar waarom heb je het uitgemaakt? Joe is slim. Joe is een stuk. Hij houdt van je. Jij houdt van hem. Waarom heb je dat in vredesnaam gedaan?'
Ik trok mijn knieën op en sloeg mijn armen eromheen. Cindy ging naast me op de bank zitten en sloeg een arm om mijn schouder.
Ik had het gevoel alsof ik me aan een iel boompje vastklemde terwijl er een tsunami over me heen sloeg. Ik had de laatste tijd zoveel gehuild. Misschien had ik ze niet allemaal meer op een rijtje.
'Neem de tijd, lieverd. Ik ben bij je. En het is nog lang geen ochtend.'
Toen hield ik het niet meer en kwam het hele verhaal eruit over het beschamende tripje naar Washington en dat ik genoeg had van de emotionele achtbaan waarin ik sinds mijn relatie met Joe was terechtgekomen.
'Het doet pijn, heel veel pijn, Cindy. Maar ik heb de juiste beslissing genomen.'
'En het is niet omdat je gevoelens gekwetst werden omdat hij niet thuis was en je dat meisje daar zag?'
'Nee. Helemáál niet.'
'O, jezus, Linds, ik wilde je niet aan het huilen maken. Ga even liggen.

Doe je ogen maar dicht.'
Cindy duwde me zachtjes op mijn zij en schoof een kussentje onder mijn hoofd. Even later werd er een deken over me heen gelegd. Het licht ging uit en ik voelde dat Cindy me instopte.
'Het is nog niet voorbij, Linds. Geloof me. Het is nog niet voorbij.'
'Deze keer zie je dat verkeerd. Je hebt niet altijd gelijk, hoor,' pruttelde ik.
'Wedden?' Cindy gaf me een kus op mijn wang. Al snel viel ik in een diepe, rusteloze slaap en ik werd pas wakker toen het zonlicht door de kale ramen van Cindy's appartement stroomde.
Ik dwong mezelf rechtop te gaan zitten, zwaaide mijn benen op de grond en las het briefje dat Cindy op de salontafel had achtergelaten. Ze was even verse broodjes halen.
Ineens drong het tot me door dat het ochtend was.
Jacobi en Macklin hielden vanochtend om acht uur een gemeenschappelijke briefing. Iedere agent die aan de zaak-Ricci-Tyler werkte, zou aanwezig zijn… behalve ik.
Ik schreef snel een briefje voor Cindy, trok mijn schoenen aan en rende de deur uit.

42

Jacobi rolde met zijn ogen toen ik zo stil mogelijk langs hem sloop en snel een plekje achter in de zaal zocht. Inspecteur Macklin wierp me een korte, onderzoekende blik toe terwijl hij de stand van zaken samenvatte. Aangezien er geen nieuwe tips binnengekomen waren over de mogelijke verblijfplaats van Madison Tyler en Paola Ricci, kregen Conklin en ik opdracht geregistreerde zedendelinquenten te ondervragen.

Ik keek op onze lijst terwijl we naar de auto liepen. 'Patrick Calvin. Veroordeelde zedendelinquent. Onlangs voorwaardelijk vrijgekomen na celstraf wegens seksueel misbruik van zijn eigen dochter. Ze was destijds zes.'

Conklin startte de motor. 'Dat soort uitschot valt toch niet te begrijpen! En weet je? Ik wíl ze verdomme ook niet begrijpen.'

Calvin woonde in een U-vormig appartementencomplex op de hoek van Palm en Euclid aan de rand van Jordan Park, op nog geen drie kilometer afstand van de plek waar Madison Tyler woonde en speelde. Langs de stoeprand stond een blauwe Toyota Corolla die op zijn naam stond geregistreerd.

De lucht van gebakken spek wervelde mijn neus in toen we de binnenplaats naar de hoofdingang overstaken. We namen de buitentrap naar boven en klopten op de felrode voordeur van Calvins appartement.

De deur werd geopend door een blanke man van nog geen een meter zestig met verfomfaaid haar, die een geruite pyjama en witte sokken droeg. Hij leek wel een knul van vijftien, waardoor ik de neiging kreeg om te vragen: is je vader thuis? Maar de vage stoppels op zijn kaak en de gevangenistatoeages op zijn knokkels maakten duidelijk dat Pat Calvin een tijdlang achter de tralies had gezeten.

'Patrick Calvin?' zei ik, en ik liet hem mijn penning zien.

'Wie wil dat weten?'

'Ik ben brigadier Boxer. Dit is rechercheur Conklin. We willen u een paar vragen stellen. Mogen we even binnenkomen?'

'Nee, dat mag niet. Wat moeten jullie?'
Conklin kwam altijd heel ontspannen over en daar was ik weleens jaloers op. Ik had hem zelfs moordzuchtige maniakken horen ondervragen op een ongedwongen, bijna vriendelijke manier; hij was op-en-top de aardige, behulpzame diender. Hij was ook degene die de arme kat in het huis van de familie Alonzo te eten had gegeven.
'Het spijt me, meneer Calvin,' zei Richie. 'Ik weet dat het vroeg is voor een zondagochtend maar er wordt een kind vermist en we hebben niet veel tijd.'
'Wat heeft dat met mij te maken?'
'Wen er maar aan, meneer Calvin,' zei ik. 'U bent voorwaardelijk vrij...'
'Willen jullie mijn huis soms doorzoeken?' schreeuwde Calvin. 'Zover ik weet, is dit nog steeds een vrij land. En jullie hebben geen bevel tot huiszoeking,' beet hij ons toe. 'Jullie hebben geen ene reet. Dus dat kunnen jullie mooi vergeten.'
'U maakt u wel erg druk voor iemand die onschuldig is,' merkte Conklin op. 'Dat geeft te denken.'
Conklin legde uit dat we Calvins reclasseringsambtenaar konden bellen, die er vast geen enkel bezwaar tegen zou hebben als we naar binnen gingen.
'We kunnen natuurlijk ook een bevel tot huiszoeking halen,' zei Conklin. 'Dan laten we een paar politieauto's met zwaailicht en sirene hiernaartoe komen. Weten je buren meteen wat voor soort vent je bent.'
'Dus... mogen we even binnenkomen?' vroeg ik op norse toon.
'Ik heb niets te verbergen.' Hij wierp me een woedende blik toe en stapte opzij.

43

Calvins appartement was minimalistisch ingericht in vroege IKEA-stijl: alles wat er stond was van licht grenen. Er hing een plank boven de tv waarop allerlei poppen lagen: grote poppen, kleine poppen, babypoppen en poppen in mooie kostuums.
'Die heb ik voor mijn dochter gekocht,' snauwde Calvin, waarna hij zich in een stoel liet vallen. 'Voor het geval ze ooit op bezoek mag komen.'
'Hoe oud is ze nu? Zestien?' vroeg Conklin.
'Hou je kop,' zei hij boos. 'Oké? Gewoon je kop houden.'
'Let op je woorden,' zei Conklin, voor hij Calvins slaapkamer in liep. Ik ging op de bank zitten en haalde mijn notitieboekje tevoorschijn.
Het beeld van een jong meisje, intussen een tiener, die de pech had om deze hufter als vader te hebben, schudde ik van me af. Ik vroeg Calvin of hij Madison Tyler ooit had gezien.
'Ik zag haar gisteren op het nieuws. Ze ziet er schattig uit. Om op te vréten, gewoon. Maar ik ken haar niet.'
Ik voelde een steek van angst om Madison door me heen schieten. 'Waar was u gisterochtend om negen uur?'
'Ik zat tv te kijken. Ik ben graag op de hoogte van de nieuwste tekenfilms zodat ik met kleine meisjes over hun eigen belevingswereldje kan praten. Snapt u wat ik bedoel?'
Met mijn een meter zevenenzeventig was ik ruim een kop groter dan Calvin en in betere conditie. Gewelddadige fantasieën tuimelden door mijn hoofd, net als toen ik Alfred Brinkley had gearresteerd. Ik was gestrest, veel te gestrest…
'Kan iemand bevestigen waar u op dat tijdstip was?'
'Ja, hoor. Vraag het maar aan hem,' zei Pat Calvin, die op de gulp van zijn pyjamabroek wees en zichzelf vervolgens in het kruis greep. 'Hij kan je alles vertellen wat je maar wilt weten.'
Er knapte iets in me. Ik greep Calvin bij de kraag van zijn pyjama, sleurde hem omhoog en ramde hem tegen de muur.

De plank met poppen kwam naar beneden.
Ik zou net naar hem uithalen, toen Conklin uit de slaapkamer kwam. Mijn partner deed net alsof hij de verwilderde uitdrukking op mijn gezicht niet zag en leunde kalmpjes tegen de deurpost.
Ik was bijna over de schreef gegaan en schrok van mezelf. Een klacht wegens politiegeweld kon ik nu niet gebruiken. Ik liet Calvins pyjamajasje los.
'Leuke fotocollectie hebt u, meneer Calvin,' zei Conklin op gemoedelijke toon. 'Foto's van spelende kinderen in het Alta Plaza Park.'
Mijn hoofd schoot met een ruk Conklins kant uit. Madison en Paola waren op de stoep voor het park ontvoerd.
'Hebt u mijn camera gezien?' vroeg Calvin op verdedigende toon. 'Zeven miljoen megapixels en een optische zoomlens. Ik heb die foto's van een flinke afstand genomen. Ik ken de regels. En die heb ik niet overtreden.'
'Brigadier,' zei Conklin tegen me, 'op een van die foto's staat een klein meisje dat Madison Tyler zou kunnen zijn.'
Ik belde Jacobi en vertelde dat Patrick Calvin over een bijzondere fotocollectie beschikte, die een nader onderzoek waard was.
'We hebben twee agenten nodig die bij Calvin blijven terwijl Conklin en ik naar het bureau komen om een bevel tot inbeslagname op te halen.'
'Prima, Boxer. Ik zal een auto sturen. Maar ik laat Chi het bevel regelen en hij kan Calvin wel naar het bureau brengen.'
'We kunnen het zelf wel af, Jacobi,' zei ik.
'Dat geloof ik best,' zei Jacobi, 'maar we hebben net een melding over een kind binnengekregen van de Transbay-beveiliging. Een meisje. Haar beschrijving komt overeen met die van Madison Tyler.'
'Is ze daar gezien?'
'Ze is daar op dit moment.'

44

De Transbay-terminal op de kruising van First en Mission doet denken aan een grote, betonnen schuur met een roestig dak. De binnenkant is opgetrokken uit B-2-blokken en aan de plafonds sputteren dodelijk vermoeide tl-buizen die flauwe schaduwen over de daklozen werpen die overnachten op deze deprimerende plek zodat ze de schaarse faciliteiten kunnen gebruiken.

Zelfs overdag is het gebouw een enge plek. Ik wilde Madison Tyler daar dan ook zo snel mogelijk vandaan halen. Conklin en ik liepen op een drafje de trappen af naar een lager gelegen verdieping: een donkere, sjofele ruimte die gedomineerd werd door een muur met loketten en een afgescheiden deel voor de beveiliging.

Ik zag twee zwarte vrouwen achter een balie zitten, die een donkerblauwe broek en overhemd droegen. Op de zakkleppen van hun overhemd stond de tekst: PRIVATE SECURITY SERVICES.

We lieten onze penningen zien en mochten binnenkomen. Het beveiligingskantoor had twee glazen muren en twee muren waarop een groezelige beige verf zat. De inrichting bestond uit twee bureaus, een stel niet bij elkaar passende archiefkasten, drie deuren met toetsenpaneeltjes, en twee snoepautomaten.

Naast het bureau van het hoofd van de beveiliging zat een klein meisje met blond haar dat tot over haar kraag viel.

Haar blauwe jas hing los. Ze droeg een rode trui op een blauwe broek. En ze droeg glanzende, rode lakschoenen!

In gedachten maakte ik een vreugdedansje. We hadden haar gevonden. Godzijdank, Madison was veilig!

Het hoofd van de beveiliging, een grote man van in de veertig met grijzend haar en bijpassende snor, stond op en stelde zich voor. ‘Ik ben Fred Zimmer,’ zei hij, en hij schudde ons de hand. ‘We hebben dit kleine dametje een kwartiertje geleden gevonden. Ze dwaalde in haar eentje rond. Ik heb haar nog niet aan het praten gekregen, nietwaar, krummeltje?’

Ik zette mijn handen op mijn knieën en keek in haar gezichtje. Zo te zien had ze gehuild. Ze wilde me niet aankijken.
Haar wangen zaten vol vieze vegen en ze had een loopneus. Haar onderlip was gezwollen en ik zag een lange schram op haar linkerwang. Ik wierp Richie even een blik toe. Mijn opluchting over het feit dat ze levend terug was, werd overschaduwd door mijn bezorgdheid over wat er met haar was gebeurd.
Ze zag er zo getraumatiseerd uit dat ik bijna niet kon geloven dat de hartveroverende spring-in-'t-veld die in de video piano had gespeeld hetzelfde meisje was als dit kind.
Conklin hurkte bij haar neer. 'Ik heet Richie,' zei hij met een glimlach. 'Heet jij Maddy?'
Het kind keek Conklin aan, opende haar mond en zei: 'Mahhh-dy.'
Iemand heeft dit kind een doodschrik bezorgd, schoot het door me heen.
Ik nam haar kleine handjes in de mijne. Ze voelden ijskoud aan en ze keek dwars door me heen.
'Bel een ambulance,' zei ik zachtjes om het meisje niet te laten schrikken. 'Er zit iets helemaal fout met dit kind.'

45

Conklin en ik ijsbeerden rusteloos door de wachtruimte van de Spoedeisende Hulp toen de Tylers binnenstormden en ons omhelsden alsof we familie waren.

Ik voelde me een tikje uitgelaten. Een deel van deze afgrijselijke zaak was achter de rug. Ik hoopte dat Madison weer een beetje de oude zou worden zodra ze haar ouders zag, want ik wilde een paar vragen stellen. Om te beginnen wilde ik weten of ze de personen die haar hadden ontvoerd, duidelijk had gezien.

'Ze sliep toen we de laatste keer bij haar gingen kijken,' zei ik tegen de Tylers. 'Dokter Collins is net geweest en hij zei dat hij over... even kijken... tien minuutjes weer langs zou komen.'

'Ik moet het weten,' zei Elizabeth Tyler zachtjes, 'hebben ze Maddy op wat voor manier dan ook pijn gedaan?'

'Ze ziet eruit alsof ze het flink voor de kiezen heeft gekregen,' zei ik tegen Madisons moeder. 'Er is nog geen inwendig onderzoek uitgevoerd omdat daar toestemming van de ouders voor nodig is.'

Elizabeth Tyler sloeg haar hand voor haar mond en had moeite haar tranen binnen te houden.

'Ze heeft nog bijna niets gezegd.'

'Dat is niets voor Maddy.'

'Misschien heeft ze te horen gekregen dat ze niets mocht zeggen omdat iemand haar anders pijn zou doen...'

'O, mijn hemel! Die beesten!'

'Waarom zouden ze Maddy ontvoeren en haar dan zomaar laten gaan zonder losgeld te vragen?' vroeg Henry Tyler toen we de SH binnen stapten.

Ik reageerde niet omdat ik niet wilde zeggen wat door mijn hoofd schoot: pedofielen vragen niet om losgeld. Maddy's bed op de SH was met een gordijn afgescheiden van de rest van de afdeling en ik deed een stapje opzij zodat de Tylers naar haar toe konden. Wat zou Madison blij zijn wanneer ze haar ouders weer zag.

Henry Tyler pakte mijn arm vast en fluisterde: 'Dank u,' voor hij achter het gordijn verdween. Ik hoorde Elizabeth Tyler de naam van haar dochter roepen... en een hartverscheurende kreet slaken.
Ik sprong opzij toen ze langs me rende. Henry Tyler kwam achter het gordijn vandaan en bracht zijn gezicht vlak voor het mijne.
'Weet u wel wat u gedaan hebt?' zei hij met een rood hoofd van woede. 'Dat meisje is Madison niet. Begrijpt u me? Dat is Madison niet. Dat is ons kind niet!'

46

Ik bood de Tylers mijn oprechte verontschuldigingen aan terwijl ze woedend tegen me tekeergingen op het parkeerterrein van het ziekenhuis. Een paar minuten later stoof hun auto het parkeerterrein af en keek ik verslagen toe. Het mobieltje aan mijn riem rinkelde en uiteindelijk nam ik op.

Het was Jacobi. 'We hebben net een melding binnengekregen van een vrouw die haar dochtertje kwijt is. Het kind is vijf. Heeft lang, blond haar.'

De vrouw heette Sylvia Brodsky en was compleet hysterisch geweest. Ze was haar dochtertje Alicia uit het oog verloren toen ze aan het winkelen was. Mevrouw Brodsky had ook verteld dat haar dochter autistisch was. Alicia Brodsky kon nauwelijks praten.

We zaten weer in de Crown Vic, namen de zaak nog een keer door en ik nam de schuld van de puinhoop op me. 'Ik had met meer nadruk tegen de Tylers moeten zeggen dat we hun dochtertje misschien hadden gevonden, maar dat we het niet zeker wisten. Ik heb wel gezegd dat haar identiteit nog bevestigd moest worden. Jij hebt me toch gehoord?'

'Zodra jij zei: "We hebben uw dochtertje misschien gevonden", luisterden ze niet meer. Het klopte allemaal, Lindsay. Ze zei zelfs dat haar naam Maddy was.'

'Nou ja. Iets wat erop leek.'

'En dan die rode lakschoentjes,' ging hij door. 'Hoeveel vijfjarige blonde meisjes hebben een blauwe jas en rode lakschoentjes aan?'

'In elk geval twee,' zei ik met een zucht.

Eenmaal terug op het bureau ondervroegen we Calvin. We legden hem twee uur lang het vuur na aan de schenen en hij grijnsde niet langer. We bestudeerden de foto's die Conklin in zijn slaapkamer had aangetroffen en bekeken de digitale foto's die nog in zijn camera zaten.

We kwamen geen foto's van Madison Tyler tegen, maar tot de allerlaatste opname bleven we hopen dat Calvin per ongeluk beelden van de ontvoering had gemaakt.

Misschien had hij de zwarte minivan voor zijn lens gevangen.
Maar de geheugenkaart in zijn camera maakte duidelijk dat hij gisteren geen foto's in het Alta Plaza Park had gemaakt.
Ik werd spuugmisselijk van Patrick Calvin, maar helaas beschouwt de wet het veroorzaken van walging niet als een misdrijf.
Dus lieten we hem gaan. We schopten hem de straat op.
Conklin en ik ondervroegen die dag nog drie geregistreerde zedendelinquenten; drie alledaags uitziende blanke mannen van wie je nooit zou denken dat het seksuele roofdieren waren.
Drie mannen die alle drie een waterdicht alibi hadden.
Zo rond zeven uur 's avonds vond ik het welletjes. Ik was helemaal op, emotioneel gezien.
Ik liep mijn appartement binnen, sloeg mijn armen om Martha heen en beloofde haar dat we een eindje zouden gaan rennen zodra ik een douche had genomen en alle ellende van de dag van me had afgespoeld.
Er lag een briefje van de hondenoppas op het aanrecht. Ik trok de koelkast open, pakte er een Corona uit en nam een flinke teug uit het flesje voor ik het briefje las.

> HOI, LINDSAY. TOEN IK ZAG DAT JE AUTO ER NIET STOND, HEB IK MARTHA MEEGENOMEN VOOR EEN WANDELINGETJE! WEET JE NOG DAT IK JE VERTELDE DAT IK DEZE KERST HET STRANDHUIS VAN MIJN OUDERS IN HERMOSA BEACH MAG LENEN? IK ZOU MARTHA KUNNEN MEENEMEN. DAT ZOU GOED VOOR HAAR ZIJN, LINDSAY!!!
> IK HOOR HET WEL.
> K.

Ik had mijn hond achtergelaten zonder haar oppas te bellen en die wetenschap bezorgde me een belabberd gevoel. Ik wist dat Karen gelijk had. Martha had op het moment niet veel aan me. Tegenwoordig draaide ik dubbele diensten en soms was ik zelfs het hele weekend aan het werk. Sinds de schietpartij op de veerboot had ik bijna geen tijd voor mezelf gehad.
Ik ging op mijn hurken bij Martha zitten, gaf haar een kus, tilde haar zijdezachte oren op en keek in haar grote, bruine ogen.

'Heb je zin om op het strand te rennen, Boo?'
Ik liep naar de telefoon en toetste Karens nummer in.
'Fantastisch,' zei ze. 'Ik haal haar morgenochtend op.'

47

Die maandagmorgen waren we al godsgruwelijk vroeg op pad.
Conklin en ik bevonden ons op het bouwterrein achter Fort Point, het immense stenen fort dat tijdens de Burgeroorlog op de punt van de landtong was gebouwd en nu in de schaduw van de Golden Gate Bridge lag. Een vochtig briesje zorgde voor schuimkoppen in de baai en hoewel het een graad of acht was, voelde het door het kille windje een stuk kouder aan.
Ik rilde, maar of dat door de kou kwam of door wat we straks onder ogen zouden krijgen, wist ik niet. Ik ritste mijn gevoerde jas helemaal dicht en stak mijn handen in mijn zakken.
De Golden Gate Bridge onderging op het moment een ingrijpende opknapbeurt en een lasser die aan het project werkte, liep naar ons toe met twee bekers koffie van de 'rijdende vetput', een snackwagen die aan de andere kant van de hekken stond waarmee het bouwterrein was afgezet. De lasser heette Wayne Murray en hij vertelde ons dat hij iets vreemds aan de rotsen onder het fort had zien hangen, toen hij die ochtend aan het werk ging.
'Ik dacht eerst dat het een zeehond was,' zei hij treurig. 'Maar toen ik dichterbij kwam, zag ik een arm in het water. Ik heb nog nooit eerder een lijk gezien.'
Ik hoorde autoportieren dichtslaan, hekken werden opzij geschoven en mannen liepen al pratend en lachend het terrein op: bouwvakkers, ambulancepersoneel, en een paar agenten van de Park Service.
Ik vroeg of ze dit deel van het terrein met politielint wilden afzetten.
Daarna draaide ik mijn hoofd terug naar de donkere, vormloze hoop die onder aan de rotsen bij het water lag; een witte hand en voet dobberden op de onstuimige golven.
'Ze is hier niet gedumpt,' zei Conklin. 'Te veel kans om gezien te worden.'
Ik tuurde omhoog naar het silhouet van de veiligheidsagent die over de

brug patrouilleerde met zijn AR-15, een semiautomatisch geweer.
'Ja. Afhankelijk van de tijd en het tij, is ze misschien vanaf een van de pieren in het water gegooid. De daders moeten gedacht hebben dat ze naar zee zou drijven.'
'Daar komt dokter G.,' zei Conklin.
De patholoog-anatoom kwam met kwieke stap op ons af. Zijn vochtige grijze haar vertoonde nog kamstreken; onder de neusbrug van zijn bril stak een stukje roze neus uit; en zijn lieslaarzen reikten tot halverwege zijn borstkas.
Germaniuk en een van zijn assistenten gingen voorop en wij volgden. Het was nog een hele klus om over de glibberige, puntige rotsblokken het water te bereiken, dat vierenhalve meter lager lag.
'Pas op. Voorzichtig,' zei dr. Germaniuk toen we het lichaam naderden. 'Ik wil niet dat er iemand valt en per ongeluk iets aanraakt.'
We bleven staan. Dr. G. klauterde het laatste stukje naar beneden, waadde naar het lichaam en zette zijn tas op een rotsblok neer. Met behulp van zijn zaklamp voerde hij een voorlopig onderzoek ter plaatse uit.
In het schijnsel van de zaklamp kon ik het lichaam duidelijk zien. Het gezicht van het slachtoffer was donker en opgezwollen.
'De epidermis begint al los te komen,' riep dr. G. naar me. 'Ze ligt al een paar dagen in het water. Lang genoeg om een drijver te worden.'
'Heeft ze een schotwond in haar hoofd?'
'Kan ik nog niet zeggen. Zo te zien is ze tegen de rotsen geslagen. Zodra we haar in het mortuarium hebben, zal ik een uitgebreid röntgenonderzoek uitvoeren.'
Dr. G. maakte twee foto's van het lichaam vanuit elke hoek en zijn flitser lichtte om de twee seconden op.
Ik nam het slachtoffer aandachtig op: de donkere jas; de coltrui; en het korte haar in het karakteristieke bloempotmodel dat ik op Paola Ricci's rijbewijs had gezien toen ik twee dagen geleden haar portemonnee had doorzocht.
'We weten beiden dat het Paola Ricci is.' Conklin staarde naar het lijk.
Ik knikte. Aan de andere kant hadden we er gisteren een puinhoop van gemaakt. We hadden de Tylers een hoop verdriet bezorgd door op de zaak vooruit te lopen.
'Dat zal best,' zei ik. 'Maar ik geloof het pas als iemand haar identiteit bevestigt.'

48

Claire zat rechtop in bed toen ik haar ziekenhuiskamer binnen stapte. Ze stak haar armen naar me uit en ik omhelsde haar stevig tot ze zei: 'Voorzichtig, lieverd. Ik heb een gat in mijn borstkas, weet je nog wel?'
Ik trok me terug, kuste haar op haar wangen en ging op de stoel naast het bed zitten.
'Wat heeft de dokter gezegd?'
'Hij zei dat ik een grote, sterke meid ben...' Claire moest hoesten. Ze sloeg een hand voor haar mond en stak de andere hand op alsof ze wilde zeggen: wacht even. 'Het doet alleen pijn als ik hoest,' wist ze tussen het hoesten door uit te brengen.
'Oké, dus je bent een grote, sterke meid en...?'
'En het komt weer helemaal goed met me. Woensdag mag ik naar huis. Thuis moet ik nog een tijdje het bed houden en dan ben ik zo weer de oude.'
'Godzijdank.'
'Ik dank God al sinds die hufter me neerschoot, wanneer dat ook geweest mag zijn. Als je niet naar kantoor hoeft, raak je je besef van tijd kwijt.'
'Dat was twee weken geleden, vlindertje. Twee weken en twee dagen om precies te zijn.'
Claire schoof een doos bonbons mijn richting uit en ik nam er zonder te kijken eentje uit.
'Heb jij soms in je auto geslapen?' vroeg ze me. 'Of heb je Joe voor een achttienjarige minnaar ingeruild?'
Ik schonk voor ons beiden een glas water in, stak een rietje in Claires glas, overhandigde het aan haar en zei: 'Nee, ik heb hem niet ingeruild. Ik heb hem min of meer de laan uit gestuurd.'
Claires wenkbrauwen schoten omhoog. 'Dat meen je niet!'
Met pijn in mijn hart legde ik uit wat er gebeurd was. Claire keek me bezorgd en meelevend aan. Ze stelde af en toe een vraag, maar liet me vooral praten.

Ik nam een slokje water. Daarna schraapte ik mijn keel en vertelde ik haar over mijn nieuwe rang bij de SFPD.

Ze keek me geschokt aan. 'Dus je hebt een douw naar beneden gekregen én je hebt Joe de laan uit gestuurd... tegelijkertijd? Ik maak me zorgen om je, Lindsay. Slaap je wel goed? Neem je extra vitaminen? Eet je wel gezond?'

Nee. Nee. Nee.

Toen een verpleegkundige de kamer binnen stapte, die een dienblad droeg met Claires medicijnen en avondeten, liet ik me weer op mijn stoel ploffen.

'Alstublieft, dokter Washburn. Meteen innemen, graag.'

Claire nam de pillen gehoorzaam in, maar zodra de verpleegkundige de kamer uit was, schoof ze het dienblad van zich af. 'Prak van de dag.'

Had ik vandaag al gegeten? Ik dacht het niet, dus confisqueerde ik Claires eten en werkte ik de doodgekookte doperwtjes en het gehaktbrood met een vork naar binnen en ik was al aan het toetje begonnen voor ik haar vertelde dat we het lichaam van Paola Ricci hadden geïdentificeerd. 'De ontvoerders schoten het kindermeisje bijna meteen na de ontvoering dood. Ze konden niet snel genoeg van haar af komen. Maar meer weten we niet, vlinder. We weten niet wie het gedaan hebben of waarom, of waar ze Madison mee naartoe hebben genomen.'

'Waarom hebben die hufters de ouders niet gebeld?'

'Dat is de grote vraag. Er is nog steeds geen losgeld geëist. Ik geloof niet dat ze geld van de Tylers willen.'

'Verdomme.'

'Ja.' Ik liet de plastic lepel op het dienblad vallen, leunde weer achterover in mijn stoel en staarde in het niets.

'Lindsay?'

'Ik heb het idee dat ze Paola doodgeschoten hebben omdat ze getuige was van Madisons ontvoering.'

'Lijkt me logisch.'

'Maar als Madison gezien heeft dat Paola werd doodgeschoten... laten ze haar echt niet in leven.'

Deel drie

De statistieken

49

Cindy Thomas verliet haar appartement in de Blakely Arms, stak de straat over en begon aan haar dagelijkse wandelingetje naar het kantoor van de *Chronicle*, vijf straten verderop. In een flat aan de achterkant van het gebouw, twee verdiepingen boven Cindy's appartement, begon de ochtend slecht voor Garry Tenning. Tenning greep de rand van het bureau in zijn werkkamer beet en probeerde zijn woede te beteugelen. Beneden op de binnenplaats, vier verdiepingen lager, werd onophoudelijk geblaft. Het schrille keffen deed gewoon pijn aan Tennings oren.

Hij kende de hond.

Het was Barnaby, de ratachtige terriër van Margery Glynn, een berooide alleenstaande moeder met slonzig, blond haar die op de begane grond woonde met haar afgrijselijke zoontje Oliver, en zich gedroeg alsof de binnenplaats alleen van haar was.

Tenning drukte de speciale oordopjes van zachte was, die zich perfect aanpasten aan de vorm van zijn oren, wat steviger op hun plek. En nog hoorde hij het irritante, schelle geblaf van Barnaby.

Tenning wreef met zijn hand over de voorkant van zijn T-shirt terwijl het ergerlijke geblaf zijn gemoedsrust aan flarden reet. Zijn vingers en lippen begonnen te tintelen en zijn hart bonkte luid.

Verdomme.

Een beetje rust was toch niet te veel gevraagd?

Het beeldscherm van zijn computer stond vol met nette regels tekst. Hij was bezig met bladzijde zes van zijn boek *The Accounting: A Statistical Compendium of the Twentieth Century*.

Het boek was meer dan een gril of een uit de hand gelopen hobby. *The Accounting* was zijn levenswerk; zijn nalatenschap aan de wereld. Hij koesterde zelfs de brieven van uitgevers waarin ze zijn boek afwezen. Hij schreef ze in een register in en sloeg de originelen op in een archiefmap die hij in zijn kluisje bewaarde.

Niemand zou hem nog uitlachen wanneer *The Accounting* uitgegeven werd, wanneer het niet alleen een standaardnaslagwerk voor wetenschappers overal ter wereld werd maar ook... voor toekomstige generaties.

Dat zou niemand hem kunnen afnemen.

Terwijl Tenning met zijn wil Barnaby het zwijgen probeerde op te leggen, liet hij zijn ogen langs de rijen cijfers dwalen – het aantal fatale blikseminslagen sinds 1900, het aantal centimeters sneeuwval in Vermont, het aantal bevestigde meldingen van koeien die door tornado's de lucht in werden gezogen – toen een vuilniswagen met veel herrie aan zijn ronde in de straat begon.

Hij had het gevoel of zijn schedel elk moment kon opensplijten.

En hij was niet gek.

Het was een volkomen normale reactie op de afgrijselijke aanslag op zijn zintuigen. Hij sloeg zijn handen over zijn oren, maar het geknars, geratel en metalige gerammel kwamen er dwars doorheen, en wekten Oliver!

Die verrekte baby begon ook nog eens te janken.

Hoe vaak had dat gejank hem niet afgeleid?

Hoe vaak was zijn gedachtegang niet onderbroken door die verrekte rothond?

De druk in Tennings borstkas en hoofd steeg. Hij moest iets dóén, anders ontplofte hij.

Garry Tenning had er meer dan genoeg van.

50

Hoewel Tennings vingers trilden, wist hij de veters van zijn afgetrapte Adidas-gympen binnen een mum van tijd te strikken. Hij stapte de gang op, sloot de deur van de flat af en stak zijn grote sleutelbos in zijn zak. Hij nam de trap naar de kelderverdieping, hij nam nooit de lift.
Hij liep langs de wasruimte, stapte de ketelruimte binnen en hoorde de oude verwarmingsketel in zijn pijpen mopperen en de nieuwe verwarmingsketel brullen van enthousiasme.
Tegen een van de betonnen muren stond een stuk pijp van zo'n veertig centimeter lang met aan één kant een roestig kogelgewricht. Tenning pakte het stuk pijp op en liet het kogelgewricht in de palm van zijn hand neerkomen.
Hij ging rechtsaf en liep schuin omhoog in de richting van het knipperende licht van het bordje waarop UITGANG stond, terwijl in zijn hoofd allerlei moordzuchtige gedachten opborrelden.
Hij drukte de stang van de nooduitgang naar beneden, stapte naar buiten en bleef een paar tellen in het zonlicht staan om zich te oriënteren. Vervolgens liep hij om het gebouw heen in de richting van de patio met de bloembakken. Zodra Barnaby Tenning zag aankomen, ging hij keffen. Hij rukte aan zijn riem die aan het gaashek was vastgemaakt.
Vlak bij Barnaby, in de schaduw, stond de kinderwagen met Oliver Glynn, die luidkeels jankte.
Tenning voelde hoop in zich opwellen.
Misschien twee vliegen in één klap?
Hij greep het stuk pijp nog steviger vast en sloop langs de zijkant van het gebouw naar de bron van het gekef en gejank: de rothond en het pokkekind.
Op dat moment stapte Margery Glynn naar buiten, die haar blonde haar in een knotje had gedraaid dat bij elkaar werd gehouden met een pen. Ze boog zich voorover waardoor stevige, roomwitte dijen zichtbaar werden en tilde Oliver uit de kinderwagen.

Tenning keek vanaf een afstandje onopgemerkt toe.
De baby werd langzamerhand stil, maar Barnaby's gekef veranderde alleen van toonhoogte en werd nog schriller.
Margery kreeg Oliver stil; legde een hand onder zijn billetjes; drukte zijn natte, verhitte gezichtje tegen haar uitgezakte borsten aan; en nam hem mee naar binnen.
Tenning liep op Barnaby af en het gekef verstomde. Kennelijk hoopte de hond op een wandelingetje of een aai over zijn kop. Een paar tellen later begon het gekef weer.
Tenning bracht de pijp omhoog en sloeg toe. Barnaby jankte het uit en probeerde in de arm van de man te bijten. Tenning tilde de pijp nog een keer hoog op en haalde keihard uit.
De hond gaf geen kik meer.
Terwijl Tenning het bloederige karkasje in een vuilniszak stopte, dacht hij: rust.
Eindelijk een beetje rust.

51

De ontvoering van Madison Tyler en haar kindermeisje in Scott Street en de daaropvolgende moord op Paola Ricci een paar meter bij het Alta Plaza Park vandaan, was nu drie dagen geleden.

Die ochtend hadden we ons allemaal op de afdeling verzameld: Conklin, vier moordrechercheurs uit de nachtdienst die overwerkten, Macklin, een stuk of vijf agenten van Zware Delicten, en ik.

Macklin keek de kleine ruimte rond en zei: 'Ik zal dit snel afhandelen zodat we weer aan het werk kunnen. We hebben niets. Helemaal niets, behalve het talent in deze kamer. Dus gaan we gewoon door met wat we nu doen en dat is goed, gedegen politieonderzoek. En voor degenen onder jullie die bidden... bid maar om een wondertje.'

Hij deelde taken uit en informeerde of er nog vragen waren. Niemand reageerde. Stoelpoten schraapten over de vloer toen iedereen aan het werk ging. Mijn ogen gleden over de nieuwe lijst met namen van zedendelinquenten die ondervraagd moesten worden, een taak die Conklin en ik toebedeeld hadden gekregen.

Ik kwam achter mijn bureau vandaan en liep over het versleten linoleum naar Jacobi's kantoortje.

'Kom binnen, Boxer.'

'Jacobi, er waren twee mensen bij die ontvoering betrokken. Eentje die ze de auto in praatte en een chauffeur. Vreemd, vind je niet, dat een pedofiel met een partner werkt?'

'Heb je een idee, Boxer? Laat maar horen. Ik sta voor alles open.'

'Ik wil weer van voren af aan beginnen. Met de getuige. Ik wil met haar praten.'

'Boxer, na al die jaren dat we hebben samengewerkt, kan ik bijna niet geloven dat jij een getuigenverklaring die ik heb afgenomen, nog een keertje wilt overdoen,' mopperde Jacobi. 'Een momentje. Ik heb haar verklaring hier ergens.'

Ik zuchtte toen Jacobi zijn beker koffie, zijn broodje en zijn krant ver-

schoof, en vervolgens een stapel dossiers optilde. Hij keek ze door, vond het dossier dat hij zocht en sloeg het open.
'Gilda Gray. Hier is haar nummer.'
'Bedankt, chef,' zei ik, en ik reikte naar de verklaring. Het woord was me ontschoten en ik voelde een steek door me heen gaan. Ik had Jacobi nog nooit 'chef' genoemd. Ik hoopte dat hij het niet had opgemerkt, maar helaas. Jacobi straalde gewoon.
Ik wierp hem achterom een grijns toe en liep terug naar mijn bureau, dat tegen dat van Conklin aan stond, zodat we met onze gezichten naar elkaar toe zaten. Ik belde het nummer van Gilda Gray en kreeg haar aan de telefoon.
'Nee, ik kan nu niet naar u toe komen. Om halftien moet ik een presentatie houden voor een cliënt,' liet ze me weten.
'Er wordt een kind vermist, mevrouw Gray.'
'Hoor eens, wat ik te vertellen heb, kan ik ook in tien seconden per telefoon doen. Ik liet onze hond uit op Divisadero. Ik liep achter haar aan en zorgde dat ik de krant alvast klaar had toen dat kleine meisje en haar kindermeisje de straat overstaken.'
'Wat gebeurde er toen?'
'Ik had mijn aandacht bij Schotzie. Ik keek naar beneden en stond klaar met de krant voor het geval dat, begrijpt u? Ik hoorde een kind iets roepen maar toen ik opkeek, zag ik alleen iemand met een grijze jas een deur van een zwarte minivan openschuiven. En ik zag de achterkant van de jas van het kindermeisje toen ze instapte.'
'Iemand die een grijze jas droeg. Staat genoteerd. Hebt u de persoon aan het stuur ook gezien?'
'Nee. Ik heb de krant in een afvalbak gedeponeerd en, zoals ik al zei, hoorde ik even later een luide knal en zag ik iets wat op bloedspetters leek op de achterruit verschijnen. Het was afgrijselijk...'
'Kunt u me nog iets over de man met de grijze jas vertellen?'
'Ik ben er bijna zeker van dat hij blank was.'
'Was hij groot, klein? Is u iets opgevallen aan hem?'
'Ik heb er niet op gelet. Het spijt me.'
Ik vroeg mevrouw Gray wanneer ze op het bureau kon komen om wat foto's te bekijken en kreeg te horen: 'Hebt u dan foto's van achterhoofden?'
'In elk geval bedankt,' zei ik, en ik hing op.

Ik keek in Conklins lichtbruine ogen en verdronk er een paar tellen in.
'Dus we moeten nog steeds op pedofielenpatrouille?'
'Ja, Rich. Neem je koffie maar mee.'

52

Kenneth Klassen was zijn zilverkleurige Jaguar met een tuinslang aan het wassen toen we onze dienstauto langs de kant van de schuin omhooglopende straat in Vallejo parkeerden.

Deze achtenveertigjarige blanke man van een meter zevenenzeventig lang was een redelijk knappe pornoacteur die een hele trukendoos had opengetrokken om er nog beter uit te zien: haarimplantatie, neuscorrectie, zeegroene contactlenzen en witte porseleinen *facings* op zijn gebit. Volgens zijn strafblad was hij op heterdaad betrapt in een chatroom op internet toen hij een afspraakje probeerde te maken met iemand van wie hij dacht dat het een twaalfjarig meisje was. Zijn gesprekspartner bleek in werkelijkheid een veertigjarige agent te zijn.

Klassen had een deal met het OM gesloten. In ruil voor de naam van een kinderpornograaf kreeg hij alleen een voorwaardelijke straf en een gigantische boete. Hij maakte nog steeds porno voor volwassenen en dat was helemaal legaal, zelfs in een chique wijk als Pacific Heights.

Er verscheen een opgetogen uitdrukking op zijn gezicht toen Conklin en ik uit de Crown Vic stapten en naar hem toe liepen.

'Zo, zo,' zei hij. Hij hield de tuinslang vast, draaide de kraan dicht en liet zijn blik van Conklin naar mij glijden en weer terug. Hij nam ons schattend op.

Zijn glimlach verflauwde toen hij doorkreeg dat we agenten waren.

'Kenneth Klassen,' zei ik, en ik liet hem mijn penning zien, 'ik ben brigadier Boxer en dit is rechercheur Conklin. We willen u een paar vragen stellen. Mogen we even binnenkomen? Waarschijnlijk zijn we zo klaar.'

'Ik hou meer van het langzame werk,' zei Klassen met een aanstellerig lachje. Hij hield de tuinslang voor zich alsof het een enorme penis was.

'Dimmen, eikel,' zei Conklin op rustige toon.

'Het was maar een grapje, agent,' zei Klassen met een brede grijns. 'Een geintje, meer niet. Kom binnen.'

We liepen achter hem aan een paar bordestreden op, stapten de eiken

voordeur binnen en kwamen in een elegante hal terecht. Hij leidde ons door een moderne zitkamer en via de keuken belandden we uiteindelijk in een glazen serre die vol stond met varens, gardenia's en grote potten met cactussen.
Klassen gebaarde dat we in de rieten hangstoelen konden plaatsnemen die met kettingen aan het balkenplafond waren bevestigd. Een Chinese man van ondefinieerbare leeftijd verscheen in een hoek van de kamer. Hij sloeg zijn linkerhand over zijn rechterpols en wachtte.
'Kan meneer Wu iets te drinken voor jullie halen?' vroeg Klassen.
'Nee, bedankt,' zei ik.
'En wat is de reden voor jullie bezoekje op deze prachtige ochtend?'
Ik zat ongemakkelijk op het puntje van de rieten stoel en haalde mijn notitieboekje tevoorschijn terwijl Conklin door de serre liep, af en toe een erotisch getint beeldje oppakte en her en der een plantenpot een paar centimeter verschoof.
'Doe alsof u thuis bent,' riep Klassen naar Conklin.
'Waar was u afgelopen zaterdagochtend?' vroeg ik.
'Hmm, zaterdag.' Hij leunde achterover in zijn stoel, tikte even tegen zijn hoofd en toen verscheen er een uitdrukking op zijn gezicht alsof hij zich een bijzonder aangename droom herinnerde.
'Toen was ik bezig met *Moonlight Mambo*,' zei hij. 'Die is hier bij mij thuis opgenomen. Ik regisseer een aantal korte films. Ik noem ze "vluggertjes".' Hij grijnsde.
'Wat origineel. Ik wil graag de namen en telefoonnummers van de mensen die kunnen bevestigen waar u die ochtend was.'
'Word ik ergens van verdacht, brigadier?'
'Laten we het erop houden dat we interesse in u hebben.'
Klassen wierp me een blik toe alsof ik hem een compliment had gemaakt.
'U hebt een prachtige huid. U hoeft zeker geen cent uit te geven aan make-up, hè?'
'Meneer Klassen, hou op met die onzin. De namen en de telefoonnummers graag.'
'Prima. Ik zal een lijst printen.'
'Mooi zo. Hebt u dit kind weleens gezien?' Ik liet hem de klassenfoto van Madison Tyler zien, die de afgelopen drie dagen in mijn jaszak had gezeten.

Het maakte me ronduit misselijk dat ik moest toestaan dat Klassen zijn wellustige ogen over Madisons mooie gezichtje liet glijden.
'Dat is dat kind uit de krant, nietwaar? Ik heb haar op het nieuws gezien. Komt u maar mee, dan hebben we dit zo afgehandeld,' zei Klassen. Hij glimlachte zijn witte tanden bloot, waardoor ik bijna verblind werd.

53

De vurenhouten lift in Klassens bijkeuken had het formaat van een extra brede doodskist. Conklin, Klassen en ik stapten erin en mijn ogen gingen als vanzelf omhoog naar de plek waar ik het bordje met de etage-aanduiding verwachtte, maar ik zag alleen de nummers '1' en '4'. Geen tussenstops.

De liftdeuren gingen open op de bovenste verdieping: een lichte ruimte van zo'n twaalf bij vijftien meter met meubilair, lampen, opgerolde tapijten, en achtergronddoeken die tegen een muur aan waren gezet. In een van de hoeken zag ik een computer met allerlei hightechapparatuur op een tafel staan.

Het was een open ruimte en toch zochten mijn ogen naar sporen die op de aanwezigheid van een kind konden wijzen.

'Tegenwoordig wordt alles digitaal gedaan,' vertelde Klassen. Hij ging op een stoel voor een flatscreen zitten. 'Je neemt de film op, laadt de geheugenkaart in je computer en je kunt meteen gaan monteren.'

Hij zette de computer aan, legde zijn hand op de muis en klikte een pictogram aan met de tekst: MOONLIGHT MAMBO.

'Dit is de ruwe versie, die beelden heb ik zaterdag opgenomen. Dat is mijn alibi, inclusief datum en tijd. Niet dat ik er een nodig heb. Ik begon om zeven uur en heb de hele dag doorgewerkt.'

Er kwam zwoele muziek uit de speakers van de computer en even later begon de film. Een jonge, donkerharige vrouw die een zwart niemendalletje droeg, stak kaarsen aan in een slaapkamer. Het meubilair uit de film stond her en der verspreid in de ruimte waarin wij nu stonden. De camera dwaalde door de slaapkamer en bleef rusten op het bed, waarop Klassen lag die met zichzelf speelde terwijl hij hitsige woorden tegen de vrouw riep, die een verleidelijke striptease uitvoerde.

'O, jezus,' mompelde ik.

Conklin ging tussen mij en het beeldscherm in staan.

'Daar wil ik een kopie van,' zei hij.

'Met alle plezier.' Klassen haalde een cd uit een la, stopte hem in een rood plastic hoesje en overhandigde het geheel aan Conklin.
'Hebt u foto's of films van kinderen op deze computer?'
'Welnee. Ik kick niet op kinderporno,' reageerde Klassen verontwaardigd. 'Afgezien van het feit dat ik dan mijn voorwaardelijk zou verspelen, moet ik er gewoon niets van hebben.'
'Fijn om te horen,' reageerde Conklin gladjes. 'Dan wil ik nu graag een kijkje in uw computerbestanden nemen, terwijl brigadier Boxer even een kijkje in de rest van het huis neemt.'
'U hebt een mooi huis, meneer Klassen,' zei ik. 'Zelf ingericht?'
'Stel dat ik niet wil dat u aan mijn computer komt?'
'Dan nemen we u mee naar het bureau voor verhoor terwijl we een huiszoekingsbevel regelen,' antwoordde Conklin prompt. 'En dan nemen we uw computer in beslag en doorzoeken we uw huis met honden.'
'De trap is die kant op.'
Ik liet Conklin en Klassen bij de computer achter en slenterde naar beneden. Ik nam een kijkje in elke kamer, opende elke deur, controleerde kasten en bleef af en toe ingespannen staan luisteren in de hoop geluiden van een klein kind op te vangen.
Meneer Wu was het bed in een van de slaapkamers op de eerste verdieping aan het verschonen toen ik binnenkwam. Ik liet hem mijn penning zien en een foto van Madison Tyler.
'Hebt u dit kleine meisjes gezien?' vroeg ik.
Hij schudde krachtig zijn hoofd. 'Hier geen kinderen. Meneer Klassen niet houden van kinderen. Hier geen kinderen.'
Tien minuten later snoof ik diepe teugen frisse, koele buitenlucht op. Even later kwam Conklin naast me staan, die de zware eikenhouten deur achter zich dichttrok.
'Nou, dat hebben we ook weer gehad,' zei ik.
'Zijn alibi klopt vast,' zei Conklin, die een lijst met namen en telefoonnummers dubbelvouwde en in zijn aantekenboekje stak.
'Ja, dat denk ik ook. Rich, denk je dat die vent zich echt tot volwassen vrouwen beperkt?'
'Volgens mij bespringt hij alles wat beweegt.'
Klassen stond op zijn oprit toen Conklin en ik in onze dienstauto stapten. Hij stak een hand op, schonk ons nog een verblindende glimlach en zei: 'Tot ziens maar weer.'

Hij floot zachtjes en begon zijn prachtige Jaguar met een zachte doek op te poetsen toen onze nederige Ford wegstoof.

54

Conklin en ik zaten tegenover elkaar aan onze bureaus. Naast mijn telefoon lag een stapeltje onbeantwoorde boodschappen van mensen die beweerden dat ze Madison Tyler hadden gezien: van Ghirardelli Square hier in San Francisco tot aan Osaka in Japan.

Dr. Germaniuks autopsieverslag van Paola Ricci lag opengeslagen voor me. Doodsoorzaak: schot in het hoofd. En het was moord, geen twijfel aan. Dr. G. had een notitieblaadje aan het rapport bevestigd. Ik las het hardop voor aan mijn partner.

Brigadier Boxer,
Kleding is naar het lab gestuurd. Heb voor de zekerheid monsters genomen bij inwendig onderzoek i.v.m. mogelijke aanranding c.q. verkrachting om niets over te slaan, maar verwacht niet dat daar iets uit komt, aangezien het slachtoffer langere tijd in het water heeft gelegen. Kogel is binnengedrongen en weer uitgetreden, dus geen projectiel aangetroffen.
Groeten, H.G.

'Dood meisje. Dood spoor,' merkte Conklin op, die zijn hand door zijn haar haalde. 'De ontvoerders hebben geen problemen met moord. Dat is zo'n beetje alles wat we weten.'

'Wat zien we dan over het hoofd? We hebben een getuige die alleen een vage beschrijving van een van de daders en de auto wist te geven, waar we niets aan hebben. We hebben geen kentekennummer. We hebben geen tastbare bewijzen gevonden op de plek van de ontvoering: geen sigarettenpeuken, kauwgom, hulzen of bandensporen. Niet eens een briefje waarin losgeld wordt geëist.'

Conklin leunde achterover, staarde naar het plafond en zei: 'De daders gedroegen zich meer als criminelen dan als pedofielen. Ze schoten Paola binnen een minuut na haar ontvoering dood. Waarom?'

'Misschien was de schutter nerveus. Of hij stond stijf van de cocaïne.

Misschien beschouwden ze Paola als een blok aan hun been en hebben ze haar daarom doodgeschoten. Of misschien vocht ze terug en raakte er iemand in paniek,' zei ik. 'Maar je hebt gelijk, Richie. Helemaal gelijk.'
Zijn stoel kraakte toen hij de voorste twee poten met een klap op de grond liet neerkomen.
'We moeten dit onderzoek omdraaien. We beginnen met Paola Ricci,' zei ik, en ik sloeg met mijn hand op het autopsieverslag. 'Zelfs dood leidt ze ons misschien naar Madison.'
Conklin belde het Italiaanse consulaat toen Brenda haar stoel naar me toe draaide. Ze sloeg haar hand over het mondstuk van de telefoon.
'Lindsay, ik heb iemand voor je op lijn vier die zijn naam niet wil zeggen. Hij klinkt... eng. Ik heb al gevraagd of ze het telefoontje willen traceren.'
Ik knikte en voelde mijn hartslag omhoogschieten. Ik drukte het knipperende lichtje op mijn toestel in.
'Met brigadier Boxer.'
'Ik zeg dit maar één keer,' zei een digitaal vervormde stem. Ik gebaarde Conklin dat hij lijn vier moest opnemen.
'Met wie spreek ik?' vroeg ik.
'Niet belangrijk,' zei de stem. 'Met Madison Tyler is alles goed.'
'Hoe weet u dat?'
'Zeg eens iets, Maddy.'
Er klonk een andere stem op de lijn: buiten adem, jong, angstig.
'Mammie? Mammie?'
'Madison?'
De vervormde stem kwam terug.
'Zeg tegen haar ouders dat ze een grote vergissing hebben begaan door de politie in te schakelen. Stop met het onderzoek,' zei de beller, 'anders gaat Madison eraan. Als jullie je terugtrekken, blijft ze in leven, maar de Tylers zullen hun dochter hoe dan ook nooit meer terugzien.'
Ineens was hij weg.
'Hallo? Hallo?'
Ik bleef roepen tot ik de kiestoon hoorde en smeet de telefoon neer.
'Brenda, vraag of het gelukt is om het telefoontje te traceren. Schiet op!'
'Waar sloeg dat "zeg tegen haar ouders dat ze een grote vergissing hebben begaan door de politie in te schakelen" op?' vroeg Conklin. 'Lindsay, leek dat kind op Madison?'

‘O, jezus, Conklin. Dat weet ik niet. Echt niet.’
‘Wat is dit verdomme?’ Conklin kwakte gefrustreerd een telefoonboek tegen de muur.
Ik voelde me duizelig en had een akelig gevoel in mijn maag.
Was alles echt goed met Madison?
Waarom hadden haar ouders de politie niet mogen inschakelen? Was er een eis om losgeld geweest of een telefoontje waar wij niets vanaf wisten?
Iedereen op de afdeling keek naar me en Jacobi keek me letterlijk op de vingers – hij stond namelijk achter me – toen ik werd teruggebeld over het telefoontje.
De beller had een prepaid mobieltje gebruikt en het was niet gelukt om het telefoontje te traceren.
‘De stem was vervormd,’ zei ik tegen Jacobi. ‘Ik zal het bandje naar het lab sturen.’
‘Laat de ouders er eerst naar luisteren. Misschien kunnen zij de identiteit van het kind bevestigen.’
‘Misschien was het een of andere gestoorde gek die aandacht wilde,’ zei Conklin, toen Jacobi wegliep.
‘Dat hoop ik maar. Want we stoppen niet met het onderzoek. Geen denken aan.’
Ik durfde niet uit te spreken wat door me heen schoot.
Dat we net Madisons laatste woorden hadden gehoord.

55

Brenda Fregosi was al een paar jaar afdelingssecretaresse van Moordzaken en ondanks het feit dat ze pas vijfentwintig was, was ze een moederlijk type.
Ze klakte meelevend met haar tong toen ik met Henry Tyler telefoneerde en nadat ik had opgehangen, overhandigde ze me een telefoonnotitie.
CLAIRE WIL DAT JE VANAVOND OM ZES UUR NAAR HET ZIEKENHUIS KOMT, stond er in haar kriebelige handschrift.
Het was al bijna zes uur.
'Hoe klonk ze?' vroeg ik.
'Best, geloof ik.'
'En was dat alles wat ze zei?'
'Wat ze woordelijk zei, was: "Brenda, wil je tegen Lindsay zeggen dat ze om zes uur naar het ziekenhuis komt? Alvast bedankt."'
Ik was gisteren nog bij Claire geweest. Wat was er aan de hand?
Ik reed naar het San Francisco General terwijl er allerlei afgrijselijke gedachten door mijn hoofd spookten. Claire had me weleens iets over de chemie in de hersenen verteld; het komt erop neer dat wanneer je je goed voelt, je je niet kunt voorstellen dat je ooit weer helemaal in de put zult zitten. En wanneer je je belazerd voelt, kun je je niet voorstellen dat er ooit een tijd komt dat je niet in een mineurstemming bent.
Ik zoog op een pepermuntje, hoorde in mijn hoofd de stem van een angstig klein meisje dat 'mammie' riep en had daarnaast ook moeite mijn natuurlijke afkeer voor ziekenhuizen in toom te houden, die ontstaan was toen mijn moeder bijna vijftien jaar geleden in een ziekenhuis was overleden.
Ik parkeerde mijn auto op het parkeerterrein aan Pine en bedacht hoe fijn het zou zijn geweest om met Joe te praten nu ik me somber en gefrustreerd voelde, omdat ik al drie dagen lang in het duister tastte en constant op een dood spoor belandde.
Mijn gedachten keerden terug naar Claire toen ik de lift in stapte. Ik

staarde naar mijn vervormde reflectie in de roestvrijstalen deuren en deed een nutteloze poging mijn haar wat te fatsoeneren terwijl de lift naar boven zoefde. Toen de deuren opengingen, kwam ik terecht in het kille, witte licht van de postoperatieve afdeling en kreeg ik de geur van antiseptische middelen in mijn neus.

Ik was niet de eerste die in Claires kamer arriveerde. Yuki en Cindy zaten al aan haar bed. Claire zat rechtop in bed, droeg een gebloemde nachtpon en glimlachte mysterieus.

De Women's Murder Club was bijeengeroepen, maar waarom?

'Hallo, allemaal.' Ik liep om het bed heen en kuste mijn vriendinnen op de wang. 'Je ziet er fantastisch uit,' zei ik tegen Claire. Ik was zo opgelucht dat er geen sprake was van een levensbedreigende situatie, dat ik een beetje licht werd in mijn hoofd. 'Wat is er aan de hand?'

'Ze wilde niets vertellen tot jij er ook was,' zei Yuki.

'Oké, oké!' zei Claire. 'Ik heb jullie iets te vertellen.'

'Je bent in verwachting,' zei Cindy.

Claire barstte in lachen uit en we keken allemaal naar Cindy.

'Je spoort niet, perspoedeltje van me,' zei ik. Een baby was wel het laatste waar Claire op zat te wachten nu ze drieënveertig was en al twee, bijna volwassen zoons had.

'Geef ons een aanwijzing,' flapte Yuki eruit. 'Zeg in welke categorie we het moeten zoeken.'

'Het zal ook niet. Heb ik een keer een verrassing...' zei Claire met een glimlach.

Cindy, Yuki en ik keken haar nieuwsgierig aan.

'Ik heb een paar onderzoeken laten doen,' zei Claire. 'En Cindy heeft zoals gewoonlijk gelijk.'

'Ha!' schreeuwde Cindy triomfantelijk.

'Als ik niet in het ziekenhuis had gelegen, zou ik waarschijnlijk niet eens geweten hebben dat ik zwanger was tot de weeën begonnen.'

We schreeuwden allemaal door elkaar heen. 'Wat zei je?' 'Je maakt een grapje.' 'Hoever ben je?'

'De echo heeft laten zien dat alles goed is met mijn kleintje,' zei Claire zo sereen als Boeddha. 'Mijn wonderkindje!'

56

Ik moest me terugtrekken uit het feestgewoel omdat ik al aan de late kant was voor de bijeenkomst met Tracchio op het bureau. Toen ik zijn kantoor binnen liep, bood hij de Tylers net een paar leren fauteuiltjes aan en trokken Jacobi, Conklin en Macklin een paar gewone stoelen bij, zodat iedereen om zijn grote bureau zat geschaard.

De Tylers, met hun grauwe gezicht en afhangende schouders, zagen eruit alsof ze de afgelopen achtenveertig uur geen oog hadden dichtgedaan. Ik wist dat ze heen en weer werden geslingerd tussen hoop en wanhoop tot ze de tape hadden gehoord.

Er stond een cassetterecorder op Tracchio's bureau. Ik leunde naar voren, drukte op PLAY en hoorde beurtelings mijn eigen stem en de vervormde, angstaanjagend wrede stem.

Een klein meisje riep angstig: 'Mammie? Mammie?'

Ik drukte op STOP. Elizabeth Tyler reikte naar de cassetterecorder, draaide zich om naar haar echtgenoot, greep zijn arm vast, begroef haar gezicht in zijn jas, en begon te snikken.

'Is dat de stem van Madison?' vroeg Tracchio.

Beide ouders knikten.

'De rest van de tape zal nog moeilijker zijn om aan te horen. Maar toch zijn we optimistisch gestemd. Toen dit telefoontje werd gepleegd, was Madison in leven.'

Ik drukte weer op PLAY en keek naar de Tylers, die de ontvoerder hoorden zeggen dat alles goed was met Madison maar dat ze hun dochter nooit meer zouden zien.

'Meneer en mevrouw Tyler, hebt u enig idee waarom de ontvoerder zei dat haar ouders een grote vergissing hebben begaan door de politie in te schakelen?' vroeg ik.

'Geen idee,' snauwde Henry Tyler. 'Waarom zouden ze zich bedreigd voelen? Jullie hebben nog niets ontdekt! Jullie hebben niet eens een verdachte. Waar is de FBI? Waarom werken er geen FBI-agenten aan deze zaak?'

'We werken samen met de FBI. We gebruiken hun bronnen en databases, maar de FBI kan niet actief aan deze zaak meewerken tot we reden hebben om aan te nemen dat Madison naar een andere staat is gebracht,' vertelde Macklin.
'Dan zegt u dat toch!'
'Meneer Tyler, wat we bedoelen is of u op wat voor manier dan ook bericht hebt ontvangen van de ontvoerders dat u de politie niet mocht inschakelen,' zei Jacobi. 'Hebben ze contact met u opgenomen?'
'Nee,' antwoordde Elizabeth Tyler. 'Henry? Heb jij op kantoor iets van ze gehoord?'
'Geen woord. Dat zweer ik.'
Ik keek de Tylers aan en dacht aan Paola Ricci. 'U vertelde dat Paola Ricci was aanbevolen. Door wie?'
Elizabeth Tyler leunde naar voren. 'Paola komt rechtstreeks van het bureau.'
'Welk bureau?' vroeg Macklin, die tekenen van stress begon te vertonen.
'Het is een particulier uitzendbureau voor kindermeisjes,' vertelde Elizabeth Tyler. 'Ze selecteren, sponsoren en trainen buitenlandse meisjes van goede afkomst. Ze zorgen voor werkvergunningen en zoeken werk voor ze. Paola had fantastische referenties van het bureau en uit Italië. Ze was een lieve, fatsoenlijke jonge vrouw. We waren dol op haar.'
'Krijgt dat bureau een honorarium van de werkgevers van die meisjes?' vroeg Jacobi.
'Ja. Ik geloof dat we achttienduizend dollar hebben betaald.'
Zodra er over geld werd gepraat, gingen de haartjes op mijn arm rechtovereind staan. 'Hoe heet dat bureau?' vroeg ik.
'Westbury. Nee, de Westwood Registry,' zei Henry Tyler. 'Gaat u met die mensen praten?'
'Ja. En meneer en mevrouw Tyler, zeg alstublieft tegen niemand iets over het telefoontje dat u net hebt gehoord,' waarschuwde Jacobi de Tylers. 'Ga naar huis. Blijf bij de telefoon in de buurt. En laat de Westwood Registry aan ons over.'
'Maar gaat u met die mensen praten?' vroeg Henry Tyler nog een keer.
'Nou en of.'

57

Cindy hing aan de telefoon met Yuki en ruimde tegelijkertijd de vaatwasser in.

'Hij is zo grappig,' zei Cindy over Whit Ewing, de knappe verslaggever van de *Chicago Tribune* die ze een maand geleden bij de rechtszaak tegen het Municipal Hospital had ontmoet.

'Die leuke vent met die bril? Die de rechtszaal via de nooduitgang verliet? Waardoor het alarm afging?' Yuki grinnikte toen ze eraan terugdacht.

'Ja. Maar hij kan ook om zichzelf lachen. Hij zei dat hij het sullige jonge broertje van Clark Kent was.' Cindy lachte. 'Hij dreigt op het eerste het beste vliegtuig hiernaartoe te stappen om me mee uit eten te nemen. Hij probeert zijn redacteur zelfs zover te krijgen dat hij op de Brinkley-rechtszaak wordt gezet.'

'O, o. Wacht eens eventjes,' zei Yuki. 'Je gaat toch niet Lindsay achterna, hè? Ik bedoel maar, Whit woont in Chicago. Waarom zou je in vredesnaam aan een latrelatie beginnen als je weet dat die negen van de tien keer geen standhouden?'

'Ik dacht alleen... het is alweer een tijdje geleden dat ik, eh, een beetje plezier heb gemaakt.'

'Voor mij ook.' Yuki zuchtte. 'Ik weet niet eens meer wanneer dat was, en erger nog, niet eens meer met wie!'

Cindy giechelde en werd door Yuki even in de wacht gezet omdat ze nog een telefoontje kreeg. Toen Yuki weer aan de lijn kwam, zei ze: 'Cin, ik moet ophangen. Red Dog heeft me nodig.'

'Oké,' zei Cindy. 'Ik zie je wel in de rechtszaal.'

Cindy hing op, zette de vaatwasser aan en haalde de vuilniszak uit de pedaalemmer. Ze knoopte hem dicht, liep haar appartement uit en drukte op de knop voor de lift. Toen de deuren zich openden, keek ze eerst of er iemand in stond voor ze naar binnen stapte.

Ze dacht aan Whit Ewing, aan Lindsay en Joe, en aan het gegeven dat

latrelaties van nature emotionele achtbanen waren.
Het is leuk voor een tijdje, maar dan wil je eruit.
Ze had trouwens nog een reden om een plaatselijke vriend uit te zoeken, want af en toe vond ze het gewoon griezelig om in haar eentje in dit gebouw te wonen.
Ze drukte op de k voor 'kelder' en de oude lift, die vanbinnen opnieuw betimmerd was, daalde af. Een minuutje later stapte Cindy uit op de donkere kelderverdieping. Toen ze naar de plek liep waar het vuilnis werd verzameld, hoorde ze een vrouw huilen. Het geluid weerkaatste door de ruimte en ging vergezeld van het gekrijs van een baby!
Wat was er aan de hand?
Cindy sloeg een hoek om in de schemerige ruimte en zag een jonge, blonde vrouw die een baby tegen haar schouder hield gedrukt.
Een zwarte vuilniszak lag geopend aan haar voeten.
'Wat is er aan de hand?' vroeg Cindy.
'Mijn hond,' jammerde de vrouw. 'Kijk dan!'
Ze boog zich voorover en trok met één hand de zak verder open. Cindy zag een zwart-wit hondje dat onder het bloed zat.
'Ik had hem maar een paar minuten alleen buiten gelaten,' zei ze. 'Ik bracht alleen de baby even naar binnen. O, mijn hemel. Ik had de politie gebeld om te zeggen dat iemand hem gestolen had, maar kijk dan! Iemand die hier woont, heeft dit gedaan. Iemand die hier woont, heeft Barnaby doodgeslagen!'

58

Het was woensdagochtend halfnegen, vier dagen na de ontvoering van Madison Tyler. Conklin en ik stonden vlak bij de hoek van Waverly en Clay geparkeerd en de damp van onze koffie condenseerde op de autoramen. We keken naar de auto's die om de dubbel geparkeerde bestelbusjes heen laveerden en naar de gehaaste voetgangers die de nauwe, grauwe straatjes van Chinatown in stroomden.

Ik hield met name een stenen gebouw met twee verdiepingen in de gaten dat halverwege Waverly stond. Wongs Chinese apotheek was op de begane grond gevestigd. De twee verdiepingen erboven werden gehuurd door de Westwood Registry.

Mijn intuïtie zei me dat we in dat gebouw informatie zouden vinden; misschien een verband tussen Paola Ricci en de ontvoering... wat dan ook.

Om vijf over halfnegen werd de voordeur geopend en stapte een vrouw naar buiten, die een vuilniszak bij de stoeprand zette.

'Tijd om aan de slag te gaan,' zei Conklin.

We staken de straat over en onderschepten de vrouw voor ze weer naar binnen ging. We lieten onze penningen zien.

Ze was blank, superslank, halverwege de dertig en had donker steil haar dat tot op haar schouders viel. Ze was aantrekkelijk, maar had een zorgelijke frons tussen haar wenkbrauwen.

'Ik vroeg me al af wanneer we iets van de politie zouden horen,' zei ze met een hand op de deurknop. 'De eigenaren zijn de stad uit. Kunt u vrijdag terugkomen?'

'Ja hoor,' zei Conklin. 'Maar we willen u nu ook graag een paar vragen stellen als u het niet erg vindt.'

Brenda, onze afdelingssecretaresse, vindt Conklin een enorm stuk en volgens haar is ze niet de enige. Dat was ook zo. Conklin oefende dezelfde aantrekkingskracht op vrouwen uit als honing op bijen. Daar deed hij niets voor. Hij had gewoon van nature die onweerstaanbare, sexy uitstraling.

Ik zag dat de donkerharige vrouw twijfelde, naar Conklin keek en toen de deur wijd opende.
'Ik ben Mary Jordan,' zei ze. 'Officemanager, boekhoudster, aanspreekpunt voor de meisjes, en noem het allemaal maar op. Kom binnen...'
Ik wierp Conklin een scheve grijns toe en liep achter mevrouw Jordan aan door de hal naar haar kantoor. Het was een klein kantoortje en het bureau stond naar de deur toe gekeerd. Voor het bureau stonden twee stoelen voor bezoekers en aan de muur erachter hing een foto waarop Jordan stond, die omringd werd door een stuk of tien jonge vrouwen, waarschijnlijk kindermeisjes.
Ik vond Jordans nervositeit opmerkelijk. Ze beet op haar lip, stond op, legde een stapeltje dossiers boven op een archiefkast, ging weer zitten, frummelde aan haar horlogebandje, en draaide een potlood rond tussen haar vingers.
'Wat vindt u van de ontvoering van Paola en Madison Tyler?' vroeg ik.
'Ik heb geen flauw idee wat ik ervan moet vinden,' zei Jordan, die haar hoofd schudde en vervolgens een enorme woordenstroom over ons uitstortte. Jordan vertelde dat ze de enige fulltime-employee van het bureau was. Er waren twee leraressen, maar die werkten op afroepbasis. Afgezien van een van de eigenaren, een blanke man van vijftig, waren er geen mannen verbonden aan het bureau, dat ook niet beschikte over minivans, zwarte of anderskleurige.
De eigenaren van de Westwood Registry waren Paul en Laura Renfrew, een getrouwd stel, vertelde mevrouw Jordan. Op het moment bezocht Paul potentiële cliënten ten noorden van San Francisco en zat Laura in Europa om nieuwe kindermeisjes te rekruteren. Ze waren beiden voor de ontvoering al vertrokken.
'De Renfrews zijn aardige mensen,' verzekerde Jordan ons.
'Hoe lang kent u ze al?'
'Ik ben acht maanden geleden voor de Renfrews gaan werken toen ze vanuit Boston hiernaartoe verhuisden. We draaien nog niet eens quitte,' vertelde Jordan. 'En nu is Paola dood en is Madison Tyler... verdwenen. Niet bepaald goede publiciteit, hè?'
Er sprongen tranen in haar ogen. Ze haalde een roze tissue uit een doos op haar bureau en veegde ze weg.
'Mevrouw Jordan,' zei ik, en ik boog me naar haar toe, 'er zit u iets dwars. Wat is er?'

'Nee, er is niets.'
'Jawel, zeg het nu maar.'
'Oké. Het is gewoon dat ik dol was op Paola. En ik ben degene die haar bij de Tylers heeft geplaatst. Dat was ik. Als ik dat niet had gedaan, zou Paola nog leven!'

59

'De Renfrews hebben hier een appartement,' vertelde Mary Jordan terwijl ze ons rondleidde door het kantoor. Ze wees naar een groen geverfde deur aan het einde van een hal, die afgesloten was met een hangslot.

'Waarom een hangslot?' vroeg ik.

'Ze gebruiken dat hangslot alleen als ze beiden weg zijn,' vertelde Jordan. 'En ik vind dat wel fijn. Dan hoef ik me geen zorgen te maken over meisjes die rondneuzen op plekken waar ze niet horen.'

Boven ons hoofd hoorden we iemand lopen.

'Dit is de gemeenschappelijke zitkamer,' zei Jordan, die doorging met de rondleiding. 'De vergaderzaal is daar rechts en de slaapkamers zijn boven,' zei ze, en ze wees naar een houten trap.

'De meisjes wonen hier tot we ze bij gezinnen plaatsen. Ik woon ook boven.'

'Over hoeveel meisjes gaat het?' vroeg ik.

'Vier. Zodra Laura terug is van haar reis, laten we er waarschijnlijk nog vier overkomen.'

De rest van de ochtend ondervroegen Conklin en ik de jonge vrouwen, die we een voor een naar de vergaderzaal lieten komen. Ze varieerden qua leeftijd van achttien tot tweeëntwintig, kwamen alle vier uit Europa en spraken goed tot uitstekend Engels.

Geen van de vier koesterde achterdocht of had andere bedenkingen tegen de Renfrews of Paola Ricci.

'Toen Paola hier was, bad ze elke avond,' vertelde een meisje met de naam Luisa. 'Ze was zo onschuldig en zo lief!'

We stapten het kantoortje weer binnen en vroegen Mary Jordan of ze enig idee had wie Paola en Madison ontvoerd zou kunnen hebben. Ze haalde haar schouders op en stak haar handen omhoog bij wijze van antwoord.

Terwijl ze de telefoon opnam, vroeg Conklin me: 'Zal ik dat hangslot openbreken?'

‘Wil je de rest van je carrière soms bij de gemeentelijke reinigingsdienst doorbrengen?’
‘Misschien is dat het waard.’
‘Vergeet het maar,’ zei ik. ‘En zelfs als we een redelijke verdenking hadden, Madison Tyler is hier niet. Dat had die moederkloek nooit voor zich kunnen houden.’
We liepen naar buiten en daalden net de bordestreden af toen Mary Jordan ons riep. Ze liep snel naar ons toe en greep Conklins arm vast.
‘Ik heb lopen dubben of ik het zou vertellen. Misschien is het alleen maar geroddel en klopt er niets van. Ik wil niemand in de problemen brengen.’
‘Maak je daar geen zorgen om, Mary,’ zei Conklin. ‘Als je iets weet, vertel het dan gewoon.’
‘Toen ik net voor de Renfrews ging werken,’ zei Jordan, die haar ogen snel naar de openstaande deur liet glijden en vervolgens Conklin weer aankeek, ‘vertelde een van de meisjes me iets, maar ik moest zweren dat ik het niet verder zou vertellen. Ze vertelde dat een meisje van het bureau zomaar bij haar werkgevers was weggegaan zonder iets te zeggen. En weet u waarom dat zo vreemd was? Omdat de Renfrews haar paspoort hadden. Zonder paspoort zou ze geen ander werk kunnen krijgen.’
‘Werd haar vermissing gemeld bij de politie?’
‘Dat geloof ik wel. Ik weet alleen maar wat me verteld werd. En mij werd verteld dat Helga Schmidt verdween en dat er nooit meer iets van haar werd gehoord.’

60

De gemoederen op de vergadering van de huurdersvereniging waren al flink verhit tegen de tijd dat Cindy arriveerde. In de hal van het gebouw stonden ongeveer tweehonderd mensen opeengepakt. De voorzitter van de vereniging, Fern Galperin, was een kleine, aantrekkelijke vrouw die een bril met draadmontuur droeg. Haar hoofd was nauwelijks zichtbaar boven de menigte die ze tot kalmte maande.

'Een tegelijk,' schreeuwde ze. 'Margery? Vertel maar verder.'

Margery Glynn, de vrouw die Cindy gisteren in de kelder had ontmoet, zat ingeklemd tussen twee anderen op een klein bankje.

'De politie stuurde me een formulier dat ik moest invullen. Ze gaan niets doen aan Barnaby. Barnaby hoorde bij mijn gezin! Nu hij er niet meer is, heb ik het gevoel dat ik nog meer risico loop. Moet ik een andere hond aanschaffen? Of moet ik een wapen aanschaffen?'

'Ik vind het net zo verschrikkelijk als jij en ik ben net zo bang,' zei Galperin, die haar eigen kleine hondje tegen haar boezem aan drukte. 'Maar een wapen aanschaffen meen je, hoop ik, niet serieus! Nog iemand?'

Cindy zette haar laptoptas op de grond en fluisterde tegen een aantrekkelijke brunette die bij de koffietafel stond: 'Wat is er aan de hand?'

'Weet je wat er met Barnaby is gebeurd?'

'Ja. Ik bracht net een zak vuilnis weg toen Margery hem vond.'

'Verschrikkelijk, nietwaar? Toegegeven, af en toe werd je helemaal gek van Barnaby's geblaf maar om hem dood te slaan? Dat slaat toch nergens op. Dit is New York toch niet?'

'Zou je me even willen bijpraten? Ik woon hier nog maar net.'

'Natuurlijk. Om te beginnen was Barnaby niet de eerste. De poedel van mevrouw Neely werd dood in het trappenhuis aangetroffen en die arme vrouw gaf zichzelf de schuld omdat ze vergeten was haar deur af te sluiten.'

'Dus iemand in het gebouw houdt niet van honden.'

'Dat lijkt me wel,' ging de brunette verder. 'Maar dat is nog niet alles.

Een maand geleden is meneer Franks, een heel aardige man die op de eerste verdieping woonde, midden in de nacht verhuisd. Hij heeft een stapel dreigbrieven voor Fern achtergelaten, die in de loop van een aantal maanden onder zijn deur door waren geschoven.'
'Wat voor soort dreigementen waren dat?'
'Hij werd met de dood bedreigd! Ongelooflijk, hè?'
'Waarom heeft hij de politie niet gebeld?'
'Dat heeft hij wel gedaan, geloof ik. Maar het waren anonieme brieven. De politie stelde alleen een paar vragen en daar bleef het bij. Zoals altijd.'
'Ik neem aan dat meneer Franks een hond had?'
'Nee. Hij had een stereo. Trouwens, ik ben Debbie Green.' De vrouw glimlachte. 'Uit 1F.' Ze schudde Cindy's hand.
'Ik ben Cindy Thomas. 2B.'
'Leuk je te ontmoeten, Cindy. Welkom in "A Nightmare at the Blakely Arms".'
'Ben jij niet bang?' Cindy glimlachte onzeker.
'Een beetje wel.' Debbie zuchtte. 'Maar ik heb zo'n geweldig appartement... En ik heb een vriend. Ik geloof dat ik hem zover heb weten te krijgen dat hij bij me intrekt.'
'Fijn voor je.' Cindy richtte haar aandacht weer op de vergadering.
Een oudere man met een gebogen rug stond op en kreeg het woord van de voorzitter.
'Meneer Horn, ga uw gang.'
'Dank u. Wat mij het meest zorgen baart, is de heimelijkheid. Brieven die onder deuren door worden geschoven. Huisdieren die vermoord worden. Volgens mij heeft Margery gelijk. Als de politie ons niet kan helpen, moeten we misschien zelf maar gaan patrouilleren...'
Van alle kanten werd commentaar geschreeuwd en mevrouw Galperin riep luid: 'Mensen, steek je hand op, alsjeblieft! Tom, wilde jij wat zeggen?'
Cindy zag aan de andere kant van de hal een man van in de dertig opstaan. Hij was tenger gebouwd en begon al kaal te worden.
'Het idee dat huurders gaan patrouilleren, vind ik eerlijk gezegd doodeng,' zei hij. 'Degene die de boel hier terroriseert, zou zich daar ook voor kunnen opgeven en dan hoeft hij niet langer in het geniep rond te sluipen. Dan kan hij zonder problemen overal komen. Dat lijkt me pas

griezelig! Trouwens, er wonen zo'n 385 mensen in dit gebouw en zo te zien is meer dan de helft hier vanavond aanwezig. Dus er is vijftig procent kans dat onze privéterrorist hier ook is. Op dit moment.'

61

Yuki had Leonard Parisi nog nooit woedend gezien. 'Red Dog', zoals hij werd genoemd, had rood haar, was lang, woog een kleine honderd kilo, en gewoonlijk was hij de vriendelijkheid zelve. Maar nu spuwden zijn donkere ogen vuur en sloeg hij met zijn vuist op tafel.

Bordjes met overgebleven restjes Chinees eten vlogen omhoog.

De vijf nieuwe HOVJ's om de tafel zagen er geschokt uit met uitzondering van David Hale, die de opmerking had gemaakt dat de Brinkley-zaak een 'inkoppertje' was.

'Er bestaan geen inkoppertjes,' bulderde Parisi. 'De zaak tegen O.J. werd als een inkoppertje beschouwd.'

'Robert Durst,' zei Yuki.

'Nog zo eentje,' zei Parisi, die zijn ogen van de een naar de ander liet glijden. 'Durst gaf toe dat hij zijn buurman had vermoord, hem in stukken had gehakt en in de oceaan had gedumpt en nóg kwam de jury terug met de uitspraak "niet schuldig". Datzelfde zou kunnen gebeuren met de Brinkley-zaak, David. We hebben een bekentenis op tape en zoveel getuigen als we maar willen. Het misdrijf is zelfs op film vastgelegd. En nog steeds is hier geen sprake van een inkoppertje.'

'Maar, Leonard,' zei Hale, 'de moordenaar is op heterdaad betrapt, je ziet hem schieten op die film. Als bewijsstuk is die film toelaatbaar en onweerlegbaar.'

Parisi grijnsde. 'Je geeft het niet op, David. Dat mag ik wel. Jullie kennen allemaal het verhaal van Rodney King?' Parisi deed zijn das wat losser.

'Rodney King, die voorwaardelijk was vrijgelaten uit de gevangenis, wilde niet uit zijn auto stappen toen hij werd aangehouden voor te hard rijden. Hij werd uit zijn auto getrokken en 56 keer geslagen door vier blanke agenten. Hij werd min of meer doodgeknuppeld. Die bloederige mishandeling werd op film vastgelegd. De zaak kwam voor de rechter. De agenten werden vrijgesproken en dat was het begin van de rassen-

rellen in Los Angeles; dus die film maakte van de zaak geen inkoppertje. Misschien wel hierom: de eerste keer dat je de Rodney King-tape ziet, zit je vol afschuw toe te kijken. De tweede keer kijk je woedend toe. Maar als je hem voor de twintigste keer ziet, hebben je hersens elk detail van die afgrijselijke beelden opgeslagen. Je ziet alles nog wel, maar het schokeffect is weg. Iedereen in dit land met een televisie heeft keer op keer Jack Rooneys film gezien waarin Alfred Brinkley die mensen doodschiet. Het schokeffect is weg. Begrepen?' Parisi keek opnieuw de tafel rond.
'Maar dat gezegd hebbende, gebruiken we die film natuurlijk wel als bewijsstuk. We zouden deze zaak moeten winnen. En we gaan er alles aan doen om Brinkley in een dodencel te krijgen. Bedenk wel dat we het moeten opnemen tegen een slimme en vasthoudende advocate: Barbara Blanco,' zei Parisi, die zich in zijn stoel liet zakken.
'En ze heeft deze pro-Deozaak niet voor het geld aangenomen. Ze gelooft in haar cliënt en de jury zal dat aanvoelen. We moeten op alles voorbereid zijn. En dat is het einde van de les voor vandaag.'
Er volgde een respectvolle stilte op zijn woorden. Len Parisi was niet voor niets de grote ster binnen het OM.
'Yuki, zijn we nog iets vergeten?'
'We hebben alles behandeld.'
'Hoe voel je je?'
'Ik voel me fantastisch, Len. Ik ben er helemaal klaar voor. Ik sta te popelen.'
'Mooi zo. Maar jij bent achtentwintig, ik heb mijn schoonheidsslaapje hard nodig. Ik zie je hier morgenochtend om halfacht. En voor de rest geldt: let goed op. Morgen aan het einde van de dag bespreken we hoe het gegaan is.'
Yuki zei haar collega's gedag en verliet de vergaderzaal. Ze was helemaal klaar voor de strijd en prees zich gelukkig dat ze de volgende ochtend Leonard Parisi zou assisteren.
Ondanks Parisi's waarschuwende woorden, had Yuki er alle vertrouwen in. Brinkley was geen O.J. of een Robert Durst. Hij was geen ster, had geen mediacharisma, en tot een paar weken geleden sliep hij op straat met een geladen wapen in zijn zak. Hij had vier willekeurige mensen vermoord.
Geen enkele jury zou die maniak weer vrij laten rondlopen in de straten van San Francisco. Toch?

Deel vier

De zaak-Alfred Brinkley

62

Yuki zette haar aktetas naast die van Leonard op de tafel van de beveiliging in de hal van de rechtbank. Ze passeerden de metaaldetectoren, liepen door het eerste stel dubbele deuren de gang in, en gingen even later door het volgende stel dubbele deuren de rechtszaal binnen.

Er steeg rumoer op van de publiekstribune toen Red Dog – een meter zeventachtig en gekleed in een marineblauw pak met een smal streepje – naast Yuki – een meter negenenvijftig op hakken, nog geen vijftig kilo en gekleed in haar parelgrijze pakje – door het middenpad van de rechtszaal liepen. Leonard opende het hekje waarmee de publiekstribune van de rest van de rechtszaal werd gescheiden, liet Yuki voorgaan, volgde haar op de voet naar de tafel voor de openbaar aanklager en ging zijn papieren ordenen. Het verwachtingsvolle gevoel dat door Yuki heen gierde, werd flink getemperd door de zenuwen die zo'n eerste dag altijd met zich meebracht. Ze had zich zo goed mogelijk voorbereid en stond te trappelen om te beginnen. Ze streek de revers van haar jasje glad, legde haar papieren recht en keek op haar horloge. De zitting zou over vijf minuten beginnen en aan de tafel voor de verdediging zat niemand.

Er steeg opnieuw geroezemoes op in de zaal. Ze keek om en kreeg zowat een rolberoerte. Ze stootte Leonard zachtjes aan, die omkeek.

Alfred Brinkley kwam de zaal binnen. Zijn baard was verdwenen, zijn lange haar was in een korte coupe geknipt, hij droeg een blauw pak met een das, en zag er zo gevaarlijk uit als een pasgeboren lammetje.

Maar het was niet Brinkley die haar een akelig gevoel in haar maag had gegeven en haar zo had laten schrikken.

Barbara Blanco liep niet naast Brinkley. In plaats daarvan zag ze een man van begin veertig die vroegtijdig grijs was, een antracietkleurig Brionipak droeg en een gele Armani-das. Ze kende Brinkleys nieuwe advocaat. Iedereen kende hem.

'O, verdomme,' mompelde Parisi die stroef glimlachte. 'Mickey Sherman. Jij kent hem, nietwaar, Yuki?'

'Zeker. Een paar maanden geleden hebben we samen de verdediging van een vriendin van me gedaan.'
'Ja, dat weet ik nog. Een inspecteur van de afdeling Moordzaken die beschuldigd werd van dood door schuld.' Parisi zette zijn bril af, wreef hem schoon met zijn zakdoek en zei tegen Yuki: 'Weet je nog wat ik gisteravond zei?'
'We moeten op alles voorbereid zijn.'
'Soms haat ik het wanneer ik gelijk heb. Wat kun je me nog meer over Sherman vertellen, afgezien van het feit dat Sherman dol is op media-aandacht?'
'Hij is de man van de grote lijnen,' zei Yuki. 'De details laat hij aan anderen over. Er zou misschien iets tussen de wal en het schip kunnen vallen.'
Yuki herinnerde zich dat ze gelezen had dat Mickey Sherman niet langer als advocaat voor de gemeente San Francisco werkte, maar een kleine privépraktijk was begonnen. Hij zou de Brinkley-zaak wel pro Deo doen, maar alle media-aandacht zou een geweldige springplank vormen voor Sherman and Associates; als hij won.
'Hij heeft in elk geval geen staf medewerkers meer,' zei Parisi. 'Nu maar hopen dat er iets tussen de wal en het schip belandt, dan gaan we net zolang met een fijnmazig net dreggen, tot we het boven water hebben. Maar zijn eerste, grote probleem is nu al duidelijk.'
'Ja.' Yuki knikte. 'Alfred Brinkley ziet er helemaal niet gestoord uit. Maar, Len, dat ziet Mickey Sherman ook.'

63

Yuki stond op toen rechter Norman Moore binnenkwam en zijn plaats innam. Aan de muur achter hem hingen twee vlaggen: aan de ene kant de Amerikaanse en aan de andere kant de vlag van Californië. Op de tafel voor hem stonden een thermosfles koffie en een laptop.
De tweehonderd mensen in de rechtszaal namen ook plaats en de zitting werd geopend.
Rechter Moore stond bekend als een rechtvaardig man die de neiging had advocaten iets te veel speelruimte te geven voor hij hen met een tik van zijn hamer afstopte.
Moore besteedde ruim vijftien minuten aan het instrueren van de jury voor hij zijn blauwe, bebrilde ogen op Leonard Parisi richtte. 'Is het OM klaar om te beginnen?'
'Jawel, edelachtbare.'
Leonard Parisi stond op, knoopte het middelste knoopje van zijn jasje dicht, liep naar de jurybanken en begroette de juryleden. Red Dog zag er kolossaal uit met zijn lange gestalte, brede heupen en brede schouders. Hij had pluizig rood haar en een pokdalige huid. Hij was geen droomprins maar als hij aan het woord was, kon je niet om hem heen en deed hij niet onder voor beroemde karakterspelers als Rod Steiger of Gene Hackman.
Je kon je ogen gewoon niet van hem losrukken.
'Dames en heren, toen u uitgekozen werd voor deze jury, hebt u allen bevestigd dat u de "Rooney-tape" van de veerboottragedie op de *Del Norte* had gezien. U hebt ook verklaard dat u nog geen conclusie had getrokken over de schuld of onschuld van de verdachte. En u beloofde dat u uw oordeel over meneer Brinkley zou baseren op grond van de bewijzen die u worden voorgelegd in deze rechtszaal. Daarom wil ik u vertellen hoe het was die eerste november op de *Del Norte*, zodat alles u weer helder voor de geest komt te staan.' Parisi wachtte even.
'Het was een prachtdag voor een vaartochtje,' ging hij verder, 'een graad

of veertien met af en toe een beetje zon. Veel toeristen droegen korte broeken, want laten we wel zijn, San Francisco ligt tenslotte in Californië, nietwaar?'
Er steeg zacht gelach op van de tribune.
Parisi was langzamerhand warmgedraaid en zijn openingsverklaring liep op rolletjes. 'Het was een prachtige dag die in een afgrijselijke dag veranderde omdat de verdachte, Alfred Brinkley, zich op die veerboot bevond. Meneer Brinkley was blut, maar hij had een retourticket op de boerenmarkt gevonden en besloot een tochtje te maken. Hij droeg een geladen wapen bij zich, een revolver met zes patronen. Meneer Brinkley stapte op de veerboot en op de heenreis naar Larkspur deden zich geen incidenten voor. Op de terugreis echter, toen de veerboot aanmeerde in San Francisco, zag de verdachte Andrea Canello een gesprek voeren met haar zoontje, een leuk knulletje dat Tony heette. Op dat moment haalde meneer Brinkley zijn wapen tevoorschijn en schoot hij de dertigjarige moeder in haar borst. De reden daarvoor? Dat weet alleen de verdachte. Andrea Canello stierf ter plekke, voor de ogen van haar zoontje.'
Parisi zweeg even. 'Toen richtte Tony Canello zijn grote, angstige ogen op de man die net zijn moeder had doodgeschoten... en wat deed Alfred Brinkley? Hij schoot Tony Canello dood, een klein knulletje dat gewapend was met een aardbeienijsje. Tony zat in groep vijf en keek vol verlangen uit naar Thanksgiving; naar de mountainbike die hij voor kerst zou krijgen; en naar de jaren die voor hem lagen. Maar meneer Brinkley ontnam hem zijn toekomst. Tony Canello stierf die dag in het ziekenhuis.'
De bedroefde uitdrukkingen op de gezichten van de juryleden maakten duidelijk dat Parisi's woorden doel hadden getroffen. Een van de juryleden, een jonge vrouw met vuurrood geverfd haar beet op haar lip terwijl de tranen langzaam over haar wangen druppelden.
Leonard laste een respectvolle stilte in.

64

Op dat moment draaide rechter Moore zich naar de zes mannen en zes vrouwen van de jury toe. 'Wilt u even pauzeren? Nee? Oké dan, gaat u verder, meneer Parisi.'
'Dank u, edelachtbare,' zei Parisi. Zijn ogen schoten even naar zijn tegenstander en hij zag dat Mickey Sherman zich had omgedraaid naar zijn cliënt en hem iets toefluisterde, waardoor hij met zijn rug naar de rechtbank toe zat. Het afwijzende gebaar was bedoeld om duidelijk te maken dat Parisi's openingsverklaring de verdediging niet in het minst had gestoord.
Slimme zet. Parisi wist dat hij hetzelfde gedaan zou hebben.
'Ik heb u verteld dat de *Del Norte* aan het aanmeren was toen meneer Brinkley Andrea en Tony Canello doodschoot. Het aanmeren gaat gepaard met een hoop lawaai, veel meer lawaai dan twee schoten veroorzaken. Toch hadden een paar mensen door wat er was gebeurd. Per Conrad, een onderhoudstechnicus, had die dag dienst op de *Del Norte*. Hij had een vrouw en vier prachtige kinderen en was nog twee jaar van zijn pensioen verwijderd. Hij zag dat Alfred Brinkley een wapen in zijn hand had en hij zag Andrea en Canello bloedend op het dek liggen. Meneer Conrad rende op meneer Brinkley af om hem te ontwapenen, maar de verdachte richtte zijn wapen en schoot Per Conrad recht in het gezicht. Meneer Lester Ng was een verzekeringsagent uit Larkspur, die voor zaken naar San Francisco reisde. Hij had ook een gezin en was een voormalig luchtmachtpiloot. Ook hij wilde meneer Brinkley ontwapenen. Hij werd in zijn hoofd geschoten. Het laatste wat meneer Ng op deze aarde zag, was het wapen van Alfred Brinkley. Beide mannen dachten geen moment aan hun eigen veiligheid. Het waren helden. En daarom stierven ze. Maar meneer Brinkley was nog niet klaar.'
Parisi liep naar de jurybank, legde zijn handen op de leuning en keek de juryleden beurtelings aan terwijl hij verder sprak.
'Meneer Brinkley stond naast een vrouw die in hoog aanzien staat in

deze gemeenschap, dokter Claire Washburn, de hoofdpatholoog-anatoom van San Francisco. Dokter Washburn was doodsbang, maar toch had ze de tegenwoordigheid van geest om tegen meneer Brinkley te zeggen: "Oké, zo is het wel genoeg. Geef die revolver maar aan mij." In plaats van de revolver krijgt ze een kogel in haar borst. En wanneer Willie, de tienerzoon van dokter Washburn, zijn moeder te hulp wil schieten, schiet Brinkley ook op hem. Gelukkig stootte de boot op dat moment tegen de kade en miste meneer Brinkleys zesde en laatste schot zijn doel. En omdat het laatste schot afzwaaide, hebben twee moedige mensen, Claire en Willie Washburn, het overleefd. Dokter Washburn zal getuigen in deze rechtszaak.'

Parisi was even om stil de verschrikkingen van de afgrijselijke schietpartij goed te laten doordringen.

'Het lijdt geen twijfel dat alles wat ik u heb verteld ook daadwerkelijk is gebeurd. Het staat ook vast dat Alfred Brinkley zonder onderscheid te maken tussen sekse, leeftijd of ras, vier wildvreemden heeft doodgeschoten en geprobeerd heeft nog twee mensen te doden. Meneer Rooney, die als getuige zal optreden in deze rechtszaak, heeft de schietpartij op film vastgelegd en deze film zult u te zien krijgen. Meneer Brinkley heeft bekend dat hij deze afgrijselijke moorden heeft gepleegd en de videotape van die bekentenis zult u ook te zien krijgen. In deze zaak gaan we ons niet bezighouden met DNA, bloedsporen, gedeeltelijke palmafdrukken of andere gebruikelijke forensische bewijsstukken die u elke avond in de *CSI*-serie van uw keuze kunt zien. Dat komt omdat er in dit geval geen sprake is van een onbekende dader. We weten wie de dader is. Daar zit hij.'

Parisi wees naar de man in het blauwe pak. Brinkleys matte ogen staarden recht vooruit. Het leek wel of hij zwaar onder de medicijnen zat en Parisi vroeg zich af of Brinkley hem wel had gehoord, laat staan begrepen.

'De verdediging zal u ervan proberen te overtuigen dat meneer Brinkley psychotisch is en daarom niet verantwoordelijk kan worden gehouden voor zijn daden,' zei Parisi, die terugliep naar het midden van de zaal. 'De medische getuigen-deskundigen van de verdediging zullen misschien het lef hebben om hier te verkondigen dat de gedaagde "behandeling" nodig heeft en geen straf. Dat maakt niet uit. De staat beschikt over fantastische dokters die de gevangenen in onze dodencellen behandelen. Als iemand zich waanzinnig gedraagt, betekent dat niet dat hij boven de wet staat. En het betekent ook niet dat diegene niet begrijpt dat het verkeerd is om mensen te vermoorden. Dames en heren van de jury, Alfred Brinkley had een geladen wapen bij zich op de veerboot. Hij richtte dat wapen welbewust op zijn slachtoffers met het doel hen te doden. Hij vermoordde vier mensen. Vervolgens vluchtte Alfred Brinkley... omdat hij wist dat hij iets verkeerds had gedaan. Het OM zal bewijzen dat meneer Brinkley wettelijk gezien toerekeningsvatbaar was toen hij vier moorden pleegde en twee pogingen tot moord ondernam. En wij vragen u om hem op alle punten schuldig te verklaren. Ik dank u voor uw tijd en aandacht. Mijn excuses dat ik enkelen van u tot tranen heb bewogen, maar deze moordenaar heeft dan ook een tragedie veroorzaakt.'

65

Yuki keek naar Mickey Sherman, die opstond en zelfverzekerd naar voren liep. Sherman stelde zichzelf voor aan de jury. Door zijn ontspannen optreden en innemende persoonlijkheid nam hij juryleden al bij zijn eerste woorden voor zich in.

'Dames en heren van de jury, alles wat de openbaar aanklager u heeft verteld, is waar.'

Een gedurfde aankondiging, vond Yuki. Ze had eerlijk gezegd nog nooit meegemaakt dat de tegenpartij dat standpunt innam.

'U weet allemaal wat er op die eerste november op de *Del Norte* is gebeurd,' zei Sherman. 'Meneer Brinkley nam inderdaad een geladen wapen mee aan boord. Hij schoot op die mensen zonder aan de consequenties te denken... voor zijn slachtoffers of voor zichzelf. Er waren ruim tweehonderdvijftig mensen aan boord en een aantal van hen was getuige van de schietpartij. Meneer Brinkley gooide zijn wapen niet weg toen hij wegvluchtte van de *Del Norte*. Hij ontdeed zich niet van het bewijsstuk. Wat hij gedaan had, zou je ook niet de perfecte misdaad kunnen noemen. Alleen iemand die niet bij zijn volle verstand was, zou dergelijke daden begaan en zich op die wijze gedragen. Dus wat er gebeurde, is geen mysterie. Deze rechtszaak draait dan ook om de vraag waarom het gebeurde. Meneer Brinkley begreep de consequenties van zijn daden niet omdat hij, toen hij die arme mensen doodschoot, wettelijk gezien ontoerekeningsvatbaar was. Aangezien de term "ontoerekeningsvatbaar" de basis zal vormen voor uw oordeel over meneer Brinkley en zijn daden, lijkt me dit het aangewezen moment om deze term te definiëren,' zei Sherman.

'Waar het om gaat is of meneer Brinkley begreep dat hij de wet overtrad toen hij die misdrijven pleegde. Als hij niet begreep dat die daden verkeerd waren omdat hij leed aan een psychische ziekte of stoornis tijdens het plegen van deze misdrijven, was hij wettelijk gezien "ontoerekeningsvatbaar".'

Mickey liep terug naar zijn tafel, draaide zich om en ging vervolgens verder op een toon die Yuki zowel bewonderde als vreesde. Hij sprak op zachte, overredende toon, alsof hij erop vertrouwde dat de juryleden geen theatrale retoriek nodig hadden, maar hem zouden geloven omdat hij simpelweg de waarheid vertelde.

'Meneer Brinkley lijdt aan een schizoaffectieve stoornis,' vertelde Sherman de jury. 'Hij heeft een ziekte zoals kanker of diabetes, en die ziekte is deels te wijten aan genetische factoren en deels aan een trauma in zijn kindertijd. Hij heeft ook niet gevraagd om die ziekte, toch kreeg hij ermee te maken. Dat had u of mij of wie dan ook in deze rechtszaal, eveneens kunnen overkomen. En welke ziekte kan nu erger zijn dan een aandoening waardoor je eigen hersens zich tegen je keren en je tot gedachten en daden aansporen die volkomen ingaan tegen je karakter en natuur? Natuurlijk gaat ons medeleven uit naar alle slachtoffers van deze tragedie. Als we de tijd konden terugdraaien en als Fred Brinkley een toverpil of een injectie kon krijgen waardoor hij op die eerste november gezond was geweest zodat er geen slachtoffers waren gevallen, zou hij geen seconde aarzelen. Als meneer Brinkley geweten had dat hij aan een psychische aandoening leed, zou hij zich hebben laten behandelen. Maar hij wist niet waarom hij zich zo voelde. Het leven van meneer Brinkley had model kunnen staan voor de uitdrukking "voor hem is het leven een hel".'

66

Mickey Sherman wist dat hij de zaak goed had voorbereid, hij geloofde in zijn cliënt en hij genoot dan ook van de gestage stroom adrenaline die daar het gevolg van was. Brinkley, de arme donder, die vijftien jaar lang door een voortwoekerende ziekte steeds verder was afgegleden, keerde langzamerhand terug naar de echte wereld. En wat een treurige wereld. Hij zat zwaar onder de antipsychotische medicijnen en moest zich voor de rechtbank verantwoorden voor misdrijven die hem de doodstraf konden opleveren.

Het was voor alle betrokkenen een grote tragedie.

'Meneer Brinkley hoorde stemmen.' Mickey Sherman ijsbeerde voor de jurybanken. 'En dan heb ik het niet over de stemmetjes die we allemaal in ons hoofd horen, de inwendige monoloog, die ons helpt problemen op te lossen, een toespraak te schrijven of onze autosleutels terug te vinden. De stemmen in meneer Brinkleys hoofd waren storend, intimiderend en wreed. Die stemmen tartten hem doorlopend, scholden hem uit... en spoorden hem aan om te moorden. Wanneer hij naar de televisie keek, geloofde hij dat de acteurs en nieuwslezers rechtstreeks tegen hem spraken, dat ze hem beschuldigden van misdaden en óók dat ze hem vertelden wat hij moest doen. Nadat Fred Brinkley jarenlang tegen deze demonen had gevochten, gaf hij eindelijk toe aan de stemmen. Dames en heren van de jury, ten tijde van de schietpartij had hij geen besef van de werkelijkheid. Hij wist niet dat de mensen op de veerboot die hij doodschoot, van vlees en bloed waren. Voor hem maakten ze deel uit van de pijnlijke hallucinaties in zijn geest. Naderhand zag meneer Brinkley op televisie beelden van zichzelf terwijl hij de mensen op de veerboot doodschoot en omdat hij die beelden op televisie zag, begreep hij wat hij had gedaan. Hij werd zo overmand door wroeging, schuldgevoelens en zelfhaat dat hij zich uit vrije wil meldde bij de politie. Hij zag af van zijn rechten en bekende, omdat het gezonde deel van zijn hersens begreep dat hij afgrijselijke daden had begaan. Dat moet u toch een redelijk inzicht in zijn karakter geven. Het OM wil u graag doen geloven dat uw moeilijkste beslissing in deze rechtszaak het kiezen van een juryvoorzitter zal zijn. Maar u hebt het hele verhaal nog niet gehoord. Getuigen die meneer Brinkley kennen en psychiatrische deskundigen die hem hebben onderzocht, zullen getuigen over meneer Brinkleys karakter en zijn geestesgesteldheid. Wanneer u alle aspecten van deze zaak hebt gehoord, ben ik ervan overtuigd dat u Fred Brinkley op grond van een psychische stoornis of ziekte "ontoerekeningsvatbaar" zult verklaren. Want de waarheid is dat Fred Brinkley in wezen een goede man is, die getroffen werd door een verschrikkelijke ziekte die zijn hersens heeft aangetast.'

67

Om halfzeven die avond zaten Yuki en Leonard Parisi in de grotachtige, verlaagde eetzaal van Restaurant LuLu – een oud pakhuis dat tot een populair eettentje was omgebouwd – in de buurt van het paleis van justitie.

Yuki voelde zich fantastisch; ze maakte deel uit van het A-team. Het winnende A-team. Ze genoot van de gegrilde kip en Len deed zich te goed aan een pikante garnalenpizza. Ze namen tijdens het eten de dag door, bedachten potentiële struikelblokken en bespraken hoe ze die struikelblokken de volgende dag tijdens de zitting uit de weg konden ruimen.

Leonard schonk hun glazen nog een keer vol met een merlot van zestig dollar de fles en zei: 'Iedereen kan maar beter oppassen voor het team Red Dog.'

Yuki lachte, dronk van haar wijn en stopte haar papieren in een grote leren tas toen de tafel werd afgeruimd. Toen ze nog als advocate in civielrechtelijke procedures optrad, had ze zich nooit zo fantastisch gevoeld als nu.

De aangename geur van brandend hout, die afkomstig was van de grote steenoven aan de andere kant van de zaal, dreef hun kant op en langzamerhand stroomden de bar en het restaurant vol en vulde de ruimte zich met vrolijk geroezemoes dat weerkaatste tegen de muren en hoge plafonds.

'Koffie?' vroeg Len aan Yuki.

'Graag,' zei ze. 'En nu ik toch aan het zondigen ben, lust ik er ook wel een paar soesjes bij.'

'Dan doe ik mee,' zei Leonard, die zijn hand opstak om de serveerster te roepen. Ineens werd zijn gezicht bleek. Hij greep naar zijn borst, kwam half overeind en zocht steun bij de rugleuning van zijn stoel die omviel, en belandde op de grond.

Yuki hoorde achter zich een dienblad vallen. Er klonk glasgerinkel en iemand schreeuwde.

Ineens drong het tot haar door dat zij degene was die had geschreeuwd. Ze sprong op en knielde neer bij de grote man die heen en weer rolde over de grond en kreunde van pijn.
'Leonard! Len, waar doet het pijn?'
Hij mompelde iets, maar door alle commotie om hen heen kon ze hem niet verstaan.
'Kun je je armen optillen, Len?'
'Mijn borst,' kreunde hij. 'Bel mijn vrouw.'
'Ik kan hem wel naar het ziekenhuis rijden,' zei een man die over Yuki's schouders mee keek. 'Mijn auto staat voor de deur.'
'Bedankt, maar dat duurt te lang.'
'Het ziekenhuis is hier nog geen tien minuten...'
'Nee, bedankt. De ambulance brengt het ziekenhuis naar hem toe, snapt u?'
Yuki trok haar tas naar zich toe, schudde hem leeg op de grond, deed een greep naar haar mobieltje, en toetste het alarmnummer in. Ze negeerde de goedbedoelende man achter zich en dacht aan de files in de spits en aan een wachttijd van minimaal drie uur bij de Spoedeisende Hulp, want zo zou het gaan tenzij een ambulance Len naar het ziekenhuis bracht. Die vergissing had ze met haar vader gemaakt.
Yuki hield Lens hand stevig vast. 'Neem op, neem op,' mompelde ze bezorgd en toen er werd opgenomen, sprak ze op duidelijke en dringende toon: 'Dit is een noodgeval. Er is dringend een ambulance nodig in restaurant LuLu aan Folsom 816. Mijn vriend heeft een hartaanval.'

68

Conklin en ik hingen aan de telefoon en trokken tips na over de zaak-Ricci-Tyler, toen Jacobi de afdeling op liep en tegen ons zei: 'Kom, dan gaan we een frisse neus halen. Zo te zien zijn jullie daar wel aan toe.'

Een kwartiertje later, net voor zeven uur 's avonds, stonden we stil voor een appartementencomplex in de buurt van Third en Townsend. Drie surveillanceauto's, twee brandweerauto's en het busje van het mortuarium waren al gearriveerd.

'Dat is vreemd. Ik ken dit gebouw,' zei ik tegen Conklin. 'Cindy, die vriendin van me, woont hier.'

Ik belde Cindy op haar mobieltje, maar kreeg haar niet te pakken. Dus belde ik naar haar huis, maar ook daar werd niet opgenomen.

Ik zocht Cindy tussen de huurders die in kleine groepjes buiten op de stoep stonden en ondervraagd werden door agenten, maar zag haar niet.

Ik keek langs de gevel van de Blakely Arms omhoog naar de fletse gordijnen die uit ramen op de vierde verdieping wapperden.

Cindy woonde op de tweede. Ik voelde opluchting door me heen stromen, maar dat duurde niet lang. Iemand was voortijdig aan zijn eind gekomen in het appartementencomplex waar Cindy woonde.

De portier, een man van middelbare leeftijd met grijs haar dat onder de rand van zijn uniformpet uit kwam, ijsbeerde voor de toegangsdeur. De man deed me denken aan een oude hippie die was blijven steken in het flowerpowertijdperk. Hij vertelde ons dat hij Joseph 'Pinky' Boyd heette en dat hij al drie jaar in de Blakely Arms werkte.

'Mevrouw Portia Fox in 4K. Zij rook het gas.' Hij keek even op zijn horloge. 'Zo'n halfuur geleden belde ze naar de receptie.'

'En u hebt de brandweer gebeld?'

'Ja. Ze waren er binnen vijf minuten.'

'Waar is de vrouw die over het gas klaagde? Die mevrouw Fox?'

'Die loopt waarschijnlijk buiten. We hebben de hele vierde verdieping ontruimd. Ik zag haar... mevrouw Wolkowski. Afgrijselijk om in het

echt een dode te zien. Zeker iemand die je kent.'
'Hebt u enig idee wie mevrouw Wolkowski iets zou willen aandoen?' vroeg Conklin aan de portier.
'Nee. Ze was wel een beetje een zeurpiet. Ze klaagde erover dat post voor anderen in haar postbus werd gestopt en over vieze vegen op de tegels; dat soort dingen. Maar eigenlijk was ze best een lief, oud vrouwtje.'
'Meneer Boyd, was u de hele dag hier?'
'Sinds acht uur vanmorgen.'
'Hangen er beveiligingscamera's in het gebouw?' vroeg ik.
'De huurders hebben een beeldtelefoon zodat ze kunnen zien wie er beneden aanbelt, maar dat is het.'
'Wat zit er in de kelder?'
'De wasruimte, de vuilniscontainers en een deur naar de binnenplaats.'
'Zit die deur op slot?' vroeg Conklin. 'En zit er een alarm op?'
'Vroeger wel,' vertelde Boyd. 'Maar na de renovatie werd de binnenplaats een gemeenschappelijke ruimte en kregen de huurders een sleutel.'
'Dus vanaf die kant is nauwelijks sprake van beveiliging,' zei ik. 'Hebt u vandaag iets verdachts gezien of iemand die zich vreemd gedroeg?'
In Boyds lach klonk een tikje hysterie door. 'Of ik iemand heb gezien die zich vreemd gedroeg? In dit gebouw? Vandaag voor het eerst in een maand juist niet!'

69

De geüniformeerde agent die voor de deur van appartement 4J stond, was een groentje: agent Matt Hartnett, een lange vent die een beetje op Jimmy Smits leek. Er parelde zweet op zijn onderlip en de huid onder zijn donkere ogen was bleek.

'Het slachtoffer is mevrouw Irene Wolkowski,' zei Hartnett die me het logboek overhandigde. 'Voor het laatst gezien in de wasruimte rond elven vanmorgen. De echtgenoot is nog niet thuis uit zijn werk en we hebben hem nog niet kunnen bereiken. Mijn partner en een ander team zijn buiten de huurders aan het ondervragen.'

Ik knikte en schreef Conklins en mijn eigen naam in het logboek. We doken onder het gele politielint door dat voor de deuropening was gespannen en liepen de flat binnen waar de technische recherche al druk bezig was en de huidige patholoog-anatoom foto's maakte van het slachtoffer.

Het stonk er naar gas.

De ramen stonden wijd open om de kamer te luchten en binnen in de flat was het zelfs kouder dan buiten.

Het slachtoffer lag plat op haar rug op de vloer, waardoor ze weerloos leek. Weerloos tegenover de moordenaar en weerloos tegenover de vreemden die nu in haar porden en prikten. Ik schatte de vrouw begin zestig.

Er kwam bloed uit haar achterhoofd. Ik zag dat het in het lichtgrijze tapijt was gesijpeld en een grote bloedvlek had gevormd om een van de pianopoten.

En de piano was kapotgeslagen!

De resten van de piano zaten onder het bloed. Veel toetsten lagen in stukken op de grond, alsof iemand vol woede op ze had ingeslagen.

Dr. Germaniuk had lampen opgesteld om elk hoekje van de kamer te verlichten. Waarschijnlijk stonden er net nieuwe meubels, want ik zag nog een stukje plastic om een poot van de bank zitten.

Dr. G. zei me gedag, duwde zijn bril recht met de rug van zijn hand en legde zijn camera weg.
'En, kunt al iets zeggen?' vroeg ik.
'Heel interessant,' zei Germaniuk. 'Afgezien van de piano en de gaspitten die alle vier aanstonden, lijkt er niets verstoord te zijn.'
De plaats delict zag er ordelijk, zelfs netjes uit. Dat betekende bijna altijd dat de moord gepland was en we met een slimme moordenaar te hadden maken.
'Het slachtoffer heeft zowel op het voor- als achterhoofd verwondingen. Zo te zien zijn daar twee verschillende voorwerpen voor gebruikt. De piano is er een van. Zodra ik mevrouw Wolkowski op mijn tafel heb, kan ik u meer vertellen, maar één ding is duidelijk: er is nog geen sprake van rigor mortis. Ze voelt nog warm aan en de lijkvlekken ontstaan nu pas. Ze is pas een paar uur dood, waarschijnlijk zelfs minder. U hebt de moordenaar net gemist.'

70

Ik hoorde Cindy's stem bij de deuropening en liep even de gang op om mijn armen om haar heen te slaan.

'Met mij is alles goed, met mij is alles goed,' zei ze. 'Ik heb je berichtjes net pas gekregen.'

'Kende je het slachtoffer?'

'Dat geloof ik niet. Tenminste, niet van naam. Misschien van gezicht, maar dan moet ik een kijkje nemen.'

De plaats delict was verboden gebied voor haar en dat wist ze, maar die strijd had ik al eerder met haar gevoerd en verloren. Ik zag een bekende blik in haar ogen. Er straalde koppigheid, vasthoudendheid en intelligentie uit.

'Niet in de weg lopen. En nergens aankomen.'

'Dat weet ik. Ik zal nergens aankomen.'

'Als iemand bezwaar maakt, moet je vertrekken. En je moet me beloven dat je niets schrijft over de doodsoorzaak.'

'Ja, ja, dat beloof ik.'

Ik wees naar een lege hoek van de kamer en Cindy liep er gehoorzaam naartoe. Ze verbleekte toen ze de overleden vrouw op de vloer zag liggen, maar omdat het een komen en gaan van mensen was in appartement 4J viel ze niet op.

'Is dat Cindy?' vroeg Conklin die in haar richting knikte.

'Ja. Ze is te vertrouwen.'

'Als jij het zegt.'

Ik stelde Rich en Cindy aan elkaar voor terwijl Irene Wolkowski's stoffelijk overschot in een laken werd gewikkeld en vervolgens in een lijkzak ging. We speculeerden over de moord.

'We gaan ervan uit dat de moordenaar iemand is die ze kent,' zei ik tegen Conklin. 'Iemand die in dit gebouw woont. Hij belt aan en zegt: "Hallo, Irene. Voor mij hoef je niet op te houden, speel gerust door. Wat klinkt dat prachtig."'

'Wie weet. Of misschien was het haar echtgenoot,' zei Conklin. 'Hij kwam vroeg thuis, vermoordde haar en ging er weer vandoor. Of misschien was het een vriend. Of een minnaar. Of een vreemde.'
'Een vreemde? Dat lijkt me stug,' zei Cindy. 'Ik zou een vreemde niet binnenlaten, jij wel?'
'Oké, daar zit wat in,' zei Conklin. 'Maar hoe dan ook, ze zit aan de piano. De muziek zorgt ervoor dat ze de deur niet hoort opengaan en op dit hoogpolige tapijt hoor je geen voetstappen.'
'Zou kunnen.'
'Is dat haar handtas?' vroeg Cindy. In een fauteuiltje lag een glanzend, zwart handtasje.
Ik liep ernaartoe, opende het tasje, haalde de portemonnee eruit en liet Conklin het geld en de rits creditcards zien.
'Dus het is geen roofoverval geweest,' zei ik.
'Ik was erbij toen een van die honden werd gevonden.' Cindy vertelde in het kort wat er was gebeurd.
Rich schudde zijn hoofd, waardoor zijn haar voor zijn ogen zwaaide. 'Dat zou kunnen wijzen op een psychopathische moordenaar in spe, maar die zou dan ineens de sprong maken naar... dit? Wat je hier ziet is duidelijk een geval van overkill. Hij heeft de piano vernield en zijn slachtoffer doodgeslagen, maar waarom heeft hij ook nog alle gaspitten aangezet?'
'Om er zeker van te zijn dat ze werd gevonden,' zei ik, 'of om er zeker van te zijn dat ze dood was.' Ik keek Cindy aan. 'Geen woord hierover in de *Chronicle*.'

71

Yuki bleef denken aan Lens gezicht dat vertrokken was van pijn toen de hartaanval hem in zijn greep had. In het ziekenhuis hadden ze hem gestabiliseerd. Nadat ze gisteravond uit het ziekenhuis was vertrokken, had ze een boodschap achtergelaten op David Hales antwoordapparaat. 'We zitten met een noodgeval. Morgenochtend om zes uur houden we overleg op kantoor. Bereid je voor om mee te gaan naar de rechtbank.'

Nu zat Yuki tegenover David in de sjofele vergaderzaal met de grenenhouten lambrisering. Ze had haar notities en een beker instantkoffie bij de hand en bracht haar collega op de hoogte van de laatste stand van zaken.

'Waarom vragen we geen uitstel aan?' vroeg hij.

David zag er presentabel uit in een geelbruin jasje met visgraatmotief, een bruine broek en gestreepte das. Zijn haar moest hoognodig geknipt worden, maar een bezoekje aan de kapper zat er nu niet in. Van alle mensen die op korte termijn beschikbaar waren, had Yuki Hale gewild omdat ze van hem het beste werk verwachtte.

'Drie redenen,' zei Yuki, die met een plastic lepeltje op tafel tikte. 'Ten eerste: Leonard wil niet het risico lopen dat we Jack Rooney kwijtraken als getuige. Hij was op vakantie toen de schietpartij plaatsvond. En zijn gezondheid is niet best. Stel dat hij niet kan komen wanneer we hem nodig hebben, dan bestaat de kans dat zijn film niet wordt toegelaten als bewijs.'

'Oké.'

'Ten tweede: Len wil niet het risico lopen dat de zaak niet door rechter Moore wordt voorgezeten.'

'Ja, dat snap ik wel.'

'Len zegt dat hij zelf het requisitoir zal houden.'

'Zei hij dat?'

'Ja, toen ze hem voorbereidden op de operatie. Hij was helder en heel vastberaden.'

‘Wat zei zijn dokter?’
‘Zijn dokter zei en ik citeer: “Er is een redelijke kans dat de schade aan Leonards hart verholpen kan worden.”’
‘Hebben ze zijn borstkas opengemaakt?’
‘Ja. En ik heb even met Lens vrouw gesproken. De operatie is goed gegaan.’
‘En dan zou hij in iets meer dan een week een requisitoir in de rechtszaal houden?’ vroeg David vol ongeloof.
‘Waarschijnlijk niet. En dat brengt ons bij nummer drie. Len zei dat ik net zo goed ben voorbereid op de zaak als hij en dat hij alle vertrouwen in ons heeft. We mogen hem niet in de steek laten.’
David Hale staarde haar met open mond aan en zei uiteindelijk: ‘Yuki, ik heb helemaal geen rechtbankervaring.’
‘Ik wel. Ik heb een aantal jaren ervaring.’
‘Ja, in civiele zaken, niet in strafzaken.’
‘Hou je kop, David. Ik heb rechtbankervaring, daar gaat het om. We gaan ons uiterste best doen voor Red Dog. De komende drie uur gaan we alles wat we weten nóg een keer doornemen. We hebben geloofwaardige ooggetuigen, de Rooney-tape, en een jury die echt niet staat te trappelen om Brinkley ontoerekeningsvatbaar te verklaren. Zoals Len al zei: “Hoe willekeuriger de misdaad en hoe minder motief er voor de moorden lijkt te zijn, hoe banger een jury is dat Brinkley een uurtje in een gekkenhuis wordt opgesloten en daarna weer de straat op mag.” En…’
Yuki onderbrak zichzelf toen ze de grijns zag die zich over David Hales gezicht verspreidde.
‘Waar denk je aan, David? Nee, laat ook maar. Zeg het maar niet.’ Yuki deed haar best niet te lachen.
‘Dit wordt een fluitje van een cent,’ zei haar nieuwe teamgenoot. ‘Een inkoppertje.’

72

Yuki stond achter de katheder in de rechtzaal en voelde zich zo groen als gras, alsof dit haar eerste zaak was. Ze greep de rand van de katheder stevig vast en bedacht dat als Len erachter stond, de katheder het formaat van een muziekstandaard leek te hebben. Zij kwam er maar net bovenuit, alsof ze een schoolkind was.

De jury staarde haar verwachtingsvol aan.

Kon ze hen ervan overtuigen dat Alfred Brinkley de doodstraf verdiende?

Yuki riep haar eerste getuige op: agent Bobby Cohen, een agent met vijftien dienstjaren bij de SFPD, en zijn nuchtere opsomming van de feiten zette de juiste toon voor de zaak van het OM.

Ze liet hem vertellen wat hij had gezien toen hij bij de *Del Norte* aankwam en wat hij had gedaan. Toen ze klaar was met haar ondervraging stond Mickey Sherman op, die maar één vraag had voor agent Cohen.

'Was u getuige van het incident op de veerboot?'

'Nee.'

'Dank u. Dat was alles.'

Yuki zette in gedachten een vinkje bij Cohens naam. Hoewel Cohen de schietpartij niet zelf had gezien, had hij het toneel dat hij aantrof wel duidelijk beschreven voor de juryleden, waardoor het beeld van dood en verderf duidelijk was en daar zou zij verder op voortborduren.

Ze riep Bernard Stringer op, de brandweerman die had gezien dat Brinkley Andrea en Tony Canello doodschoot. Stringer liep naar voren en werd ingezworen, waarna hij plaatsnam. Hij was achter in de twintig, op-en-top Amerikaans, en zag er betrouwbaar uit.

'Meneer Stringer, wat is uw beroep?' vroeg Yuki.

'Ik ben brandweerman in kazerne 14 op de kruising van 26th en Geary.'

'En waarom was u op die eerste november op de *Del Norte*?'

'Ik ben een weekendvader,' zei hij met een glimlach. 'En mijn kinderen zijn dol op de veerboot.'

'En gebeurde er op die bewuste dag iets ongewoons?'

'Ja. Ik zag een schietpartij op het bovendek.'
'En is de schutter hier aanwezig?'
'Ja.'
'Wilt u hem aanwijzen?'
'Hij zit daar. De man in het blauwe pak.'
'Wil de rechtbankstenograaf in het verslag opnemen dat meneer Stringer de verdachte, Alfred Brinkley, aanwees? Meneer Stringer, hoe ver stond u bij Andrea Canello en haar zoontje Anthony vandaan toen meneer Brinkley hen doodschoot?'
'Ongeveer net zo ver als ik nu bij u vandaan ben. Zo'n anderhalve meter.'
'Wilt u ons vertellen wat u zag?'
Stringers gezicht vertrok even toen hij terugdacht aan die verschrikkelijke dag. 'Mevrouw Canello gaf haar zoon een standje. Ze ging nogal tegen hem tekeer, vond ik. Begrijp me niet verkeerd, ze schold hem niet de huid vol of zo. Maar hij kreeg er flink van langs en ik wilde er eigenlijk wat van zeggen. Die kans kreeg ik niet omdat de verdachte haar doodschoot. En meteen daarop schoot hij dat kleine knulletje dood. Daarna brak er paniek uit op de boot.'
'Zei meneer Brinkley iets tegen een van deze twee slachtoffers voor hij de trekker overhaalde?'
'Nee. Hij richtte zijn wapen en haalde de trekker over. BAM. BAM. IJskoud.'
Yuki was even stil om zijn woorden goed te laten doordringen en zei toen: 'Even voor de duidelijkheid. Met "ijskoud" bedoelt u niet de temperatuur, hè?'
'Nee, ik bedoel zoals hij die mensen vermoordde. IJskoud. Hij vertrok geen spier.'
'Dank u, meneer Stringer. Uw getuige,' zei Yuki tegen de verdediging.

73

Yuki keek naar Mickey Sherman, die zijn handen in zijn zakken stak en op zijn gemak naar de getuige toe liep. Zijn glimlach was oprecht, maar het 'slenterloopje', de alledaagse taal en de ontspannen houding niet. Met die trucjes stelde hij mensen op hun gemak en dan haalde hij uit met een verrassingsaanval.

Yuki had eerder met Sherman gewerkt en ze had geleerd om het 'gevaarteken' te herkennen. Vlak voor Mickey snoeihard toesloeg, raakte hij altijd zijn bovenlip aan met zijn wijsvinger.

'Meneer Stringer, deed mevrouw Canello of Anthony Canello iets waardoor mijn cliënt zich bedreigd of uitgedaagd had kunnen voelen?'

'Nee. Zover ik kon zien, waren ze zich niet eens bewust van hem.'

'En u zegt dat mijn cliënt er kalm uitzag toen hij die mensen neerschoot?'

'Zijn uiterlijk kwam wat verwilderd over maar toen hij de trekker overhaalde, vertrok hij geen spier. Zoals ik al zei: ijskoud. En zijn hand trilde niet.'

'Wanneer u nu naar meneer Brinkley kijkt, ziet hij er dan net zo uit als op de *Del Norte*?'

'Niet echt.'

'In welk opzicht ziet hij er nu anders uit?'

Stringer zuchtte en keek even naar zijn handen voor hij antwoordde.

'Hij zag er armoedig uit. Zijn haar was lang en zijn baard was verwilderd. Zijn kleren waren smerig en hij rook onaangenaam.'

'Dus hij zag er armoedig uit. Hij vertrok geen spier en hij stonk een uur in de wind. En u zag dat hij twee mensen doodschoot die hem op geen enkele manier bedreigden of uitdaagden. Ze wisten niet eens dat hij er was.'

'Dat klopt.'

Shermans wijsvinger ging naar zijn bovenlip.

'Dus u zegt eigenlijk dat Fred Brinkley eruitzag en zich gedroeg als een gek.'

Yuki schoot overeind. ‘Bezwaar, suggestief.’
‘Toegewezen.’
Sherman leek niet van zijn stuk gebracht. ‘Meneer Stringer, zag meneer Brinkley er in uw ogen uit als iemand die bij zijn volle verstand was?’
‘Nee. Hij zag eruit alsof hij compleet gestoord was.’
‘Dank u, meneer Stringer, dat was alles,’ zei Sherman.
Yuki probeerde een vraag te bedenken waardoor de woorden ‘gek’ en ‘gestoord’ geneutraliseerd werden, maar het enige wat er uit haar mond kwam, was: ‘Het OM roept Jack Rooney op als getuige.’

74

Jack Rooney bewoog zich langzaam naar voren. Hij schoof zijn driepotige kruk een stukje vooruit, liet zijn gewicht op zijn linkerbeen rusten, zwaaide zijn rechterheup naar voren, leunde op zijn kruk en trok zijn linkerbeen bij. Zijn manier van lopen was onbeholpen en tegelijkertijd ook fascinerend. Bij het getuigenbankje aangekomen, accepteerde Rooney de hulp van de gerechtsbode om het opstapje te maken.

Yuki bedacht dat deze getuige in elk geval Mickey-proof was. Toch?

'Fijn dat u helemaal hiernaartoe bent gekomen, meneer Rooney,' zei Yuki, toen de bejaarde man eindelijk zat. Rooney droeg een rood gebreid vest over een wit overhemd en had een rood vlinderdasje om. Zijn bril was groot en vierkant en rustte op een bobbelige neus, en zijn grijze haar was voorzien van een middenscheiding en lag plat tegen zijn hoofd.

'Graag gedaan.' Rooney straalde.

'Meneer Rooney, bevond u zich op 1 november jongstleden aan boord van de *Del Norte*?'

'Ja. Ik was samen met mijn vrouw Betty en onze vrienden Leslie en Joe Waters aan boord. We wonen allemaal in de buurt van Albany, ziet u. Dit was ons eerste tripje naar San Francisco.'

'En gebeurde er iets ongebruikelijks tijdens dat tochtje?'

'Dat kunt u wel zeggen. Die man daar vermoordde een heel stel mensen,' zei hij, en hij wees naar Brinkley. 'Ik was zo bang dat ik het bijna in mijn broek deed.'

Yuki stond zichzelf een glimlachje toe en op de publiekstribune werd zachtjes gelachen. 'Wil de rechtbankstenograaf in het verslag opnemen dat de getuige de verdachte Alfred Brinkley aanwees? Meneer Rooney, hebt u een videofilm van de schietpartij gemaakt?'

'Ja, het zou een film van het boottochtje worden – met de Golden Gate Bridge en Alcatraz en zo – maar het werd uiteindelijk een film van de schietpartij. Mijn kleinzoon had me namelijk een fijn cameraatje gegeven,' zei hij. 'Hij is niet groter dan een Snickers.' Met zijn duim en wijs-

vinger wees hij een afstand van zo'n acht centimeter aan. 'Je kunt er foto's én een film mee maken. Ik maak meestal foto's die mijn kleinzoon dan voor me op de computer zet. O, ik heb die film trouwens aan een televisiezender verkocht en daar hebben we bijna de hele reis naar San Francisco mee betaald.'
'Edelachtbare?' vroeg Mickey Shermans.
Rechter Moore leunde naar voren en zei: 'Meneer Rooney, wilt u de vragen alstublieft met "ja" of "nee" beantwoorden tenzij er om uitleg wordt gevraagd?'
'Jawel, edelachtbare. Het spijt me. Ik heb dit nog nooit eerder gedaan.'
'Hindert niet.'
Yuki strengelde haar vingers ineen en zei: 'U hebt me een kopie van die video gegeven, nietwaar?'
'Ja, dat klopt.'
'Edelachtbare, ik verzoek toestemming om deze film te vertonen en als bewijsstuk op te nemen.'
'Toegestaan, mevrouw Castellano.'
David Hale schoof een disk in zijn computer en iedereeen keerde zich naar de twee grote televisies toe die voor in de rechtszaal waren neergezet. De amateurfilm begon.
Het eerste deel bevatte beelden van een ontspannen middagje in de baai: de camera liet de bezienswaardigheden zien en draaide vervolgens naar de glimlachende gezichten van Jack Rooney en zijn vrouw. Het toeval wilde dat op de achtergrond Alfred Brinkley te zien was, die achter hen zat, over het water staarde en aan de haartjes op zijn arm plukte.
Het tweede deel liet een bloederig tafereel zien.
Yuki keek aandachtig naar de gezichten van de juryleden terwijl de schoten en het angstige geschreeuw door de kleine rechtszaal weergalmden. Het oog van de camera zwenkte opzij en ving de geschokte uitdrukking op het gezicht van het kleine knulletje toen hij werd geraakt. Zijn kleine lijfje sloeg tegen de boeg voor hij over het lichaam van zijn moeder heen viel.
Yuki had de film al vele keren gezien en nog steeds voelde elk schot aan als een stomp in haar maag. Red Dog zag het verkeerd. De juryleden zagen er allesbehalve verveeld uit toen ze het afgrijselijke bloedbad bekeken… omdat het deze keer heel anders was dan thuis.
Deze keer zat de moordenaar slechts een paar meter bij hen vandaan.

Sommige juryleden sloegen hun hand voor hun mond of keken weg, maar ieder jurylid liet tijdens de film zijn of haar blik even vol afgrijzen over Alfred Brinkley glijden.
Brinkley reageerde niet. Hij zat stil in zijn stoel, staarde naar de filmbeelden en zag zichzelf onschuldige mensen neerschieten.
'Ik heb geen vragen,' zei Mickey Sherman. Hij draaide zich naar Alfred Brinkley toe en fluisterde iets in zijn oor, terwijl de rechter zei: 'Dank u, meneer Rooney. U mag gaan.'
Rooney schuifelde voetje voor voetje terug naar zijn plek en pas toen hij zat, zei Yuki: 'Het OM roep dokter Claire Washburn op als getuige.'

75

Claire voelde dat alle ogen in de zaal op haar gericht waren tijdens het korte wandelingetje naar het getuigenbankje. De dag ervoor om dezelfde tijd had ze in bed gelegen en ze hoopte met heel haar hart dat ze over twee uur weer in bed zou liggen.

Toen zag ze Yuki. Wat was het toch een schatje, nauwelijks achtentwintig, vol passie en doodsbang, maar dat zou ze voor geen goud laten zien. Claire glimlachte haar bemoedigend toe en sleepte zich naar het getuigenbankje.

Ze legde haar hand op de bijbel en de bode nam haar de eed af. Vervolgens schikte ze de plooien van haar jurk die nu losjes om haar heen hing omdat ze in nog geen drie weken bijna zeven kilo was afgevallen. Het schotwonddieet, schoot het door haar hoofd. Ze ging zitten.

'Hartelijk dank voor uw komst, dokter Washburn. Klopt het dat u pas een paar dagen geleden uit het ziekenhuis bent ontslagen?'

'Ja, dat klopt.'

'Wilt u de jury vertellen waarom u in het ziekenhuis lag?'

'Ik was in mijn borst geschoten.'

'Is degene die op u geschoten heeft hier aanwezig?'

'Ja. Daar zit dat waardeloze stuk verdriet.' Claire wees naar Brinkley.

Sherman nam niet de moeite om op te staan, maar zei alleen: 'Edelachtbare, ik maak bezwaar. Ik weet niet precies op welke grond, maar ik weet bijna zeker dat de getuige mijn cliënt geen waardeloos stuk verdriet mag noemen.'

'Dokter Washburn, daar heeft hij waarschijnlijk gelijk in.'

'Het spijt me, edelachtbare. Ik denk dat het door de pijn komt.' Ze keek naar Brinkley. 'Het spijt me ontzettend,' zei ze. 'Ik had u geen waardeloos stuk verdriet moeten noemen.'

Er steeg onderdrukt gegiechel op van de publiekstribune en de jurybanken tot de rechter een klap met zijn hamer gaf en zei: 'Hierbij waarschuw ik iedereen' – hij tuurde over de rand van zijn bril naar Claire – 'ieder-

een dat het afgelopen moet zijn. Dit is niet Comedy Central en ik laat de rechtszaal ontruimen als er nog meer van dit soort uitbarstingen plaatsvinden. Mevrouw Castellano, zorg dat uw getuige zich gedraagt. Dat hoort bij uw werk.'
'Het spijt me, edelachtbare. Dat zal ik doen.'
Yuki schraapte haar keel. 'Dokter Washburn, wat was de aard van uw verwondingen?'
'Ik had een gat in mijn borstkas dat veroorzaakt was door een .38-kogel waardoor mijn linkerlong inklapte en ik bijna overleed.'
'Dat moet erg beangstigend en pijnlijk zijn geweest.'
'Ja, dat was ontzettend beangstigend en pijnlijk.'
'De jury heeft de film van de schietpartij gezien,' zei Yuki, die Claire een blik vol medeleven schonk. 'Kunt u ons vertellen wat u tegen de verdachte zei voor hij u neerschoot?'
'Ik zei: "Oké, zo is het wel genoeg. Geef die revolver maar aan mij."'
'En wat gebeurde er toen?'
'Hij zei dat ik hem had moeten tegenhouden of zo, en dat het mijn schuld was. Het volgende wat ik weet, is dat ik door ambulancebroeders op een brancard van boord werd gereden.'
'Wilde u verhinderen dat hij nog iemand neerschoot?'
'Ja.'
'Zag u andere mensen die dat ook wilden doen?'
'Ja. Maar hij knalde ons allemaal neer. De hersens van meneer Ng spetterden over het dek.'
'Dank u. Ik heb geen vragen meer voor u, dokter,' zei Yuki.

76

Mickey Sherman kende Claire Washburn al jaren. Hij mocht haar graag en was blij dat ze het bloedbad aan boord van de *Del Norte* had overleefd. Maar ze vormde wel een groot gevaar voor zijn cliënt.

'Dokter Washburn, wat is uw beroep?'

'Ik ben de hoofdpatholoog-anatoom van San Francisco.'

'U bent dus van huis uit arts, is dat correct?'

'Ja.'

'Hebt u als coassistent stage gedraaid in een opleidingsziekenhuis?'

'Dat klopt.'

'En hebt u ook stage gelopen op de afdeling psychiatrie?'

'Ja.'

'En hebt u weleens patiënten met een lege blik over die afdeling zien lopen?'

'Bezwaar. De vraag is niet relevant, edelachtbare,' zei Yuki.

'Afgewezen. De getuige mag de vraag beantwoorden.'

'Dat weet ik niet meer, meneer Sherman. Maar alle patiënten die ik nu heb, hebben inderdáád een lege blik in hun ogen.'

'Dat kan ik me voorstellen,' zei Sherman met een glimlach. Hij stak zijn handen in zijn zakken en liep een paar keer heen en weer voor de jurybanken. Vervolgens draaide hij zich weer naar Claire toe en zei hij: 'Dokter, u hebt de kans gehad om meneer Brinkley te observeren, nietwaar?'

'"Observeren" lijkt me een te groot woord in dit geval.'

'Ja of nee, dokter Washburn?'

'Ja. Ik heb hem op de veerboot "geobserveerd" en nu zie ik hem.'

'We zullen het eens hebben over wat er op de veerboot is gebeurd. U hebt net verklaard dat mijn cliënt iets zei als: "Je had me moeten tegenhouden" en "Het is jouw schuld".'

'Ja.'

'Was de schietpartij uw schuld?'

'Nee.'

'Wat denkt u dat Fred Brinkley bedoelde?'
'Ik heb geen idee.'
'Leek meneer Brinkley op dat moment bij zijn volle verstand te zijn? Leek hij goed van kwaad te kunnen onderscheiden?'
'Dat zou ik niet kunnen zeggen. Ik ben geen psychiater.'
'Een andere vraag dan. Probeerde hij u opzettelijk te vermoorden?'
'Ja, dat denk ik wel.'
'Kende hij u?'
'Nee. Totaal niet.'
'Hebt u meneer Brinkley op wat voor manier dan ook geprovoceerd waardoor hij op u schoot?'
'Juist het tegenovergestelde.'
'Het komt er dus op neer dat de schietpartij volgens u een willekeurige daad was, die nergens op was gebaseerd?'
'Dat lijkt me wel.'
'Dat lijkt u wel? U had hem nog nooit eerder ontmoet en hij zei dingen tegen u die nergens op sloegen. U zág hem vier mensen neerschieten voor hij zijn wapen op u richtte, nietwaar? Bestaat er geen woord voor iemand die zich op die manier gedraagt? Is dat woord niet "krankzinnig"?'
'Bezwaar, edelachtbare. Suggestief!'
'Toegewezen.'
Yuki ging zitten of beter gezegd, ze plofte op haar stoel neer.
Mickey zag haar ogen van hem via de jury naar de getuige glijden en weer terug naar hem. Mooi zo. Ze was van haar stuk gebracht.
'Kwam meneer Brinkley op u over als iemand die bij zijn volle verstand was, dokter Washburn?'
'Nee.'
'Dank u. Ik heb verder geen vragen.'
'Mevrouw Castellano, wilt u de getuige opnieuw ondervragen?' vroeg de rechter.
'Ja, edelachtbare.'
Yuki stond op en liep op haar getuige af.
Mickey zag dat ze haar wenkbrauwen had gefronst. Ze hield haar handen ineengestrengeld voor zich. Hij wist dat Yuki gewoonlijk met veel handgebaren sprak en nam aan dat ze op deze manier zichzelf wilde leren om haar handen stil te houden.

'Dokter Washburn,' zei ze, 'weet u wat Alfred Brinkley dacht toen hij u neerschoot?'
'Nee. Zeer zeker niet,' verklaarde Claire met nadruk.
'Kan het niet zo zijn, dokter, dat toen meneer Brinkley u neerschoot hij waarschijnlijk heel goed wist dat hij iets slechts deed?'
'Ja, dat is mogelijk.'
'Dank u, dokter Washburn. Ik heb verder geen vragen voor deze getuige, edelachtbare.'
Terwijl de rechter tegen Claire zei dat ze mocht gaan, praatte Mickey Sherman zachtjes tegen zijn cliënt. Hij schermde zijn mond met zijn hand af alsof hij iets vertrouwelijks vertelde.
'Dat ging wel aardig, Fred, vind je ook niet?'
Brinkley zat wezenloos te knikken. De arme donder zat zwaar onder de medicijnen, schoot het door Mickey heen, die Yuki Castellano hoorde zeggen: 'Ik roep brigadier Lindsay Boxer op als getuige.'

77

Ik had een onrustige nacht achter de rug op Cindy's bank omdat ik om de paar uur was opgestaan om door de gangen van de Blakely Arms te patrouilleren. Ik had de nooduitgangen, de trappen, het dak en de kelder gecontroleerd, maar geen insluiper aangetroffen, alleen een al wat oudere vrouw die om twee uur 's nachts haar was deed. Toen de zon opkwam, was ik even snel naar huis gegaan om schone kleding aan te trekken en nu stond ik in de gang voor de rechtszaal te wachten. De bode riep mijn naam en ik voelde een scheut adrenaline door mijn aderen schieten.

Ik stapte de rechtszaal binnen en liep over de uitgesleten eiken vloerplanken naar het getuigenbankje, waar ik werd ingezworen.

Yuki groette me formeel en stelde een paar vragen om mijn kwalificaties vast te stellen.

Daarna zei ze: 'Herkent u de man die een bekentenis heeft afgelegd over de schietpartij op de veerboot?'

Ik zei 'ja' en wees naar de schoongeschrobde hufter die naast Mickey Sherman zat.

Alfred Brinkley zag er heel anders uit dan de laatste keer dat ik hem gezien had. Zijn gezicht was iets voller geworden en zijn ogen stonden rustig. Nu hij gewassen en geschoren was, zag hij er zes jaar jonger uit dan toen hij zijn bekentenis had afgelegd. Ik vond het griezelig dat hij er nu zo ongevaarlijk uitzag en zo gewoon; hij leek wel een doorsneevent.

Yuki draaide zich op haar puntige hoge hakken naar me toe en vroeg: 'Was u verbaasd toen de verdachte bij u aanbelde?'

'Ik was stomverbaasd, maar toen hij naar boven riep en vroeg of ik naar beneden wilde komen om hem te arresteren, ging ik meteen.'

'En wat deed u toen?'

'Ik ontwapende hem, sloeg hem in de boeien en riep assistentie in. Inspecteur Warren Jacobi en ik hebben hem naar het politiebureau gebracht, waar hij formeel werd gearresteerd en vervolgens werd ondervraagd.'

'Hebt u meneer Brinkley op zijn rechten gewezen?'
'Ja, bij mij thuis voor de deur en op het politiebureau.'
'Leek hij te begrijpen wat u zei?'
'Ja. Ik heb hem een paar vragen gesteld om er zeker van te zijn dat hij wist hoe hij heette, waar hij was en wat hij had gedaan. Hij zag af van zijn rechten, heeft dat schriftelijk bevestigd en vertelde nog een keer dat hij de mensen op de *Del Norte* had doodgeschoten.'
'Leek hij bij zijn volle verstand te zijn, brigadier?'
'Ja. Hij was wel geagiteerd en hij zag er onverzorgd uit, maar inspecteur Warren en ik vonden beiden dat hij helder overkwam en zich volledig bewust was van de situatie. 'Dus dat zou ik "bij zijn volle verstand" noemen.'
'Dank u, brigadier Boxer,' zei Yuki. 'Uw getuige, meneer Sherman.'
De ogen van de juryleden gleden naar de goed uitziende man naast Alfred Brinkley. Mickey Sherman stond op, deed het middelste knoopje van zijn modieuze, antracietkleurige pak dicht en schonk me een stralende glimlach.
'Hallo, Lindsay,' zei hij.

78

Een paar maanden geleden, toen ik beschuldigd werd van politiegeweld en dood door schuld, had Mickey me bijgestaan en had ik zijn advies opgevolgd over hoe ik moest getuigen, wat ik tijdens mijn getuigenis moest dragen en welke toon ik moest gebruiken. Hij had me aan alle kanten gesteund en me niet laten vallen.

Als Mickey er niet was geweest, had ik nu niet meer bij de politie gewerkt, daar was ik van overtuigd. Ik voelde dan ook genegenheid door me heen stromen toen ik de man aankeek die me destijds had verdedigd, maar tegelijkertijd zette ik me mentaal schrap tegen zijn charme en concentreerde ik me op de beelden die nog steeds in mijn hoofd zaten: Alfred Brinkleys slachtoffers. Het kleine knulletje dat in het ziekenhuis was overleden. Claire die mijn hand vastgreep in de veronderstelling dat ze stervende was en naar haar zoon vroeg.

Daar was Shermans cliënt schuldig aan.

'Brigadier Boxer,' zei Sherman, 'is het niet uitzonderlijk dat een moordenaar naar de privéwoning van een agent gaat om zich aan te geven?'

'Dat denk ik wel.'

'En klopt het dat Fred Brinkley zich specifiek bij u wilde aangeven?'

'Dat zei hij tegen me.'

'Kende u meneer Brinkley?'

'Nee, ik kende hem niet.'

'Waarom vroeg meneer Brinkley dan of u hem wilde arresteren?'

'Hij zei dat hij me op televisie had gezien toen ik om informatie over de veerbootschutter vroeg. Hij zei dat hij daaruit opmaakte dat hij zich bij mij thuis moest melden.'

'Hoe wist hij waar u woonde?'

'Hij vertelde dat hij mijn adres op een computer in de bibliotheek had opgezocht. Via internet.'

'U hebt verklaard dat u meneer Brinkley hebt ontwapend. U hebt zijn revolver van hem afgenomen. Klopt dat?'

'Ja.'
'Hetzelfde wapen dat hij tijdens de schietpartij had gebruikt?'
'Ja.'
'En hij had een geschreven bekentenis bij zich toen hij bij u aanbelde, nietwaar?'
'Ja.'
'Dus om alles even op een rijtje te zetten,' zei Mickey. 'Mijn cliënt hoorde uw oproep aan het publiek op televisie en vatte dat op als een oproep aan hem persóónlijk. Hij zocht uw adres op met behulp van een computer in een bibliotheek en belde bij u aan alsof u een afhaalmaaltijd had besteld. En hij had nog steeds het wapen bij zich waarmee hij vier mensen had vermoord.'
'Bezwaar, edelachtbare. Dat is een redevoering en geen vraag,' zei Yuki.
'Afgewezen. Maar het wordt wel tijd dat u ter zake komt, meneer Sherman.'
'Dat zal ik doen, edelachtbare.' Mickey liep naar me toe en wierp me zijn 'je kunt me vertrouwen'-blik toe. 'Wat ik bedoel, brigadier, is dit. Een moordenaar die het wapen bij zich houdt en het vervolgens naar het huisadres van een moordrechercheur brengt, dat is niet alleen ongebruikelijk, het is gewoonweg bizar. Bent u dat niet met me eens?'
'Het is zeker ongebruikelijk, dat ben ik met u eens.'
'Brigadier, hebt u meneer Brinkley gevraagd waarom hij die mensen neerschoot?'
'Ja.'
'En wat was zijn antwoord?'
Ik wilde geen antwoord geven op die vraag, maar ik had geen keuze. 'Hij vertelde dat hij het had gedaan omdat stemmen hem dat hadden opgedragen.'
'Stemmen in zijn hoofd?'
'Zo vatte ik het wel op.'
Mickey glimlachte me stralend toe alsof hij dacht: wat een fantastische dag voor de verdediging. 'Ik heb verder geen vragen meer. Hartelijk dank, brigadier.'

79

Ik zat tegenover Yuki aan een tafeltje in MacBain's. Ze zag er niet zozeer bezorgd uit, maar eerder alsof ze zichzelf er mentaal gigantisch van langs gaf.

'Ik had je opnieuw moeten ondervragen,' zei Yuki tegen me, nadat we besteld hadden.

Het was druk in het restaurant: advocaten met hun cliënten; agenten; en allerlei andere overheidsdienaren die in het paleis van justitie werkten.

'Ik had je moeten vragen wat je dácht toen Brinkley je over die stemmen vertelde.'

'Wie maakt het nu wat uit wat ik dacht? Zo belangrijk was het niet.'

'Jawel, het was wel belangrijk.' Yuki streek met haar hand haar zwarte haar naar achteren en zei: 'Brigadier Boxer, wat dacht u toen meneer Brinkley zei dat hij stemmen hoorde die hem opdroegen om te moorden?'

Ik haalde mijn schouders op.

'Kom op, Lindsay. Je zou gezegd hebben dat je dacht dat hij dat zei om alvast de weg voor ontoerekeningsvatbaarheid vrij te maken.'

'Yuki, je kunt nu eenmaal niet aan alles denken. Je doet het geweldig. Echt, petje af.'

Yuki snoof luid. 'Mickey weet anders alle negatieve punten om te buigen naar positieve. "Mijn cliënt vermoordt mensen zonder enige reden? Dat betekent dat hij gek is, of niet soms?"'

'Maar meer heeft hij niet. Kijk, Brinkley leek bij zijn volle verstand te zijn en dat heb ik gezegd. De jury heeft meer nodig dan alleen Brinkleys woord dat hij stemmen hoorde.'

'Ja, ja.' Yuki scheurde haar papieren servetjes aan stukjes. 'Ik vraag me af wat de beste vriendin van Marcia Clark tegen haar zei, vlak voor de jury uitspraak deed in de O.J. Simpson-zaak en hem niet schuldig bevond. "Maak je niet druk, Marcia. Die handschoen kan niemand wat schelen." Vast zoiets.'

Ik leunde achterover toen Syd onze hamburgers met patat bracht. 'Ik zag Mickey trouwens op de trappen voor de rechtbank staan, omringd door verslaggevers. Vreemd eigenlijk, afgelopen zomer vonden we het fantastisch dat hij zo goed met de pers kon omgaan. Nu denk ik: wat ben je toch een mediageil mannetje.'
Yuki kon er niet om lachen.
'Yuki,' zei ik, en ik legde mijn vingers om haar pols, 'je komt intelligent over, je hebt je zaakjes goed voor elkaar en het allerbelangrijkste: wat je zegt, komt goed over.'
'Oké, oké,' zei ze. 'Ik zal niet meer zeuren. Fijn dat je wilde getuigen. Bedankt voor je steun.'
'Graag gedaan. En, Yuki, zou je mij een plezier willen doen?'
'Hmm?'
'Eet wat en heb een beetje vertrouwen in jezelf.'
Yuki pakte haar hamburger op en legde hem toen weer terug op haar bord zonder er een hap van te nemen. 'Weet je wat me dwarszit, Linds? Ik heb een fout gemaakt. En in een zaak als deze mag je geen fouten maken. Niet eentje. Voor het eerst besef ik dat ik weleens zou kunnen verliezen.'

80

'Macklin belde net,' zei Jacobi, zodra Conklin en ik na de lunch terugkeerden op de afdeling. We liepen met Jacobi mee naar zijn kantoortje. 'In Los Angeles is drie uur geleden een kind ontvoerd. Van straat gegrist. Een knulletje. Schijnt een soort wiskundig genie te zijn.'

Ik ging niet eens zitten.

Ik had een hele rits vragen die ik op Jacobi afvuurde. 'Is het kind ontvoerd door iemand in een zwart busje; zijn er bewijzen op de plaats delict aangetroffen; hebben ze een beschrijving... van wat dan ook; hebben ze de ouders van het kind nagetrokken; hebben de ontvoerders al contact opgenomen?' vroeg ik hem. Met andere woorden, leek deze ontvoering op de ontvoering van Madison Tyler?

'Boxer, rustig aan, ja?' zei Jacobi, die de restanten van zijn cheeseburger in de prullenbak mikte. 'Ik zal je alles vertellen wat ik weet. Tot aan het laatste detail toe.'

'Nou, kom op dan,' zei ik met een grijns. Ik ging zitten, leunde voorover en plantte mijn ellebogen op Jacobi's bureau.

'De ouders waren thuis. Ze zaten binnen en het knulletje speelde in de achtertuin,' vertelde Jacobi. 'De moeder hoorde een auto piepend remmen. Ze was aan de telefoon, keek uit het raam en zag een zwart busje in volle vaart de bocht omslaan. Ze besteedde er verder geen aandacht aan. Een paar minuten later nam ze een kijkje in de achtertuin en zag dat haar zoon verdwenen was.'

'Is het kind naar de voortuin gelopen?' vroeg Conklin.

'Zou kunnen. Het hek stond open. Misschien heeft het kind dat gedaan, hij is slim genoeg, nietwaar? Of misschien heeft iemand anders dat gedaan. De LAPD heeft een Amber Alert laten uitgaan zodat iedereen weet dat er een kind is ontvoerd, maar de vader wilde geen enkel risico nemen en heeft de FBI erbij gehaald.'

Jacobi schoof een fax naar me toe met het logo van de FBI boven aan de eerste bladzijde. Op de tweede bladzijde stond een foto van een schattig

klein knulletje: grote ronde ogen en kuiltjes in zijn wangen.
'Zijn naam is Charles Ray en hij is zes jaar. De LAPD heeft onderzoek naar de bandensporen voor het huis gedaan en dat heeft uitgewezen dat het om een Honda-busje gaat, een van de latere modellen. Afgezien daarvan hebben ze geen enkel bewijs dat het zwarte busje dat de moeder zag, bij de ontvoering was betrokken. Ze hebben ook geen bruikbare vingerafdrukken op het hek aangetroffen.'
'Had dat knulletje een kindermeisje?' vroeg ik.
'Ja. Briana Kearny. Ze zat bij de tandarts toen Charlie werd ontvoerd. Haar alibi klopt. Het is een gok, maar misschien zijn dezelfde personen die Madison Tyler hebben ontvoerd, ook bij deze ontvoering betrokken. Het zou kunnen.'
'Eigenlijk zouden we die ouders moeten ondervragen,' zei Conklin.
'Alsof ik jullie zou kunnen tegenhouden nu jullie een spoor hebben geroken,' zei Jacobi met een valse grijns. 'Stelletje bloedhonden.'
Hij schoof nog twee stukken papier in onze richting: elektronische vliegtickets op naam van Conklin en mijzelf. Twee retourtickets naar Los Angeles.
'Hoor eens,' zei Jacobi, 'tot het tegendeel is bewezen, beschouwen we de ontvoering van dit knulletje als onderdeel van de Tyler-zaak, dus breng verslag uit aan inspecteur Macklin. En hou mij ook op de hoogte.' Jacobi keek op zijn horloge. 'Het is kwart over twee. Jullie kunnen rond vieren in Los Angeles zijn.'

81

De familie Ray woonde in een houten huis in cottagestijl dat in een eenrichtingsstraat stond; aan weerszijden van de straat waren een stuk of twintig gelijksoortige huizen gebouwd. Ik zag een stel surveillanceauto's staan en op de stoep voor het huis stonden een paar agenten te praten. Ze groetten ons vriendelijk toen ik mijn penning liet zien.

'De moeder is thuis,' zei eentje.

Eileen Ray deed de deur open. Ze was blank, begin dertig, ongeveer een meter vijfenzeventig lang, zo'n acht maanden zwanger en heel kwetsbaar. Haar donkere haar zat in een paardenstaart en haar gezicht was rood en opgezwollen van het huilen.

Ik stelde Conklin en mezelf voor en mevrouw Ray vroeg ons binnen te komen, waar een FBI-techneut druk bezig was een aftaplijn te installeren.

'De politie is... fantastisch geweest. Daar zijn we heel dankbaar voor,' zei mevrouw Ray, die naar een bank en een stoel gebaarde. De woonkamer stond vol mandjes, vogelhuisjes en droogbloemen, en onder de keukentafel lag een grote stapel ingeklapte kartonnen dozen. Het huis leek wel een cadeaushop en de doordringende geur van lavendel versterkte dat effect.

'We werken vanuit huis,' zei mevrouw Ray, hoewel ik niets had gevraagd. 'We verkopen via eBay.'

'Waar is uw man?' vroeg Conklin.

'Scotty, Briana en een FBI-agent rijden door de buurt,' vertelde ze. 'Mijn man hoopt dat hij Charlie ergens ziet lopen. Dat hij verdwaald is en de weg naar huis niet meer weet. Charlie is vast doodsbang!' Haar stem brak bijna. 'Wat moet dit verschrikkelijk zijn voor hem! Wie zou hem in vredesnaam willen ontvoeren? En waarom?'

Conklin en ik konden haar vragen niet beantwoorden maar wilden van mevrouw Ray weten wat haar dagelijkse bezigheden waren, hoe de relatie met haar echtgenoot was en waarom het hek naar de tuin had opengestaan.

We vroegen of iemand – een familielid, een vriend of een vreemde – overdreven of ongepaste aandacht aan Charlie had geschonken.
Haar antwoorden leverden geen aanknopingspunten op.
Eileens vingers frunnikten nerveus aan een zakdoekje toen Scott Ray thuiskwam met de FBI-agent en het kindermeisje: een jonge vrouw van nog geen twintig.
Conklin ondervroeg Scott in Charlies slaapkamer en ik praatte met Briana in de keuken. In tegenstelling tot de geïmporteerde Europese kindermeisjes van de Westwood Registry, bleek Briana een tweedegeneratie-Amerikaanse te zijn die een paar straten verderop woonde en op uurbasis op Charlie paste. Met andere woorden: Briana was een babysitter.
Briana huilde hartverscheurend toen ik haar vragen stelde over vriendinnen, haar vriendje en of iemand misschien interesse had getoond in de dagelijkse bezigheden van Scott en Eileen Ray. Uiteindelijk klapten Conklin en ik onze aantekenboekjes dicht en verlieten we het knusse huis. Het was al aan het schemeren.
'Dat meisje had niets te maken met de ontvoering van dat knulletje,' zei ik.
'Datzelfde idee kreeg ik van de echtgenoot,' zei mijn partner. 'Volgens mij hebben we hier met een "pedofiel lokt kind in busje"-zaak te maken.'
'Ja. Het is verdomme ook veel te gemakkelijk om een kind te stelen. Zo'n griezel zegt: "Wil je mijn hondje zien?" Het kind loopt mee en wordt een busje in gesleurd, dat er meteen vandoor gaat. Geen getuigen. Geen bewijzen. En de ouders maar wachten op het telefoontje… dat nooit komt.'

82

De zesjarige Charlie Ray was nu al meer dan zeven uur geleden ontvoerd en de ontvoerders hadden nog geen contact opgenomen met zijn ouders. De Rays, in tegenstelling tot de Tylers, bevonden zich niet in de socio-economische klasse waar je een ontvoering voor losgeld zou verwachten. En dat voorspelde weinig goeds.

In het kantoor van hoofdinspecteur Jimenez werden we door FBI-agent David Stanford gebrieft. Stanford had blauwe ogen, een grijze paardenstaart en was van een andere zaak gehaald, waaraan hij undercover had gewerkt.

Ik pakte een pamflet van de stapel op het bureau en staarde aandachtig naar Charlie Rays mooie grote ogen, zijn witte melktandjes en kortgeknipte donkere krullen.

Zou zijn lichaam over een aantal weken of maanden op een vuilnisbelt worden gevonden of in een ondiep graf, of na een storm aanspoelen op een strand?

Na afloop van de briefing belde ik Macklin en bracht ik hem op de hoogte. Agent Stanford bood Conklin en mij een lift aan naar het vliegveld. Toen we van de snelweg af draaiden, stelde Stanford voor om nog een drankje in het Marriott op het vliegveld te drinken voor we op het vliegtuig stapten. Hij wilde alles horen wat we over Madison Tyler en haar ontvoering wisten.

Eerlijk gezegd was ik wel toe aan een drankje. Misschien wel twee ook. We bestelden een biertje en een schaal pinda's en gaven Stanford alle informatie die we hadden. Daarna vertelde hij ons over een afgrijselijke ontvoeringszaak waaraan hij een aantal maanden geleden had gewerkt.

Een tienjarig meisje was ontvoerd toen ze onderweg was van huis naar school. Vierentwintig uur later was ze gevonden. Ze was verkracht en gewurgd en achtergelaten op het altaar van een kerk met gevouwen handen, alsof ze bad. De moordenaar was nog steeds niet gevonden.

‘Hoe vaak eindigt een ontvoering met de veilige terugkeer van het kind?’ vroeg ik.
‘Over het algemeen worden kinderen ontvoerd door familieleden. In die gevallen komt het kind meestal weer ongedeerd thuis. Als de ontvoerder een vreemde is, is de kans dat het kind levend en wel wordt teruggevonden nog maar vijftig procent.’ Stanfords stem klonk gespannen. ‘Noem het een passie of een obsessie, maar ik geloof dat hoe meer pedofielen ik achter de tralies zet, hoe veiliger de wereld is voor mijn drie kinderen.’

83

'Zullen we samen een hapje gaan eten?' stelde Stanford voor.
Onze ober bracht drie menukaarten en aangezien de vlucht van acht uur toch net was vertrokken, namen we zijn uitnodiging aan.
Stanford bestelde een fles pinot grigio en Conklin en ik vertelden hem alles wat we wisten over de moord op Paola Ricci.
'We zitten helemaal vast,' zei ik tegen Stanford. 'Overal stuiten we op een dood spoor. Om gek van te worden.'
Het eten werd gebracht en Stanford bestelde nog een fles wijn. Voor het eerst die dag ontspande ik me. Het gezelschap en de kans om te brainstormen met op de achtergrond de countrymuziek van het bandje dat in de lobby speelde, deden me goed. Ik werd me ook bewust van Conklins lange benen naast de mijne onder tafel; van zijn bruine suède jasje dat tegen mijn arm drukte; van de vertrouwde cadans van zijn stem; en van de wijn die soepeltjes naar binnen gleed terwijl de avond verstreek.
Rond kwart over negen betaalde Stanford de rekening en nam hij afscheid van ons met de belofte dat hij ons op de hoogte zou houden. Hij zou ons bellen als er iets uit de telefoonspecificatie van de Rays zou blijken of als hij iets anders bedacht wat ons kon helpen bij de zaak-Ricci-Tyler.
We hadden net weer een vlucht terug naar San Francisco gemist en nadat Rich en ik afscheid hadden genomen van Stanford, bereidden we ons voor om ruim een uur bij de gate van United Airlines te wachten.
We waren al bijna de deur uit toen de band iets speelde uit het repertoire van Kenny Chesney en de zangeres iedereen opriep om mee te doen met linedancen.
Een paar dronken vertegenwoordigers uit de bar en een groepje luchtvaartpersoneel begonnen enthousiast mee te doen.
Rich draaide zich naar me toe en zei met een grijns: 'Heb je zin om voor gek te staan?'
Ik grijnsde terug en zei: 'Waarom ook niet?'

Ik liep achter Rich aan de vloer op, deed enthousiast mee, botste af en toe tegen aangeschoten vreemden op, en vermaakte me uitstekend.
Het was alweer een tijdje geleden dat ik zoveel lol had gehad en ik genoot.
Toen het nummer was afgelopen, nam de zangeres de microfoon uit de standaard en begon ze samen met pianist het nummer *Lying Eyes* te zingen.
Ik zag naast ons paartjes dansen en toen Rich zijn armen naar me uitstrekte, stapte ik op hem af. Jezus, wat was het zalig om Richie Conklins sterke armen om me heen te voelen.
De zaal draaide een beetje, dus sloot ik mijn ogen en hield ik hem stevig vast. Ik ging zelfs op mijn tenen staan en legde mijn hoofd op zijn schouder, waarop hij me nog dichter in zijn armen trok. De dansvloer was zo klein dat we ons nauwelijks konden bewegen.
Toen het nummer was afgelopen, zei Rich: 'Ik heb helemaal geen zin om naar het vliegveld te gaan. Jij?'
Gezien het late tijdstip en de lange werkdag vond ik dat we een paar bonafide redenen hadden om de nacht op kosten van de baas door te brengen in Los Angeles. En dan had ik het niet eens over de hoeveelheid wijn die we naar binnen hadden gegoten.
Toch zat het me niet helemaal lekker toen ik mijn creditcard aan de receptionist in het Marriott LAX overhandigde, maar ik hield mezelf voor dat het niets betekende. Ik ging per slot van rekening toch meteen naar mijn kamer om te slapen. Dat was alles.
We stapten achter een vermoeid stelletje de lift in en gingen ieder in een hoek staan. Terwijl we tien verdiepingen stegen, bedacht ik dat ik Richies sterke armen om me heen miste.
Bij mijn hotelkamer aangekomen, zei ik: 'Welterusten, Rich.' Ik draaide me om en stak mijn sleutelkaart in het deurslot in de wetenschap dat hij iets verderop in de gang hetzelfde deed.
'Tot morgen, Lindsay.'
'Tot morgen. Slaap lekker, Richie.'
Er sprong een klein groen lichtje aan en het slot klikte open.

84

Ik stapte naar binnen en deed de deur achter me dicht. Mijn hoofd duizelde door de gevoelens van verlangen, hartstocht, opluchting en spijt die elkaar in sneltreinvaart afwisselden. Ik trok mijn kleren uit en een minuut later stond ik onder een hete douche en voelde ik de aderen in mijn slapen kloppen.

Toen ik helemaal schoon en met een glimmende, roze huid onder de douche vandaan kwam, droogde ik me af met een warme badhanddoek en föhnde ik mijn haar in model. Ik wreef de beslagen spiegel boven de wasbak schoon en nam mijn blote spiegelbeeld kritisch op. Ik zag er nog steeds goed uit: jong en aantrekkelijk. Mijn borsten waren stevig, mijn buik was plat en mijn blonde haar golfde tot over mijn schouders.

Waarom had Joe niet gebeld?

Ik trok een witte hotelbadjas aan, liep naar de slaapkamer en controleerde de voicemail van mijn mobieltje, waar geen enkel bericht op bleek te staan, net als op het koppige antwoordapparaat in mijn appartement. Het was zes dagen geleden dat ik Joe voor het laatst had gezien.

Was het echt helemaal voorbij tussen ons?

Zou ik hem nooit meer zien? Waarom was hij me niet achterna gekomen?

Ik trok de gordijnen dicht, sloeg de sprei terug en schudde de kussens op.

Duizelig van de wijn en de hete douche ging ik op bed liggen. Ik sloot mijn ogen en merkte dat de vervagende beelden van Joe vervangen werden door andere fantasieën.

Mijn gedachten gingen terug naar een halfuurtje geleden toen ik Richies armen om me heen had gevoeld. Vooral het moment dat dansen met hem van lekker in te lekker was veranderd en hij hard werd toen ik mijn armen om zijn nek sloeg en mijn lichaam tegen het zijne aan drukte, stond me nog kristalhelder voor de geest.

Het was oké om dat soort gevoelens te hebben, hield ik mezelf voor. Ik

was ook maar een mens, net als hij, en het was een heel natuurlijke reactie wanneer twee mensen alleen…
Ik schrok van een klopje op de deur.
Mijn hart bonkte in mijn keel toen er nog een keer werd geklopt.

85

Ik knoopte de ceintuur van de badjas stevig dicht, liep op blote voeten naar de deur, loerde door het kijkgaatje en zag Rich Conklin staan. Hij had een doorzichtige, plastic badmuts op zijn hoofd!

Ik lachte, stapte achteruit en deed met trillende hand de deur open. Conklin droeg nog steeds zijn broek en het blauwe, katoenen overhemd dat tot aan zijn derde rib was opengeknoopt. Hij hield een hoteltandenborstel bij de steel vast en zwaaide ermee, alsof het ding een kleine witte vlag was.

'Ik vroeg me af of jij misschien een flesje mondwater hebt, Lindsay. Er zitten allerlei vochtinbrengende crèmepjes in het gratis toiletmandje in de badkamer, maar geen mondwater.'

De serieuze uitdrukking op zijn gezicht in combinatie met de badmuts en het maffe verzoek, bracht me aan het lachen. Ik zwaaide de deur wijd open en zei: 'Ik heb ook geen mondwater gekregen, maar ik geloof dat ik nog een flesje in mijn tas heb.'

Richie kwam binnen en deed de deur achter zich dicht. Toen ik me bukte om de handtas te pakken die ik op de vloer had laten vallen, struikelde ik bijna over een van mijn schoenen. Rich greep mijn elleboog vast zodat ik overeind bleef... en daar stonden we dan. Oog in oog.

Met zijn tweetjes in een hotelkamer in Los Angeles. Mijn hand ging omhoog en ik trok de badmuts van zijn hoofd. Een lok lichtbruin haar viel over zijn aantrekkelijke gezicht en hij liet de tandenborstel op de grond vallen. Rich sloeg zijn armen om me heen en trok me tegen zich aan.

'Ik heb maar één probleem met deze werkomstandigheden,' zei hij. 'Maar het is wel een gróót probleem.'

Rich boog zich naar me toe om me te kussen. Ik sloeg mijn armen om zijn nek en onze lippen vonden elkaar. Onze eerste kus zette een chemische reactie in gang.

Ik klemde me aan Rich vast, die me op het bed in de schemerige slaapkamer liet zakken. Ik herinner me dat ik onder hem lag; dat onze vingers

zich in elkaar vlochten; dat zijn handen de mijne tegen het bed drukten; en dat hij mijn naam zachtjes en liefkozend mompelde.
'Ik verlangde al naar je, Lindsay, voor je mijn naam zelfs maar kende.'
'Ik heb altijd geweten hoe je heette.'
Ik verlangde intens naar hem en was niet meer gebonden, dus waarom zou ik er niet aan toegeven? Maar toen mijn jonge, aantrekkelijke partner mijn badjas openschoof en zijn lippen mijn borsten streelden, trok mijn gezonde verstand meteen aan de handrem in mijn hersens.
Dit was een slecht idee. Een heel slecht idee.
Ik hoorde mezelf fluisteren: 'Richie, nee.'
Ik trok de panden van de badjas om me heen. Richie draaide op zijn zij; zijn ademhaling ging gejaagd en hij zag er verhit uit. Hij keek me aan en zei: 'Het spijt me.'
'Nee, dat hoeft niet.' Ik pakte zijn hand vast en drukte hem tegen mijn wang. 'Ik wilde dit net zo graag als jij. Maar we zijn partners, Rich. We moeten voor elkaar zorgen. Alleen... niet op deze manier.'
Hij kreunde toen ik zei: 'Dit moeten we nooit meer doen.'

86

Ik liet de klopper op de deur van de Westwood Registry vallen op die bewolkte, druilerige ochtend na onze terugkomst in San Francisco.

Conklin stond naast me toen een man met een rond gezicht de deur op een kiertje opende. Hij was tegen de vijftig, zijn blonde haar was grijs aan het worden en zijn heldere, grijze ogen keken me door een montuurloze bril aan, die op een scherpe haakneus rustte.

Was hij op een of andere manier betrokken bij de ontvoering van Madison Tyler? Wist hij waar ze was?

Ik liet mijn penning zien en stelde Rich en mezelf voor.

'Ja, ik ben Paul Renfrew,' zei de man in de deuropening, die eruitzag om door een ringetje te halen. 'Zijn jullie de rechercheurs die hier een paar dagen geleden waren?'

Ik antwoordde bevestigend en zei dat we hem een paar vragen over Paola Ricci wilden stellen.

Renfrew vroeg ons binnen en we liepen achter hem aan door de nauwe gang naar de groene deur die de vorige keer met een hangslot was afgesloten.

'Neemt u toch plaats,' zei Renfrew.

Conklin en ik namen ieder op een klein bankje plaats, die in een hoek van het knusse kantoortje stonden. Renfrew trok een stoel bij.

'Ik neem aan dat u wilt weten waar ik was toen Paola werd ontvoerd,' begon hij.

'Dat lijkt me een aardig begin,' zei Conklin, die er moe uitzag.

Waarschijnlijk zag ik er niet veel beter uit.

Renfrew haalde een klein notitieboekje uit zijn borstzak, een zakagenda van het soort dat gebruikt werd voor er palmcomputers bestonden. Zonder aansporing gaf hij ons in het kort een verslag van waar hij in de dagen voor en na Paola's overlijden was geweest. Hij gaf ons ook de namen van de potentiële cliënten die hij had bezocht.

'Ik kan hier wel een fotokopietje van maken,' bood hij aan.

Op een schaal van één tot tien, waarbij tien voor een brandalarm stond waarop alle regiokorpsen reageerden, scoorde hij op de meter van mijn intuïtie een dikke zeven. Hij was wat al te behulpzaam en leek zijn verhaaltje ingestudeerd te hebben.

Ik accepteerde zijn aanbod en toen hij me het kopietje overhandigde, vroeg ik waar zijn vrouw in diezelfde periode was geweest.

'Ze reist door Duitsland en Frankrijk,' vertelde Renfrew. 'Ik heb helaas geen exact reisschema omdat ze dat van dag tot dag bekijkt, maar ik verwacht haar volgende week weer thuis.'

'Hebt u enig idee wie Paola of Madison iets wilde aandoen?' vroeg ik.

'Geen flauw idee. Elke keer dat ik de televisie aanzet, hoor ik weer een verhaal over een ontvoering. Het lijkt wel een epidemie,' zei hij. 'Paola was een schat van een meid en ik vind het verschrikkelijk dat ze er niet meer is. Iedereen was dol op haar.' Renfrew was even stil. 'Ik heb Madison maar één keer ontmoet. Waarom iemand zo'n lief kind zoiets zou willen aandoen, is mij een raadsel. Dat snap ik echt niet. Het is verschrikkelijk dat ze dood is. Een afgrijselijke tragedie.'

'Waarom denkt u dat Madison dood is?' beet ik hem toe.

'Is dat dan niet zo? Ik nam gewoon aan... Het spijt me, ik heb me vergist. Ik hoop natuurlijk dat jullie haar levend en wel terugvinden.'

Toen we afscheid van Renfrew namen en in de richting van de deur liepen, kwam Mary Jordan, de officemanager, achter haar bureau vandaan, die met ons naar de deur liep.

Zodra we buiten in de bedompte ochtendlucht stonden, die doordrenkt was met de geur van de vismarkt iets verderop, legde Jordan haar hand op mijn arm.

'Alstublieft,' zei ze op dringende toon, 'kunnen we ergens praten? Ik moet u iets vertellen.'

87

Een kwartier later zaten Conklin en ik met Mary Jordan in de krappe, haveloze kantine van de afdeling Moordzaken. Ze had haar handen om haar beker koffie geklemd maar dronk er niet van.

'Na jullie vertrek een paar dagen geleden, ben ik wat gaan rondneuzen. Meneer Renfrew was toch nog niet terug van zijn reis. Toen vond ik dit,' zei ze. Ze haalde een fotokopie van een gelinieerde bladzijde uit haar handtas. 'Deze komt uit het register. Zo noemen ze het.'

'Waar heb je dit gevonden, Mary?' vroeg Conklin.

'Ik had de sleutel van Renfrews privékantoor gevonden. Daar bewaart hij het register.'

Ik belde naar het kantoor van de openbaar aanklager en kreeg HOVJ Kathy Valoy aan de telefoon. Ik bracht haar op de hoogte en ze zei dat ze meteen naar beneden zou komen.

Valoy was iemand die het echt meende als ze zei dat ze meteen kwam. Een paar minuten later stapte ze de kantine binnen en stelde ik haar voor aan Mary Jordan.

'Heeft brigadier Boxer of rechercheur Conklin u gevraagd deze informatie op te zoeken en aan de politie ter hand te stellen?'

'Nee, natuurlijk niet.'

'Als iemand u namelijk had gevraagd om deze informatie te verschaffen,' zei Valoy, 'zou u beschouwd worden als een afgezant van de politie en dan zouden we het boekwerk waaruit deze bladzijde afkomstig is niet als bewijsstuk kunnen opvoeren in een rechtszaak, mocht het zover komen.'

'Ik heb het helemaal uit mezelf gedaan,' zei Jordan tegen de HOVJ. 'Dat zweer ik.'

Valoy glimlachte en zei: 'Lindsay, binnenkort moeten we echt een keertje samen gaan lunchen.' Ze stak haar hand op bij wijze van afscheid en vertrok.

Ik vroeg Mary of ik de bladzijde mocht zien en ze overhandigde me de

tabel die van de kopjes GEPLAATST, CLIËNT en HONORARIUM was voorzien en het lopende kalenderjaar besloeg.
Onder het eerste kopje stonden de kindermeisjes, van wie het merendeel een buitenlandse naam had. Onder het tweede kopje stonden de namen van de cliënten, meestal voorafgegaan door het voorvoegsel 'de heer en mevrouw'. Onder het laatste kopje stonden de bedragen die ruim boven de tienduizend lagen.
'Zijn al deze meisjes dit jaar bij deze gezinnen geplaatst?' vroeg ik.
Mary knikte en zei: 'Weet u nog dat ik u over Helga vertelde, een kindermeisje van de Westwood Registry, dat zo'n acht maanden geleden verdween toen de Renfrews nog vanuit Boston werkten?'
'Ja, dat herinner ik me nog.'
'Nou, ik heb haar opgezocht in het register. Daar staat ze,' zei ze, en ze tikte met haar vinger op de bladzijde. 'Helga Schmidt. En haar werkgevers staan er ook op. Penelope en William Whitten.'
'Ga door,' zei Conklin.
'In hun dossier staat dat de Whittens een kind hebben dat Erica heet. Het meisje schijnt een rekenwondertje te zijn, dat op haar vierde al sommen oplost waar een kind uit groep acht zijn tanden op stukbijt. Ik heb de Whittens opgezocht op internet en ik vond dit interview in *The Boston Globe*.'
Mary Jordan haalde nog een velletje papier uit haar handtas. Ze legde een uitdraai van het krantenartikel op tafel en draaide het om zodat we het konden lezen. Ze vatte het artikel samen terwijl Conklin en ik het doorlazen.
'Dit artikel stond afgelopen mei in het lifestylekatern. Meneer Whitten is wijnrecensent en hij en zijn vrouw werden thuis geïnterviewd. En daar,' Jordan wees naar een alinea bijna onder aan de bladzijde, 'staat dat meneer en mevrouw Whitten de verslaggever vertelden dat hun dochter Erica nu bij de zus van mevrouw Whitten in Engeland woont. En dat ze daar privéonderwijs krijgt. En dat vond ik vreemd,' zei Jordan. 'Niet te geloven, eigenlijk. De Whittens huren een kindermeisje in. Het kindermeisje vertrekt plotseling en de Whittens sturen hun dochter naar Europa? Erica is pas vier! De Whittens hebben meer dan genoeg geld om hier priveleraren in te huren. Waarom zouden ze hun dochtertje dan wegsturen?'
Rich en ik keken elkaar even aan terwijl Jordan verder praatte.

'Misschien had ik er anders niet bij stilgestaan, maar omdat Paola is vermoord en Madison is ontvoerd, kreeg ik er een raar gevoel van. Ik geloof gewoon niet dat Erica Whitten in Europa woont. Of slaat dat nergens op? Wat denken jullie?'
'Weet je wat ik denk, Mary? Volgens mij zou jij een eersteklas agent zijn,' zei ik.

88

Jacobi, die naast me zat, hoestte zich een slag in de rondte. Tracchio's kantoor stond blauw van de rook die uit zijn smerige sigaar kwam. De luidsprekertelefoon op zijn bureau kraakte en even later was de stem van FBI-agent David Stanford te horen, die bij de Whittens thuis was. 'Ze zijn duidelijk bang, maar ze hebben het me toch verteld. Hun jongste dochter, Erica, is acht maanden geleden ontvoerd, samen met haar kindermeisje Helga Schmidt.'

Zou dit het zijn? Eindelijk een spoor dat in verband stond met de zaak-Ricci-Tyler?

Maar als Erica acht maanden geleden was ontvoerd, waarom hadden de Whittens dan in vredesnaam de politie niet ingeschakeld?

'Niemand heeft de ontvoering gezien,' ging Stanford door, 'maar een uur nadat Erica en Helga thuis werden verwacht van Erica's school, werd er een briefje onder hun voordeur door geschoven. Bij dat briefje zaten een stuk of vijf foto's.'

'Werd in dat briefje om losgeld gevraagd?' Macklins stem klonk opgewonden.

'Niet echt. Hebben jullie daar een faxmachine?'

Tracchio gaf Stanford het faxnummer. Ik hoorde op de achtergrond stemmen: een man en een vrouw die met elkaar kibbelden. Ik hoorde de vrouw zeggen: 'Zeg het, Bill. Vertel het ze maar.'

'Bill Whitten wil iets aan jullie kwijt,' hoorde ik Stanford zeggen.

Bill Whitten kwam aan de lijn en Tracchio vertelde in het kort wie hij was en wie er nog meer in de kamer waren. Whittens stem klonk schor van angst en ingehouden woede. 'Begrijpt u wel wat u ons aandoet?' zei hij. 'Ze hebben gezegd dat ze haar zouden doden als we de politie inschakelden! Misschien hebben ze afluisterapparatuur in ons huis geplaatst! Misschien houden ze het huis op dit moment in de gaten! Begrijpt u het nú?'

De faxmachine achter Tracchio begon te sputteren en braakte even later een velletje papier uit. 'Blijf even hangen,' zei Tracchio, die de fax uit de machine trok. Hij schoof het velletje naar ons toe zodat we het konden lezen.

> WIJ HEBBEN ERICA. ALS JULLIE DE POLITIE INSCHAKELEN, STERFT ZE.
> ALS WE DENKEN DAT ER IEMAND ACHTER ONS AAN ZIT, STERFT ZE. EN DAN GRIJPEN WE RYAN.
> OF KAYLA. OF PATTY.
> ZEG NIETS EN ERICA BLIJFT LEVEN. ELK JAAR ONTVANGEN JULLIE EEN NIEUWE FOTO VAN HAAR. MISSCHIEN LATEN WE HAAR BELLEN. WIE WEET KOMT ZE ZELFS WEER THUIS.
> WEES DUS SLIM EN ZEG NIETS.
> AL JULLIE KINDEREN ZULLEN DAAR DANKBAAR VOOR ZIJN.

Het briefje was acht maanden oud, toch kreeg ik kippenvel van de wrede woorden. Het voelde aan alsof de ontvoering net had plaatsgevonden. Iedereen in Tracchio's kantoor keek geschokt, maar het was Macklin die het briefje zo stevig vastgreep dat zijn knokkels wit werden, alsof hij zijn handen om de keel van de ontvoerder dichtkneep.
Tracchio haalde nog een velletje papier uit de machine.
'Hoe zit het met die foto's?' vroeg Tracchio aan Stanford.
'Erica is gefotografeerd tegen een zwart-witte achtergrond in de kleren die ze aanhad toen ze werd ontvoerd. Op die andere foto's zie je de oudere kinderen op school. Er zit er ook eentje van Kayla bij, die door het raam van haar slaapkamer is genomen. We sturen het hele pakketje naar het lab voor onderzoek.'
Meteen schoot door mijn hoofd: natuurlijk onderzoeken ze of er vingerafdrukken of andere sporen op de envelop en de foto's zijn te vinden, maar wat Stanford niet wil zeggen waar de Whittens bij zijn, is dat ze nu het DNA en de fysieke gegevens van elke onbekende dode in het land gaan vergelijken met die van Helga Schmidt en Erica Whitten.
Ik twijfelde er niet aan of de brief en de foto's waren alleen bedoeld om tijd te rekken.
Erica Whitten en Helga Schmidt waren beiden dood.
Maar wat hadden de ontvoerders daarmee gewonnen?
Wat wilden ze?

Er schoten allerlei gewelddadige beelden door mijn hoofd van hulpeloze kleine meisjes en al even hulpeloze kindermeisjes toen mijn mobieltje begon te rinkelen. Het was rechercheur Paul Chi die zei: 'Er is net een melding bij het alarmnummer binnengekomen, Lindsay. Iemand is in de Blakely Arms aangevallen.'

89

Conklin en ik stapten op de vijfde verdieping uit de lift in de Blakely Arms en zagen halverwege de gang twee agenten voor de deur van appartement 5G staan. Ik herkende agent Patrick Noonan, die er alles voor overhad om bij Moordzaken te komen.

'Laat maar horen, Noonan.'

'Een bloederige toestand, brigadier. Het slachtoffer heet Ben Wyatt. Hij woonde ongeveer een jaar in het gebouw.'

Conklin hield het afzetlint omhoog en ik dook er samen met Noonan onderdoor. 'De aanvaller is via de deur binnengekomen,' vertelde hij. 'Dus de deur was open, het slachtoffer liet hem binnen of de dader had een sleutel.'

'Wie heeft de politie gebeld?'

'De buurvrouw van 5F. Virginia Howsam. H-o-w-s-a-m.'

Conklin en ik liepen het spaarzaam gemeubileerde appartement binnen. Het hoofd van het slachtoffer werd omringd door een krans bloed dat een donkere plas op de glanzende eikenhouten vloer vormde.

Ik zag een zwarte man van begin dertig, die zo te zien in goede conditie was en gekleed ging in een korte broek en een dun, grijs T-shirt, en sportschoenen droeg. Hij lag op zijn linkerzij naast een loopband.

Ik boog me voorover om hem van dichtbij te bekijken. Zijn ogen waren gesloten en zijn ademhaling ging moeizaam, maar hij leefde nog.

Twee ambulancebroeders kwamen op een drafje het appartement binnen, hurkten bij het slachtoffer neer en tilden de man een paar tellen later op een brancard.

De ambulancebroeder die het dichtst bij me stond zei: 'Hij is bewusteloos. We brengen hem naar het San Francisco General. Kunt u even opzijgaan, brigadier? Bedankt.'

De jankende sirene ging richting Townsend op het moment dat Charlie Clapper en zijn team technisch rechercheurs Wyatts woonkamer binnen stapten. Clapper liep meteen naar de loopband toe. 'Het snoer van dit

apparaat is doorgesneden,' zei Clapper, die me het uiteinde van een stuk snoer liet zien, waar zo te zien een scherp mes aan te pas was gekomen.
'Heb je het slachtoffer gezien?' vroeg hij.
'Ja. Hij leeft nog, Charlie. Althans, net nog wel. Zo te zien is hij van achteren neergeslagen.'
Net als bij Irene Wolkowski was het voorwerp dat gebruikt was om Ben Wyatts hoofd in te slaan, niet langer in het appartement. En net als in het appartement van Wolkowski, leek hier ook verder weinig verstoord te zijn.
Er moest een verband zijn tussen de aanvallen die de bewoners van de Blakely Arms nu bijna dagelijks de stuipen op het lijf jaagden.
Wat was dat verband? Wat was er verdomme aan de hand?

90

Ben Wyatts buurvrouw, Virginia Howsam, was een vrouw van achter in de twintig die 's nachts in een club in het centrum werkte. Ze vertelde ons dat Wyatt een particuliere belegger was en dat ze zich niet kon voorstellen dat iemand hem kwaad wilde doen omdat hij zo'n vriendelijke man was.

We bedankten haar voor haar hulp en daalden de brandtrap af omdat we hoopten dat de mensen in het appartement onder dat van Wyatt misschien iets hadden gehoord waardoor we het tijdstip van de aanval konden bepalen.

Conklin liep vlak achter me toen het mobieltje op mijn heup begon te rinkelen. Ik haalde het uit de houder en zag Dave Stanfords nummer op de display staan.

'Met Boxer.'

'Ik heb goed nieuws voor je.'

Ik gebaarde Conklin zijn oor vlak bij de telefoon te houden zodat we het alle twee konden horen.

'Weet je iets over Erica Whitten?'

'Nee, maar ik dacht dat je wel zou willen weten dat Charlie Ray een kop warme chocolademelk met slagroom naar binnen heeft gewerkt en nu in zijn eigen bedje ligt te slapen.' Stanford grinnikte.

'Fantastisch, Dave! Wat was er gebeurd?'

Stanford vertelde me dat de echtgenoot van een depressieve vrouw zich had gemeld. Hun kind was een paar weken daarvoor aan wiegendood gestorven.

'De vrouw die Charlie had ontvoerd, was gek van verdriet,' zei Stanford. 'Ze reed door de straat en zag Charlie bij het hek staan. Ze is gestopt en heeft hem meegenomen.'

'Zit ze vast?'

'Ja, maar zij is niet degene die we zoeken, Lindsay. Ze heeft niets te maken met Erica Whitten of Madison Tyler. Ze slikt antidepressiva, staat

onder behandeling van een dokter en gisteren was de eerste dag na het overlijden van haar kindje dat ze haar huis verliet.'
Ik bedankte Stanford en klapte mijn mobieltje dicht. Conklin stond pal naast me. Ik keek in zijn ogen en voelde de hitte die hij uitstraalde.
'Dus we hebben niets,' zei Rich.
'Nee, we hebben wel iets.' Ik liep verder naar beneden. 'We hebben verdomme een moordenaar die vrij rondloopt in dit gebouw. En wat Madison Tyler betreft, zitten we alweer op een dood spoor.'

91

Mickey Sherman zat naast Alfred Brinkley aan de tafel voor de verdediging en probeerde zijn cliënt iets duidelijk te maken, die suf uit zijn ogen keek door alle medicijnen. De arme donder had de energie van een vaatdoek.

'Fred. Fred.' Sherman schudde aan Brinkleys schouder. 'Fred, we beginnen vandaag met je verdediging, begrijp je dat? Daarom roep ik getuigen op die jou kennen. Ze komen vertellen hoe je bent.'

Brinkley knikte. 'Dus mijn dokter gaat ook getuigen?'

'Ja. Dokter Friedman zal het over je geestelijke gezondheidstoestand hebben, maar je hoeft je geen zorgen te maken. Hij staat aan onze kant.'

'Ik wil mijn kant van het verhaal vertellen.'

'Dat bekijken we nog. Ik weet nog niet of ik jou laat getuigen.'

Mickeys assistent schoof hem een briefje toe waarop stond dat alle getuigen aanwezig waren. Even later riep de gerechtsbode: 'Iedereen opstaan,' en kwam de rechter de zaal binnen. De juryleden kwamen door een zijdeur binnen en namen plaats.

De zitting werd geopend en de vierde dag van de rechtszaak tegen Alfred Brinkley begon.

'Meneer Sherman,' zei rechter Moore, 'u kunt uw eerste getuige oproepen.'

'De verdediging roept meneer Isaac Quintana op als getuige.'

Quintana droeg diverse lagen niet bij elkaar passende kleding over elkaar, maar zijn ogen stonden helder en hij glimlachte toen hij in het getuigenbankje plaatsnam.

'Meneer Quintana,' begon Sherman.

'Zeg maar Ike,' zei de getuige. 'Dat doet iedereen.'

'Ike, dan,' zei Mickey vriendelijk. 'Waar ken je meneer Brinkley van?'

'We zaten samen in Napa State.'

'Dat is geen universiteit, hè?' vroeg Sherman, die naar zijn getuige glimlachte.

'Nee, het is een gekkenhuis.' Ike grijnsde.
'Het is een psychiatrische inrichting, nietwaar?'
'Klopt.'
'Weet je waarom Fred in Napa State zat?'
'Ja. Hij was depressief. Wilde niet eten. Wilde niet uit bed komen. Had enge dromen. Zijn zus was namelijk overleden, ziet u, en hij kwam in Napa terecht omdat hij een einde aan zijn leven wilde maken.'
'Ike, hoe weet je dat Fred depressief was en niet meer wilde leven?'
'Dat heeft hij me verteld. En ik wist dat hij antidepressiva slikte.'
'Hoe lang heb je daar samen met hem gezeten?'
'Ongeveer twee jaar.'
'Kon je goed met hem opschieten?'
'Ja. Hij was een ontzettend aardige vent. Daarom weet ik ook dat het niet zijn bedoeling was om die mensen op de veerboot te vermoorden...'
'Bezwaar, edelachtbare!' Yuki was opgesprongen. 'De getuige dient uitsluitend de vraag te beantwoorden. Ik vraag u zijn laatste opmerking te laten schrappen.'
'Toegewezen.' De rechter keerde zich naar de notuliste toe. 'U dient de laatste opmerking van de getuige te schrappen.'
'Ike, je doet het goed,' zei Sherman op geruststellende toon. 'Vertel eens, heeft Fred Brinkley zich ooit gewelddadig gedragen toen jij hem kende?'
'Helemaal niet. Wie zegt dat? Hij was juist heel relaxed. Dat kwam door al die medicijnen. Na zo'n pilletje ben je niet echt gek meer.'

92

Yuki stond op, streek de kreukels in haar rok glad en bedacht dat Quintana net een figuur uit *The Muppet Show* was met zijn gestoorde grijns, en door zijn bizarre kleding leek het net alsof hij zich te buiten was gegaan op een rommelmarkt. Toch werkte het wel in zijn voordeel. De juryleden glimlachten, ze waren dol op hem en dus ook op Fred Brinkley.

'Meneer Quintana, waarom zat ú in Napa State?' vroeg ze.

'Ik heb dwangneuroses. Niets gevaarlijks hoor. Maar daar gaat al mijn tijd aan op omdat ik altijd dingen verzamel en altijd dingen moet controleren...'

'Dank u, meneer Quintana. En bent u ook psychiater?'

'Nee. Maar ik ken er wel een heel stel.'

Yuki glimlachte en de juryleden grinnikten. Het zou lastig worden, bedacht Yuki, om Quintana's getuigenverklaring onderuit te halen zonder de jury tegen zich in het harnas te jagen.

'Wat voor soort werk doet u, meneer Quintana?'

'Ik ben bordenwasser in café Jade aan Bryant. Als je de boel schoon wilt hebben, kun je het beste iemand met een dwangneurose de afwas laten doen.'

'Ik begrijp wat u bedoelt,' zei Yuki. Op de publieke tribune klonk onderdrukt gelach. 'Hebt u een medische opleiding gevolgd?'

'Nee.'

'Wanneer hebt u meneer Brinkley voor het laatst gezien, vandaag niet meegerekend?'

'Ongeveer vijftien jaar geleden. Hij werd rond 1988 uit Napa ontslagen.'

'En in die vijftien jaar hebt u geen contact meer met hem gehad?'

'Nee.'

'Dus stel dat hij in de tussentijd twee keer een lobotomie en ook nog eens een harttransplantatie had ondergaan, dan zou u dat niet weten?'

'Grappig, hoor. Dat is toch niet zo, of wel?'

'Wat ik daarmee bedoelde, meneer Quintana, is dat de zestienjarige die u een "ontzettend aardige vent" noemde, veranderd kan zijn. Bent u nog dezelfde persoon die u vijftien jaar geleden was?'
'Nou, ik heb wel veel meer spullen.'
Op de publieke tribune werd gebulderd van het lachen en zelfs de juryleden grinnikten. Yuki glimlachte om te laten zien dat ook zij gevoel voor humor had.
Toen het weer rustig was, zei ze: 'Ike, toen je zei dat meneer Brinkley gek was, was dat je mening als vriend, nietwaar? Je bedoelde niet dat hij wettelijk gezien ontoerekeningsvatbaar was, toch? Of dat hij het verschil tussen goed en kwaad niet kende?'
'Nee. Daar weet ik niets vanaf.'
'Dank u, meneer Quintana. Ik heb geen vragen meer voor u.'

93

Shermans volgende getuige, dokter Sandy Friedman, liep door het middenpad naar het getuigenbankje. Hij was psychiater, had zijn opleiding aan Harvard gevolgd en zag er zelfs uit als een zielenknijper met zijn designbril en zijn Brooks Brothers-vlinderdasje. Heel in de verte had hij zelfs iets weg van Liam Neeson.

'Dokter Friedman,' zei Sherman nadat de getuige was ingezworen en zijn kwalificaties had opgenoemd, 'hebt u met meneer Brinkley gesproken?'

'Ja, drie keer tijdens zijn hechtenis in afwachting van de rechtszaak.'

'Bent u tot een diagnose gekomen voor wat betreft zijn geestelijke gezondheidstoestand?'

'Ja, volgens mij lijdt hij aan een schizoaffectieve stoornis.'

'Kunt u ons vertellen wat dat is?'

Friedman leunde achterover, dacht even na en zei: 'Een schizoaffectieve stoornis is een gedachtegang of een stemming, het is een gedragsstoornis waarbij elementen van paranoïde schizofrenie om de hoek komen kijken. Je zou het kunnen beschouwen als een soort bipolaire stoornis.'

'En met "bipolair" bedoelt u manisch-depressief?' vroeg Sherman.

'"Bipolair" in de zin dat mensen met een schizoaffectieve stoornis emotioneel gezien toppen en dalen kennen, dus wanhopig en depressief of hyperactief en manisch kunnen zijn, maar vaak kunnen ze hun ziekte lange tijd redelijk in de hand houden en lukt het hun min of meer om zich aan de randen van de maatschappij staande te houden.'

'Zouden ze stemmen horen, dokter Friedman?'

'Ja. Velen horen stemmen. Dat valt onder de schizoïde aspecten van deze ziekte.'

'Bedreigende stemmen?'

'Ja.' Friedman glimlachte. 'Dat is de paranoia.'

'Heeft meneer Brinkley u verteld dat hij dacht dat de mensen op televisie tegen hem persoonlijk spraken?'

'Ja. Dat is ook een vaak voorkomend symptoom van een schizoaffectieve

stoornis; een breuk met de realiteit. En door de paranoia denkt hij dat die stemmen hem moeten hebben.'
'Kunt u uitleggen wat u bedoelt als u het over "een breuk met de realiteit" hebt?'
'Zeker. Vanaf het begin van meneer Brinkleys ziekte, die in zijn tienerjaren begon, is er altijd sprake geweest van een zekere mate van verwarring in zijn denken en doen en in hoe hij emoties ervaart. En het allerbelangrijkste, in hoe hij de realiteit ziet. Dat is het psychotische element, zijn onvermogen om onderscheid te maken tussen wat echt is en wat niet.'
'Dank u, dokter Friedman,' zei Sherman. 'Dan wil ik het nu graag hebben over de recente gebeurtenissen waarvoor meneer Brinkley terechtstaat. Wat kunt u ons daarover vertellen?'
'Bij een schizoaffectieve stoornis is vaak sprake van een katalysator waardoor een toename in irrationeel gedrag ontstaat. Volgens mij was de katalysator in het geval van meneer Brinkley zijn ontslag. Het verlies van de dagelijkse routine en het feit dat hij als gevolg van het ontslag uit zijn appartement werd gezet, kan allemaal hebben bijgedragen aan de verergering van zijn ziekte.'
'Ik begrijp het. Heeft meneer Brinkley u over de schietpartij op de veerboot verteld, dokter Friedman?'
'Ja. Uit onze sessies kwam naar voren dat meneer Brinkley niet meer op een boot was geweest sinds zijn zus omkwam bij een zeilongeluk toen hij zestien was. Op de dag van het incident op de veerboot was er nog een extra katalysator aanwezig: meneer Brinkley zag namelijk een zeilboot. En dat zette de gebeurtenissen in gang. Of simpel gezegd, daardoor ging hij over de rooie. Hij kon geen onderscheid maken tussen illusie en werkelijkheid.'
'Heeft meneer Brinkley u verteld dat hij die dag op de veerboot stemmen in zijn hoofd hoorde?'
'Ja. Hij zei dat ze hem vertelden om te moorden. U moet begrijpen dat Fred heel veel woede heeft opgekropt door de dood van zijn zus en die emotie manifesteerde zich in gewelddadige razernij. Voor hem waren de mensen op de veerboot niet echt. Ze vormden alleen een achtergrond voor zijn waanbeelden. De stemmen waren zijn realiteit en de enige manier om ze het zwijgen op te leggen was om ze te gehoorzamen.'
'Dokter Friedman,' zei Sherman, die zijn bovenlip met het puntje van

zijn wijsvinger aanraakte, 'kunt u met een redelijke mate van medische zekerheid verklaren dat toen meneer Brinkley die stemmen gehoorzaamde en de passagiers op de veerboot doodschoot, hij het verschil tussen goed en kwaad niet kon onderscheiden?'

'Ja. Op basis van mijn gesprekken met meneer Brinkley en mijn jarenlange ervaring in het behandelen van mensen met ernstige psychische stoornissen, ben ik van mening dat Alfred Brinkley ten tijde van het schietincident leed aan een geestelijke ziekte of stoornis waardoor hij geen goed van kwaad kon onderscheiden. Daar ben ik absoluut zeker van.'

94

David Hale schoof een stukje papier naar Yuki: een tekeningetje van een grote, schuimbekkende buldog met een halsband voorzien van ijzeren punten. In het tekstballonnetje stond: PAK ZE.

Yuki glimlachte en voor haar geestesoog verscheen het beeld van Len Parisi die wijdbeens in deze eikenhouten rechtszaal stond en de ingehuurde zielenknijper van Mickey Sherman aan flarden scheurde.

Ze trok een cirkel om het tekeningetje, onderstreepte het, stond op en was al aan het praten voor ze de katheder bereikte.

'Dokter Friedman, u treedt regelmatig op als getuige-deskundige, klopt dat?'

Friedman bevestigde dat en vertelde dat hij in de afgelopen negen jaar zowel voor de verdediging als voor het OM had getuigd.

'In dit geval heeft de verdediging u ingehuurd?'

'Ja. Dat klopt.'

'En hoeveel kreeg u daarvoor betaald?'

Friedman sloeg zijn blik op naar rechter Moore, die op hem neerkeek.

'Beantwoordt u de vraag alstublieft, dokter Friedman.'

'Ik heb een honorarium van ongeveer achtduizend dollar gekregen.'

'Achtduizend dollar. Zo, zo. En hoe lang had u meneer Brinkley al in behandeling?'

'Meneer Brinkley was technisch gezien geen patiënt van me.'

'O?' zei Yuki. 'Kunt u wel een diagnose stellen over iemand die u nooit in behandeling hebt gehad?'

'Ik heb drie sessies met meneer Brinkley gehouden en in die tijd heb ik hem een hele reeks psychologische tests afgenomen. En ja, ik kán een diagnose stellen over meneer Brinkley zonder hem te behandelen.' Friedman snoof verontwaardigd.

'Dus op basis van drie sessies en die tests gelooft u dat de verdachte niet in staat was om goed van kwaad te onderscheiden ten tijde van de moorden?'

'Dat klopt.'
'U hebt geen röntgenfoto laten maken en een tumor gevonden die tegen een van zijn hersenkwabben aan drukt?'
'Nee, natuurlijk niet.'
'En hoe weten we dat meneer Brinkley niet loog in zijn antwoorden om niet schuldig bevonden te worden aan meervoudige moord?'
'Dat kan niet,' zei Friedman. 'De testvragen zijn net een ingebouwde leugendetector. Ze worden op allerlei verschillende manieren gesteld en als de antwoorden consequent zijn, vertelt de patiënt de waarheid.'
'Dokter, u gebruikt die tests omdat u niet echt weet wat er in het hoofd van een patiënt omgaat, nietwaar?'
'Een oordeel is natuurlijk ook deels gebaseerd op het gedrag van de patiënt.'
'Juist ja. Dokter Friedman, bent u bekend met de wettelijke term "besef van schuld"?'
'Ja. Die refereert aan handelingen die een persoon uitvoert waaruit blijkt dat die persoon zich bewust is van het feit dat wat hij of zij doet verkeerd is.'
'Dat is een duidelijke uitleg, dokter,' zei Yuki. 'Stel nu dat iemand vijf mensen doodschiet en dan wegvlucht, zoals Alfred Brinkley deed, wijst dat niet op "besef van schuld"? Wijst dat er niet op dat meneer Brinkley wist dat wat hij gedaan had verkeerd was?'
'Mevrouw Castellano, niet alles wat een persoon doet die in een psychose verkeert is onlogisch. Mensen op die veerboot schreeuwden en stormden op hem af met de bedoeling hem kwaad te doen. Hij vluchtte. De meeste mensen in zo'n situatie zouden vluchten.'
Yuki wierp een heimelijke blik op David, die haar bemoedigend toeknikte. Ze wenste dat hij haar telepathisch iets kon influisteren waarmee ze Friedman aan het kruis kon nagelen, want zij wist niets.
En ineens viel haar iets in.
'Dokter Friedman, speelt intuïtie ook een rol bij uw oordeel?'
'Ja, natuurlijk. Een instinctief gevoel of intuïtie is niets anders dan vele lagen ervaring. Dus, ja, ik heb zowel mijn instinctieve gevoelens als het formele psychologische protocol gebruikt om tot een oordeel te komen.'
'Hebt u ook kunnen vaststellen of meneer Brinkley gevaarlijk is of niet?'
'Ik heb meneer Brinkley gesproken voor- en nadat hij op Risperdal werd gezet en ik ben van mening dat meneer Brinkley niet gevaarlijk is als hij

de juiste medicijnen gebruikt.'
Yuki legde beide handen op het getuigenbankje. Ze keek Friedman recht aan, negeerde alles en iedereen in de rechtszaal en sprak over de angst die ze voelde elke keer dat ze naar de griezel keek die naast Mickey Sherman zat.
'Dokter Friedman, u hebt met meneer Brinkley gesproken terwijl hij in hechtenis zat. Maar laat hier uw intuïtie eens op los: zou u zich veilig voelen als u samen met meneer Brinkley in een taxi zat? Zou u zich veilig voelen als u bij hem thuis was? Of als u alleen met hem in een lift stond?'
Mickey Sherman sprong overeind. 'Bezwaar, edelachtbare. Dat slaat nergens op!'
'Toegewezen,' bromde de rechter.
'Ik ben klaar met deze getuige, edelachtbare,' zei Yuki.

95

Die maandagochtend pakte Miriam Devine om halfnegen de post van het kastje in de gang en nam ze het stapeltje mee naar de ontbijttafel. Haar echtgenoot en zij waren gisteravond laat teruggekomen van een fantastische tiendaagse cruise op de Middellandse Zee, waar ze geen last hadden gehad van telefoons, televisie, kranten of rekeningen.

Ze zou de werkelijkheid het liefst nog een paar dagen op afstand houden om nog even na te genieten van het vakantiegevoel. Kon dat maar.

Miriam zette koffie, haalde twee kaneelbroodjes uit de vriezer, ontdooide ze in de magnetron en begon aan de stapel post. Catalogi rechts op de tafel, rekeningen links en diversen naast haar koffiemok.

Toen ze de effen witte envelop tegenkwam die aan de Tylers was geadresseerd, legde ze hem op de stapel 'diversen' en ging ze verder met sorteren tot Jim de keuken binnen stapte.

Haar echtgenoot leunde tegen het aanrecht, dronk zijn mok koffie leeg en zei: 'Ik heb helemaal geen zin om naar kantoor te gaan als ik denk aan al het werk dat op me ligt te wachten.'

'Ik zal vanavond een gehaktschotel klaarmaken, schat. Je lievelingskostje.'

'Lekker. Dan heb ik in elk geval iets om naar uit te kijken.'

Jim Devine ging naar kantoor en trok de voordeur achter zich dicht. Miriam sorteerde de rest van de post, deed de afwas en belde met haar dochter voor ze haar buurvrouw Elizabeth Tyler opbelde.

'Liz, lieverd! Jim en ik zijn gisteravond laat teruggekomen. Ik heb post voor je die per ongeluk bij ons is bezorgd. Zal ik even langskomen, dan kunnen we meteen even bijpraten.'

96

Conklin en ik stonden in de woonkamer van de Tylers. Er was pas een kwartier verstreken sinds hun buurvrouw, Miriam Devine het met de hand geschreven briefje van de ontvoerders had gebracht.

Op Elizabeth Tyler had dat het effect van een emotionele atoombom gehad en op mij ook min of meer.

Ik herinnerde me dat ik de dag na de ontvoering bij het huis van de Devines had aangebeld. Het was een roomwit geschilderd victoriaans huis, bijna identiek aan het huis van de Tylers, dat er pal naast stond. Ik had met de huishoudster gesproken, Guadalupe Perez. Ze had in gebroken Engels verteld dat de Devines weg waren.

Negen dagen geleden was het niet in me opgekomen dat Guadalupe Perez een envelop kon hebben opgeraapt die onder de deur door was geschoven en hem bij de rest van de post op de stapel had gelegd.

Niemand had dat kunnen voorzien, maar toch had ik een rotgevoel en voelde ik me verantwoordelijk.

'Hoe goed kent u uw buren?' vroeg Conklin aan Henry Tyler, die met nijdige passen door de woonkamer beende. Aan alle muren en op alle oppervlakken zag ik foto's van Madison: babyfoto's, gezinsportretten en vakantiefoto's.

'Zij hebben er niets mee te maken, oké? De Devines hebben het niet gedaan!' snauwde Tyler. 'Madison is weg!' schreeuwde hij. Hij ijsbeerde door de kamer en greep naar zijn hoofd. 'Het is te laat.'

Mijn ogen gleden naar de brief op de buffetkast en naar de blokletters op het witte papier, die ik op ruim een meter afstand nog kon lezen:

> WIJ HEBBEN JULLIE DOCHTER. ALS JULLIE DE POLITIE INSCHAKELEN, STERFT ZE.
> ALS WE DENKEN DAT ER IEMAND ACHTER ONS AAN ZIT, STERFT ZE.
> VOORLOPIG IS MADISON VEILIG EN GEZOND EN DAT BLIJFT ZO

TENZIJ JULLIE GAAN PRATEN. DEZE FOTO IS DE EERSTE. ELK JAAR STUREN WE EEN FOTO VAN MADISON. MISSCHIEN LATEN WE HAAR BELLEN. WIE WEET KOMT ZE ZELFS WEER THUIS.
WEES SLIM EN ZEG NIETS.
DAAR ZAL MADISON JULLIE DANKBAAR VOOR ZIJN.

De foto van Madison die samen met de boodschap was afgeleverd, was binnen een uur na de ontvoering op een huisprintertje afgedrukt. Ze zag er gezond en ongedeerd uit en droeg de blauwe jas en de rode schoenen.
'Zou hij weten dat we de boodschap niet hebben gekregen? Zou hij weten dat we niet tegen hem in wilden gaan?'
'Dat weet ik niet, meneer Tyler, en ik geloof niet dat het nut heeft om er een slag...'
Elizabeth Tyler onderbrak me. Ze stond strak van de spanning en had moeite om uit haar woorden te komen.
'Madison is het slimste en vrolijkste meisje dat je je maar kunt voorstellen. Ze zingt. Ze speelt piano. En ze heeft zo'n lieve glimlach. Maar nu vragen we ons alleen af: is ze verkracht? Ligt ze vastgeketend aan een bed in een kelder? Heeft ze honger en heeft ze het koud? Is ze gewond? Is ze bang? Huilt ze om ons? Vraagt ze zich af waarom we haar niet komen halen? Of ligt dat allemaal achter haar en is ze veilig in Gods handen? Dat is het enige waaraan we kunnen denken. We moeten weten wat er met onze dochter is gebeurd. U zult meer moeten doen dan u ooit voor mogelijk had gehouden,' zei Elizabeth Tyler tegen me. 'U moet Madison thuisbrengen.'

97

Een plastic zak met daarin het briefje van de ontvoerders lag zo op mijn bureau dat zowel Conklin als ik de woorden kon lezen.

> ALS JULLIE DE POLITIE INSCHAKELEN, STERFT ZE.
> ALS WE DENKEN DAT ER IEMAND ACHTER ONS AAN ZIT, STERFT ZE.

We waren nog steeds uit het lood geslagen door die woorden. En de akelige gedachte dat we misschien Madisons dood hadden veroorzaakt door aan de zaak-Ricci-Tyler te werken, liet ons niet los.
Toen FBI-agent Dave Stanford rond het middaguur arriveerde, overhandigden we hem de boodschap van de ontvoerders. Jacobi bestelde een pizza bij Presto Pizza en Conklin trok een stoel bij voor Stanford. Vervolgens namen we gezamenlijk nog een keer alle stukken over de zaak door.
Een uur later waren we nog niet verder dan die ene aanwijzing: de Whittens in Boston en de Tylers in Pacific Heights hadden beiden gebruikgemaakt van de Westwood Registry. We verdeelden de namen die Mary Jordan uit het register had gekopieerd en gingen bellen. Toen we het lijstje hadden afgewerkt, stapten Conklin en Macklin bij Stanford in de auto en gingen Jacobi en ik ook samen op pad; heel even weer partners.
Jacobi liet zich op de bestuurdersstoel zakken en het deed me goed zijn vertrouwde tronie weer naast me te zien.
'Boxer, één ding moet me van het hart. Je ziet er belazerd uit,' zei hij.
'Dat komt door deze zaak, ik word er gewoon misselijk van. Maar nu je er toch over begint, heb ik een vraagje voor je, Jacobi. Is het nooit bij je opgekomen om te liegen als ik er niet uitzie?'
'Nee, eigenlijk niet.'
'Ik denk dat ik daarom zoveel van je hou.'
'We gaan toch niet sentimenteel doen, hè?' Hij grijnsde, sloeg rechts af op Lombard en parkeerde de auto.

In de vijf uur daarna legden we bezoekjes af bij vier cliënten met een kindermeisje van de Westwood Registry. Zowel de cliënten als de kindermeisjes werden ondervraagd. Tegen de tijd dat de zon de wolken van een roze gloed voorzag, keerden we terug naar het bureau, waar Macklin en de anderen al zaten te wachten.

Het werd een korte vergadering omdat de vijfentwintig manuren niets anders dan lof voor de Westwood Registry en hun geïmporteerde vijfsterrenkindermeisjes hadden opgeleverd.

Rond zeven uur 's avonds zetten we er voor die dag een punt achter. Ik stak Bryant over, stapte in mijn auto en reed richting Potrero Hill.

Tegen de tijd dat ik de Explorer voor de deur parkeerde, waren de straatlantaarns overal in de stad al aan.

Mijn hand lag op de portiergreep toen iets het licht verstoorde dat door het passagiersraam scheen.

Mijn hart bonkte in mijn keel, mijn hoofd schoot opzij en ik zag een donkere figuur verschijnen. Het duurde een paar seconden voor mijn hersens alles op een rijtje hadden. Zelfs toen geloofde ik mijn ogen niet. Het was Joe.

98

Het was Joe. Het was Joe!

Er was niemand in de hele wereld die ik liever wilde zien. 'Hoe vaak heb ik je nou verteld...' zei ik met bonkend hart terwijl ik uitstapte en het portier achter me dichtgooide.

'Dat je nooit een gewapende politieagent moet besluipen?'

'Zeg, heb je soms iets tegen telefoons of zo? Een of andere fobie?'

Joe grijnsde schaapachtig naar me. 'Zeg je niet eens hallo? Je bent een harde tante, Blondie.'

'Vind je?'

Toch voelde ik me helemaal geen harde tante. Ik voelde me kwetsbaar, volkomen uitgeput en was bijna in tranen, maar ik was niet van plan dat te laten zien. Ik wierp hem een norse blik toe terwijl ik ongeduldig met mijn vingers op de motorkap tikte, toch ontging het me niet hoe goed Joe eruitzag.

'Het spijt me. Ik heb gewoon een gok genomen,' zei hij met een onweerstaanbare glimlach. 'Ik hoopte dat ik je zou treffen. Nou ja, hoe dan ook, hoe is het me je?'

'Best,' loog ik. 'Je kent het wel. Druk.'

'Dat heb ik gezien, ja. Je staat in alle kranten. Een echte supervrouw.'

'Niet echt. Ik vraag me eerlijk gezegd af of ik ooit nog een zaak zal oplossen,' zei ik en onwillekeurig moest ik glimlachen. Het pantser om mijn hart begon af te brokkelen. 'En jij?' Ik tikte niet langer met mijn vingers op de motorkap en boog me een stukje naar hem toe. 'Hoe staat het met jou?'

'Ik ben ook druk bezig geweest.'

'Nou ja, alles is beter dan duimendraaien.' Ik sloot de auto af, maar zette geen stap in zijn richting. Het beviel met wel om deze hoop ijzer tussen ons in te hebben: mijn Explorer als chaperonne. Dat gaf me de kans om te bedenken wat ik met Joe aan moest.

Joe grijnsde en zei: 'Vast wel, maar wat ik bedoelde was dat ik druk bezig

ben geweest met het opbouwen van een nieuw leven.'
Wat kregen we nu? Wat had hij net gezegd?
Mijn hart sloeg over en mijn knieën leken wel van rubber. Ineens ging me een lichtje op: Joe zag er zo fantastisch uit omdat hij verliefd was geworden op iemand anders. Hij was langsgekomen omdat hij me dat niet over de telefoon wilde vertellen.
'Ik wilde het je eigenlijk pas vertellen als het vaststond,' zei hij, en zijn woorden brachten me terug in de realiteit, 'maar je wilt niet weten hoe lang het duurt voor een aanvraag door de hele molen is geweest.'
'Waar heb je het in vredesnaam over?'
'Ik heb overplaatsing aangevraagd naar San Francisco, Lindsay.'
Van pure opluchting sprongen er tranen in mijn ogen. Ik staarde Joe aan. Onwillekeurig verschenen er beelden van onze relatie voor mijn geestesoog, toch waren het niet de romantische momenten die me het meest waren bijgebleven. Het waren juist de huiselijke momenten die door mijn hoofd maalden: Joe die onder de douche stond te zingen terwijl ik stiekem een blik op zijn wijkende haarlijn wierp. De manier waarop hij zijn armen beschermend om zijn kom muesli legde alsof iemand hem elk moment kon afpakken, omdat hij was opgegroeid in een gezin met zes broers en zussen, waar niemand het exclusieve recht op wat dan ook had gehad. Ik bedacht dat Joe de enige persoon in mijn leven was aan wie ik alles kon vertellen en die niet verwachtte dat ik altijd sterk was. En oké, ik stond in vuur en vlam als ik dacht aan de manier waarop hij mijn lichaam liefkoosde wanneer we de liefde bedreven en hoe veilig ik me voelde wanneer ik in zijn armen in slaap viel.
'Ik heb toezeggingen gekregen maar er is nog niets definitief...' Zijn stem stierf weg en hij staarde me aan. 'Jezus, Lindsay, je hebt geen idee hoe erg ik je gemist heb.'
Het briesje dat uit de baai afkomstig was, blies de tranen van mijn wangen. Ik was dolblij met zijn onverwachte bezoek en keek verlangend uit naar de nacht die voor ons lag. Ik had nog een ongeopende fles Courvoisier liggen. En massageolie in het nachtkastje... Ik dacht aan de zalige, koele lucht en aan de hitte die Joe en ik uitstraalden als we alleen al naast elkaar lagen, nog voor we elkaar aanraakten.
'Kom mee naar boven,' zei ik uiteindelijk. 'We hoeven niet op straat te praten.'
Er flitste een sombere uitdrukking over zijn gezicht toen hij op me af liep

en teder mijn schouders omvatte met zijn grote handen.
'Ik wil heel graag mee naar boven,' zei hij, 'maar dan mis ik mijn vlucht. Ik kwam alleen om je te vragen me nog niet af te schrijven. Alsjeblieft.'
Joe sloeg zijn armen om me heen en trok me tegen zich aan. Ik verstijfde, sloeg mijn armen over elkaar en keek naar de grond.
Ik wilde niet in zijn gezicht kijken. Ik wilde niet weer overgehaald of omgepraat worden, want in een tijdsbestek van drie minuten had ik een complete rit gemaakt in de emotionele achtbaan die Joe Molinari heette.

99

Ik had nauwelijks de deur van mijn appartement achter me dichtgetrokken of ik hoorde mijn telefoon al rinkelen. Ik wist dat het Joe was die vanuit de auto belde en ik had hem niets te zeggen.

Ik sprong onder de douche en bleef zeker vijftien minuten onder de hete straal staan. Toen ik eronder vandaan kwam, rinkelde de telefoon nog steeds. Dat telefoontje negeerde ik ook. Net als het nijdig knipperende lichtje op mijn antwoordapparaat en de opgewekte beltoon van mijn mobieltje, die uit mijn jasje over de stoel kwam.

Ik smeet een kant-en-klaarmaaltijd in de magnetron, opende de fles Courvoisier en had net een glas ingeschonken toen mijn mobieltje verdomme opnieuw ging blèren.

Ik griste het uit mijn jaszak en snauwde: 'Boxer.' Ik stond klaar om eraan toe te voegen: Joe, laat me met rust. Ik voelde me vreemd teleurgesteld toen bleek dat de stem aan de andere kant die van mijn partner was.

'Jezus, Lindsay, waarom pak je die verrekte telefoon niet op?' Rich was nijdig op me, maar dat kon me niet schelen.

'Ik stond onder de douche,' zei ik. 'En voor zover ik weet, is dat nog steeds niet verboden. Wat is er?'

'Er is weer iemand aangevallen in de Blakely Arms.'

Het was alsof ik een stomp in mijn maag kreeg. 'Gaat het om een moord?'

'Zodra ik meer weet, laat ik het je weten.'

'Sluit het gebouw af. Hermetisch. Alle uitgangen,' zei ik. 'Niemand mag weg.'

'Komt voor elkaar, brigadier.'

Op dat moment schoot me het loopbandslachtoffer te binnen. Jezus, ik was hem compleet vergeten!

'Rich, we zijn vergeten om na te vragen hoe het met Ben Wyatt is.'

'Nee, hoor.'

'Heb jij het ziekenhuis gebeld?'

'Ja.'
'Is Wyatt weer bij bewustzijn?'
'Hij is twee uur geleden overleden.'
Ik vertelde Rich dat ik eraan kwam en belde Cindy: geen antwoord. Ik klapte mijn gsm dicht en liet hem met een klap op het aanrecht neerkomen. Dat was altijd nog beter dan hem uit het raam smijten. De magnetron piepte vijf keer om me te laten weten dat mijn avondeten klaar was.
'Ik word hartstikke gek!' schreeuwde ik gefrustreerd in het wilde weg. 'Nog even en ik draai compleet door.'
O, verrek ook allemaal. Ik liet het glas Courvoisier onaangetast staan en haalde de maaltijd niet eens uit de magnetron. Ik kleedde me snel aan, maakte mijn schouderholster vast en schoot in mijn jasje. Ik belde Cindy weer, deze keer nam ze op en ik vertelde haar snel wat er aan de hand was.
Daarna ging ik op weg naar Townsend en Third.
Tegen de tijd dat ik bij de Blakely Arms arriveerde, wist ik precies hoe mijn volgende gesprek met Cindy zou verlopen. Ik zou van haar ook geen onzin accepteren.
Ze trok bij mij in tot ze een veilige woonplek had gevonden. Punt uit.

100

Cindy stond bij de hoofdingang van de Blakely Arms. Haar korte blonde krullenbos was door de wind in een warboel veranderd en het leek wel alsof ze haar lippenstift eraf had gebeten.

'Jezus,' zei ze. 'Alweer? Gebeurt het echt nog een keer?'

'Cindy,' zei ik, terwijl we de hal binnen stapten, 'wordt er gepraat? Roddels, bedoel ik? Wordt er naar een bepaald persoon gewezen?'

'Het enige wat ik heb gehoord, is het akelige geluid van strakgespannen zenuwen die het begaven. Van de bewoners hier.'

We stapten de lift in en opnieuw stond ik voor de deur van een appartement in de Freaky Arms, waar het krioelde van de agenten in uniform. Conklin knikte even naar Cindy en stelde me voor aan Aiden Blaustein. Hij was een lange, blanke knul van een jaar of tweeëntwintig die helemaal in het zwart was gekleed: gescheurde spijkerbroek, een T-shirt met een afbeelding van het computerspel *Myst*, een leren jack en warrig zwart haar dat van achteren kort was en voor tot vlak boven zijn bruine, paniekerige ogen viel.

Conklin zei: 'Meneer Blaustein is het slachtoffer.'

'Ik ben Cindy Thomas van de *Chronicle*. Wilt u uw naam even spellen?' hoorde ik Cindy vragen.

Ik haalde opgelucht adem. De knul leefde nog. Hij was niet gewond maar wel doodsbang.

'Kunt u me vertellen wat er is gebeurd?' vroeg ik hem.

'Ik heb verdomme geen enkel idee! Rond vijven ging ik een paar biertjes halen. Ik kwam een oude vriendin tegen en we zijn een hapje gaan eten. Toen ik thuiskwam, was de boel helemaal vernield.'

Conklin duwde de deur van Blausteins flat open en ik liep het studio-appartement binnen. Cindy volgde me op de voet.

'Blijf bij me...' zei ik.

'En kom nergens aan. Ik weet het,' zei ze snel.

Het appartement zag eruit als een elektronicazaak waar een woedend

nijlpaard had huisgehouden. Ik nam snel de inventaris in me op. Een desktopcomputer, drie beeldschermen, een stereo, en een plasmascherm van 100 centimeter. Er was niets gestolen, maar alles was vernield! Het bureau had ook schade opgelopen.
'Het heeft me jaren gekost om die spullen te verzamelen. Om het precies zo te krijgen als ik het wilde hebben.'
'Wat voor werk doet u?' vroeg Cindy.
'Ik ontwerp websites en computerspellen.'
'Meneer Blaustein,' zei ik, 'toen u rond vijven wegging, hebt u toen de deur opengelaten?'
'Ik laat mijn deur nooit open.'
'Meneer Blaustein heeft de muziek laten aanstaan toen hij wegging,' vertelde Rich. Hij zei het nonchalant, maar hij keek me niet aan.
'Heeft er iemand geklaagd over de muziek?' vroeg ik.
'Vandaag?'
'Of wanneer dan ook,' zei ik.
'Ik heb wel scheldtelefoontjes van iemand gehad,' vertelde Blaustein.
'En wie was dat?'
'U bedoelt, heeft hij zijn naam genoemd? Hij zei niet eens gedag. Het eerste wat hij zei was: "Als je die pokkenherrie niet uitzet, maak ik je af." Dat was de eerste keer. Sinds die tijd belt hij een paar keer per week op om zijn gal te spuwen. Hij vervloekt mij en mijn kinderen.'
'Hebt u kinderen?' vroeg ik stomverbaasd omdat ik me er geen voorstelling bij kon maken.
'Nee. Hij vervloekte mijn eventuele toekomstige kinderen.'
'En wat hebt u toen gedaan?'
'Ik? Ik ken scheldwoorden waar die gast nog nooit van had gehoord. Het punt is alleen dat ik zijn stem herkend zou hebben als ik hem al een keer eerder had gehoord. Mijn oren zijn, hoe zal ik het zeggen, zo goed dat ik een uil eerder hoor dan hij mij. Maar ik ken hem niet. En ik ken iedereen die hier woont. Ik ken zelfs háár,' zei hij, en hij wees naar Cindy. 'Tweede verdieping, toch?'
'En niemand anders in het gebouw heeft geklaagd over je muziek?'
'Nee, want ten eerste werk ik alleen overdag en ten tweede is muziek tot elf uur 's avonds toegestaan. Daar komt ook nog eens bij dat ik mijn muziek helemaal niet hard zet.'
Ik zuchtte, haalde mijn mobieltje van mijn riem en belde de technische

recherche. Ik kreeg het hoofd van de nachtdienst te pakken en vertelde hem dat we zijn team nodig hadden.
'Kun je bij iemand slapen vannacht?' vroeg Conklin.
'Misschien wel.'
'Je kunt hier in elk geval niet blijven. Jouw appartement is voorlopig een plaats delict.'
Blaustein wierp een blik op de ravage in zijn appartement en zijn jonge gezicht betrok toen hij alle schade opnam. 'Ik zou hier niet eens blijven als ik ervoor betaald kreeg!'

101

Cindy, Rich en ik legden het verband terwijl de lift ons naar de begane grond bracht.

'De honden, de piano, de loopband...' zei Rich.

'Het appartement van de webontwerper...' voegde Cindy eraan toe.

'Het gaat in alle gevallen om hetzelfde,' zei ik. 'Het gaat om herrie.'

'Ja.' Rich was het met me eens. 'Wie deze maniak ook is, hij wordt een tikje gewelddadig van herrie.'

'Rich, het spijt me dat ik je eerder afsnauwde. Ik heb een rotdag achter de rug.'

'Het is al goed, Lindsay. Iedereen is wat gespannen door deze zaak.'

De liftdeuren schoven open en we stapten de hal in, die vol stond met zo'n tweehonderd doodsbange huurders. Er waren alleen nog staanplaatsen.

Cindy haalde haar notitieboekje tevoorschijn en liep op de voorzitter van de huurdersvereniging af, terwijl Conklin zich moeizaam een weg door de menigte naar voren baande. Ik bleef in zijn kielzog tot we de receptiebalie hadden bereikt.

'Stilte!' riep iemand.

Toen het rumoer langzaam wegstierf zei ik: 'Ik ben brigadier Boxer. Ik hoef u niet te vertellen dat er een reeks zorgwekkende incidenten heeft plaatsgevonden in dit gebouw...'

Ik wachtte tot het gemopper over de politie die haar werk niet deed was verstomd en ging toen verder. Ik vertelde dat we iedereen opnieuw wilden ondervragen en dat niemand uit het gebouw mocht vertrekken zonder toestemming.

Een grijze man van achter in de zestig stak zijn hand op en vertelde dat hij Andy Durbridge heette. 'Brigadier, misschien heb ik wat nuttige informatie. Vanmiddag zag ik een man in de wasruimte rondlopen die ik nog nooit eerder had gezien. En volgens mij had hij hondenbeten op zijn armen.'

'Kunt u die man beschrijven?' vroeg ik. Ik kreeg een gespannen gevoel in mijn maag. Van het goede soort.
'Hij was ongeveer een meter zeventig lang, gespierd, bruin haar en kalend. Ik schat hem in de dertig. Ik heb al rondgekeken en ik zie hem hier niet.'
'Dank u, meneer Durbridge,' zei ik. 'Weet iemand misschien welke náám bij deze beschrijving hoort?' vroeg ik.
Een frêle jonge vrouw met krullend, koperblond haar stapte naar voren. Haar ogen waren zo groot als schoteltjes en haar huid was onnatuurlijk bleek; iets of iemand had haar de stuipen op het lijf gejaagd.
'Ik ben Portia Fox,' zei ze met trillende stem. 'Brigadier, kan ik u even onder vier ogen spreken?'

102

Ik nam Portia Fox mee naar buiten.
'Ik denk dat ik de man ken die meneer Durbridge beschreef,' vertelde ze me. 'Volgens mij heeft hij het over de man die overdag in mijn appartement woont.'
'Je kamergenoot?'
'Niet officieel,' zei de jonge vrouw. Ze keek even om zich heen. 'Hij huurt mijn eetkamer. Ik werk overdag. Hij werkt 's nachts. Dus we lopen elkaar niet in de weg.'
'Het is uw appartement en deze man is uw onderhuurder, is dat wat u bedoelt?'
Ze knikte met haar hoofd.
'Hoe heet hij?'
'Garry, met een dubbele r, Tenning. Dat staat op zijn cheques.'
'En waar is meneer Tenning nu?' vroeg ik.
'Hij is op zijn werk. Hij werkt bij een bouwbedrijf.'
'Hij draait dus nachtdienst bij een bouwbedrijf. Hebt u zijn mobiele nummer?'
'Nee, ik ken hem van de Starbucks aan de overkant. Daar kwam ik zeker een jaar lang bijna dagelijks en hij ook. Soms zeiden we elkaar gedag en deden we samen met een krant. Hij leek aardig en toen hij vroeg of ik misschien een goedkoop flatje wist dat hij kon huren... Ik kon het geld goed gebruiken.'
Dit kind had een vreemde in haar appartement gehaald. Ik wilde haar door elkaar schudden. Ik wilde het aan haar moeder vertellen. Maar in plaats daarvan zei ik alleen: 'Wanneer komt meneer Tenning altijd?'
'Rond halfnegen 's ochtends. Zoals ik al zei, ben ik naar mijn werk tegen de tijd dat hij komt en nu ik op mijn werk een koffiezetapparaat heb, ga ik ook niet meer naar Starbucks.'
'Mogen we uw appartement doorzoeken?'

'Graag zelfs.' Ze haalde een sleutel uit haar handtas en overhandigde hem aan me. 'Ik ben blij dat u dat gaat doen. Ik moet er niet aan denken dat er een moordenaar in mijn flat woont!'

103

'Net mijn appartement,' zei Cindy toen we de flat van Portia Fox binnen liepen. We stapten een grote, zonnige woonkamer binnen die uitkeek op straat en ingericht was met moderne, betaalbare meubels.

Naast de woonkamer bevond zich een klein keukentje. Cindy's eetkamer had een open verbinding naar het keukentje, maar de eetkamer van Portia Fox was met gipsplaten muurtjes en een deur afgescheiden van de rest.

'Dat is zijn kamer,' vertelde Portia.

'Zitten er ramen in die kamer?' vroeg ik.

'Nee. Dat vindt hij juist fijn. Daarom wilde hij hem ook huren.'

Het was jammer dat de eetkamer een aparte kamer vormde, want nu hadden we toestemming van Tenning of een huiszoekingsbevel nodig om de ruimte te doorzoeken. Hoewel Tenning niet als onderhuurder in het huurcontract van Portia Fox vermeld stond, betaalde hij haar wel huur en dat gaf hem rechten.

Ik legde mijn hand op de deurknop van Tennings kamer in de ijdele hoop dat de deur open was, maar helaas, de deur zat op slot. Dat verbaasde me niet.

'Kun je een nachtje bij een vriendin slapen?' vroeg ik aan Portia.

Ik liet een agent voor de deur van het appartement op wacht staan terwijl Portia een paar spullen bij elkaar zocht, en ik gaf Cindy mijn sleutels en stuurde haar naar mijn appartement. Ze sputterde niet eens tegen.

Vervolgens waren Rich en ik twee uur lang druk in de weer met het opnieuw ondervragen van de huurders van de Blakely Arms. Pas om tien uur 's avonds waren we weer terug op het bureau.

Overdag zag de afdeling er al niet appetijtelijk uit, maar 's avonds was het nog een paar graadjes erger. De tl-buizen aan het plafond verspreidden een doods, wit licht en het stonk er naar het eten dat overdag in de prullenmanden was beland.

Ik gooide een beker koude koffie in de prullenmand en zette mijn computer aan. Rich ging tegenover me zitten en zette zijn eigen computer aan. Ik klikte de database aan en begon een speurtocht naar Garry Tennings levensverhaal in de verwachting dat ik daar wel eventjes zoet mee zou zijn, maar binnen een paar minuten rolde alle informatie die ik zocht over het scherm.

Ik kwam een openstaand arrestatiebevel voor Tenning tegen. Het stelde niet veel voor. Hij was niet komen opdagen bij een rechtszaak over een verkeersovertreding, maar dat maakte niet uit. Een arrestatiebevel was een arrestatiebevel. We konden hem oppakken.

En er was meer.

'Garry Tenning is in dienst van Conco Construction,' vertelde Rich. 'Dat betekent dat er wel honderd bouwterreinen zijn waar hij zou kunnen werken. Morgen tijdens kantooruren kunnen we pas vragen waar hij precies werkt.'

'Heeft hij een wapenvergunning?' vroeg ik.

Conklins vingers flitsten over zijn toetsenbord.

'Ja. En nog geldig ook.'

Garry Tenning bezat een wapen.

104

De volgende ochtend kwam de regen met bakken uit de hemel. Conklin parkeerde de dienstauto aan Townsend voor Tower 2 van de Beacon, een torenflat met winkels op de begane grond, inclusief de Starbucks waar Tenning en Portia Fox elkaar hadden ontmoet.

Op een heldere dag zouden we goed zicht hebben gehad op zowel de vooringang van de vijf verdiepingen tellende Blakely Arms als op het smalle voetpad dat van Townsend langs de oostkant van het gebouw liep en naar de binnenplaats en de achteringang leidde.

Door de aanhoudende hoosbuien was er door de voorruit echter bijna niets te zien.

Rechercheurs Chi en McNeil zaten in de auto achter ons en tuurden ook ingespannen door de voorruit. We zochten een blanke man van zo'n een meter zeventig lang met bruin haar en een wijkende haarlijn, die mogelijk een uniform droeg en waarschijnlijk gewapend was met een Colt-revolver.

Tenzij Tenning zijn routine had gewijzigd, zou hij een kop koffie halen bij Starbucks, vervolgens zou hij Townsend oversteken, en tussen halfnegen en negen uur zou hij dan 'thuiskomen'.

We gokten erop dat Tenning het voetpad naar de achteringang van het gebouw zou nemen, met een sleutel de achterdeur zou openen en de brandtrap zou gebruiken om de huurders te ontlopen.

Voetgangers in regenjassen met paraplu's waarachter hun gezicht schuilging, liepen gehaast de Walgreens binnen, gaven kleding af bij stomerij Fanta of trokken een sprintje naar de Caltrain.

Rich en ik waren zoveel slaap tekortgekomen dat toen een man die aan Tennings beschrijving voldeed Townsend overstak zonder een kop koffie in zijn hand, ik niet met zekerheid kon zeggen of het onze man was, of dat ik alleen wilde dat het onze man was. Dat heel, heel graag wilde.

'Grijs jack, zwarte paraplu,' zei ik.

Een verkeerslicht sprong op groen en de verkeersstroom belemmerde ons uitzicht zo lang dat de verdachte in de horde voetgangers verdween die zich aan de overkant van de straat gehaast voortbewoog. Ik opperde tegen Conklin dat hij misschien het steegje in was gedoken dat achter de Blakely Arms langs liep.

'Ja. Dat denk ik ook,' zei Conklin.

Ik riep Chi op en vertelde hem dat McNeil en hij klaar moesten staan. We wachtten nog een paar minuten en toen sloegen Conklin en ik onze kraag op en renden we op een drafje naar de hoofdingang van de Blakely Arms. We namen de lift naar de vierde verdieping en ik stak Portia's sleutel in het slot van de voordeur. Ik deed de deur nog niet open, maar haalde mijn wapen tevoorschijn.

Zodra Chi en McNeil gearriveerd waren, duwde Conklin de deur zachtjes open. We liepen alle vier naar binnen en controleerden de andere kamers voor we op Tennings privékamer afstapten.

Ik legde mijn oor tegen de dunne deur en hoorde dat er een lade werd dichtgeschoven en dat iemand zijn schoenen een voor een op de houten vloer liet vallen.

Ik knikte naar Conklin, die op Tennings deur klopte.

'SFPD, meneer Tenning. We hebben een arrestatiebevel voor u.'

'Sodemieter op,' schreeuwde een woedende stem. 'Jullie hebben geen huiszoekingsbevel. Ik ken mijn rechten.'

'Meneer Tenning, u had uw auto voor een brandkraan geparkeerd, weet u nog wel? Dat was vorig jaar op 15 augustus. U kwam niet opdagen bij de rechtszaak.'

'En dáár komen jullie me voor arresteren?'

'Doe de deur open, meneer Tenning.'

De deurknop bewoog en de deur ging een klein stukje open. Tennings blik van ergernis veranderde in een van pure woede toen hij onze wapens op zijn borstkas zag gericht.

Hij smeet de deur voor onze neus dicht.

Ik schreeuwde: 'Trap die deur in!'

Conklin gaf twee harde trappen. Er klonk luid gekraak en de deur vloog wijd open.

Ik zocht dekking naast de deurpost en wierp snel een blik naar binnen. Tenning stond drie meter verderop met zijn rug tegen de muur. Hij hield een Colt .38 met beide handen vast, die onze richting uit wees.

'Jullie nemen me niet mee,' zei hij. 'Ik ben te moe. Ik zie dat niet zitten.'

105

Mijn hartslag steeg en ik voelde het zweet over mijn rug lopen. Ik haalde diep adem, draaide op mijn rechtervoet en ging wijdbeens in de deuropening staan met mijn Glock op Tenning gericht. Hoewel ik een kogelvrij vest droeg, kon hij me met een hoofdschot doden. En de papierdunne wandjes zouden mijn team ook niet beschermen.

'Laat je wapen vallen!' schreeuwde ik. 'Anders pomp ik een kogel in je hoofd.'

'Vier gewapende agenten voor een verkeersovertreding? Laat me niet lachen! Denken jullie soms dat ik achterlijk ben?'

'Je bént achterlijk, Tenning, als je voor een bekeuring van vijftig dollar het loodje wilt leggen.'

Tennings ogen schoten van mijn wapen naar de drie andere wapens die op hem waren gericht. Ik hoorde hem half binnensmonds vloeken en vervolgens kletterde zijn wapen op de grond.

We stormden meteen de kleine kamer binnen. In het gedrang viel een stoel om en knalde een computer op de grond.

Ik schopte Tennings wapen naar de deur toe terwijl Conklin hem omdraaide, tegen de muur ramde en in de handboeien sloeg. 'U bent gearresteerd wegens het niet bijwonen van een rechtszaak,' zei Conklin al hijgend, 'en nu ook vanwege verzet bij arrestatie.'

Ik wees Tenning op zijn rechten. Mijn stem was schor, niet alleen van de stress maar ook door het besef van wat ik net had gedaan.

'Goed werk, mensen,' zei ik. Ik voelde me een beetje licht in mijn hoofd.

'Alles oké, Lindsay?' McNeil legde een vlezige hand op mijn schouder.

'Ja. Bedankt, Cappy,' zei ik. Deze arrestatie had voor hetzelfde geld in een bloedbad kunnen eindigen, schoot het door mijn hoofd, en het enige waar we Tenning tot nu toe op konden pakken was een verkeersovertreding.

Ik wierp een blik op zijn kamer: een schoenendoos van drie bij vier meter met een eenpersoonsbed, een kleine ladekast en twee archiefkasten die

fungeerden als de poten van zijn bureau. Een brede plank die dienst had gedaan als bureaublad lag op de grond, samen met een computer en een paar vellen papier.
In het gedrang was ook nog iets anders losgeschoten. Er was een stuk pijp van ongeveer veertig centimeter lang met een diameter van zo'n drie centimeter onder het bed vandaan gerold. Aan één kant zat een kogelgewricht geschroefd. Het deed denken aan een knuppel.
Ik boog me voorover om de tweedelige constructie beter te bekijken. Er zaten bruine vegen op de schroefdraad waarmee het kogelgewricht aan de pijp vastzat. Ik wenkte Conklin, die ook een kijkje kwam nemen. We wisselden een blik.
'Zo te zien hebben we hier een geïmproviseerde knuppel,' zei hij.

106

We zaten in verhoorkamer twee, de kleinste van de verhoorkamers op het bureau. Tenning zat aan een tafel met zijn gezicht naar de doorkijkspiegel. Ik zat tegenover hem. Hij droeg een wit T-shirt en een spijkerbroek. Zijn ellebogen rustten op het tafelblad en hij had zijn hoofd laten hangen, waardoor het schijnsel van de plafondlamp een vreemdsoortig patroon op zijn kalende schedel vormde.

Hij had om een advocaat gevraagd en zei verder niets.

Het zou ongeveer een kwartier duren voor zijn verzoek het hele traject had afgelegd en er iemand werd aangewezen. En dan nog een kwartier voor een pro-Deoadvocaat kwam opdagen om zijn of haar cliënt bij te staan in onze verhoorkamer.

In de tussentijd zou niets wat Tenning zei tegen hem gebruikt kunnen worden. 'Die geïmproviseerde knuppel waarmee je Irene Wolkowski en Ben Wyatt hebt vermoord? Die wordt op dit moment in het lab onderzocht. Voor je advocaat eindelijk arriveert, hebben we de uitslag al binnen.'

'Laat me dan lekker met rust tot hij er is. Dan kan ik rustig nadenken.' Tenning grijnsde zelfgenoegzaam.

'Maar ik wil graag weten wat er in je hoofd omgaat. Al die bladzijden met statistische feiten in je kamer. Wat doe je daarmee?'

'Ik ben een boek aan het schrijven en ik wil die papieren dan ook terug hebben.'

Conklin kwam de verhoorkamer binnen met een radiootje in zijn hand. Hij sloeg de deur met een klap dicht en zette de radio aan. Er kwam luide ruis uit de speakers. Richie frunnikte aan de knoppen, zette het geluid harder en zei: 'De ontvangst is hier binnen belazerd. Maar ik wil weten wanneer de regen eindelijk ophoudt.'

Ik zag paniek in Tennings ogen verschijnen toen de ruis aanzwol tot elektronisch gekrijs. Hij staarde naar Conklin, die aan de zenderknop draaide en er verschenen zweetdruppels op zijn bovenlip.

‘Hé,’ zei hij uiteindelijk, ‘zet die herrie uit.’

‘Nog heel even,’ zei Conklin, die de volumeknop nog verder opendraaide en de radio op tafel zette. ‘Zal ik een kop koffie voor je halen, Garry? Het is wel geen Startbucks-kwaliteit, maar je kunt je hart ophalen aan de cafeïne.’

Tennings ogen schoten nerveus heen en weer. ‘Jullie mogen me helemaal niet ondervragen zolang er geen advocaat bij is. Zet me maar in een cel.’

‘We ondervragen je toch ook niet?’ zei Conklin op poeslieve toon. Hij pakte een metalen stoel op, zette hem met een klap vlak naast Garry neer, en ging zitten.

‘We willen je juist hélpen. Jij wilt een advocaat en die krijg je. Geen enkel probleem.’ Conklin praatte luid in Garry’s oor. ‘Maar we willen je wel de kans geven om te bekennen. Misschien kunnen we een deal sluiten. Dat doen we graag, nietwaar, brigadier?’

‘Nou en of,’ zei ik, en ik had moeite om boven de herrie uit de radio uit te komen. Ik frunnikte aan de zenderknop en vond een station dat heavy metal muziek uit de jaren tachtig draaide. Ik draaide de volumeknop vol open en de schrille klanken weerkaatsten tegen de muren in de kleine kamer en lieten de tafel bijna vibreren.

‘We gaan de honden opgraven die je hebt vermoord, Garry!’ schreeuwde ik boven de muziek uit. ‘We vergelijken de gebitten met die bijtwonden op je arm. En we vergelijken het DNA uit de bloedspatten op je knuppel met dat van je slachtoffers. En dan reserveren rechercheur Conklin en ik een plaatsje op de eerste rij voor je executie, tenzij je wilt dat we de openbaar aanklager bellen zodat je een deal kunt sluiten. Wie weet kunnen we het zo regelen dat de doodstraf van tafel wordt geveegd.’

Ik keek op mijn horloge. ‘Ik schat dat je nog tien minuten hebt om die beslissing te nemen.’

Een band met de naam Gross Receipts zette het nummer *Brain Buster* in: ik had nog nooit zo’n ongelooflijke klereherrie gehoord.

Tenning kromp in elkaar en sloeg zijn handen over zijn oren.

‘Stop! Stop! Laat die advocaat maar. Ik zal alles vertellen. Maar zet alsjeblieft die herrie uit!’

107

Het regende nog steeds toen ik mijn auto naast Claires SUV parkeerde. Ik stak schuin over en rende naar de voordeur van Susie's, vijftig meter verderop. Toen ik de deur opendeed, dreven de klanken van de steelband en de geur van gebraden kip me tegemoet. Ik hing mijn jas op de kapstok naast de deur en zag dat Susie haar stamgasten aanmoedigde om mee te doen aan een limbowedstrijd, terwijl de band zijn instrumenten stemde.

'Lindsay, trek die natte schoenen uit en doe mee. Hartstikke leuk, joh!' riep Susie naar me.

'Vergeet het maar.' Ik lachte. 'Mij krijg je niet zo gek.' Ik liep door naar achteren en bestelde onderweg bij Lorraine een Corona.

Yuki zwaaide enthousiast naar me vanaf onze vaste tafel achter in de hoek. Cindy keek op en grijnsde. Ik liet me naast mijn beste vriendin Claire op een stoel zakken. Het was alweer een tijdje geleden dat we hier met zijn allen hadden gezeten. Veel te lang geleden.

Toen ik mijn biertje kreeg, wilde Cindy een toost op me uitbrengen omdat ik Garry Tenning had opgepakt.

Ik lachte haar voorstel weg en zei: 'Ik had een ijzersterke motivatie, Cindy. Als ik die hufter niet zou oppakken, zou ik voor altijd met jou als flatgenoot zitten opgescheept. Vandaar.'

Yuki en Claire waren niet op de hoogte van de laatste details, dus praatte ik hen snel bij.

'Hij is een boek aan het "schrijven". De volledige titel luidt: *The Accounting: A Statistical Compendium of the Twentieth Century.*'

'Dat meen je niet! Hij schrijft over alles wat er in de afgelopen honderd jaar is gebeurd?' vroeg Yuki.

'Ja. Als je bladzijde na bladzijde vol statistieken "schrijven" kunt noemen. Dingen als: wat was de melk- en graanopbrengst per jaar per staat; hoeveel kinderen zaten er op de basisschool; hoeveel ongelukken zijn er gebeurd met keukenapparaten en ga zo maar door.'

'Dat soort dingen kun je gewoon googelen,' zei Yuki.

'Garry Tenning beschouwt *The Accounting* als zijn levenswerk,' zei ik. Lorraine bracht nog een rondje bier en de menukaarten. 'Hij verdiende zijn geld als nachtwaker op een bouwterrein. Dat gaf hem tijd om "na te denken over zijn roeping" zoals hij het zelf noemde.'
'Hoe kon hij al die mensen en hun geluiden eigenlijk horen in dat kleine afgeschutte kamertje?' vroeg Claire.
'Geluid verplaatst zich door afvoerpijpen en ventilatiekanalen,' vertelde Cindy. 'Op de meest maffe plekken komt het tevoorschijn. Zo komt er uit het ventilatiekanaal in mijn badkamer het geluid van zingende mensen. Ik heb geen idee wie het zijn of waar ze wonen.'
'Misschien lijdt hij wel aan hyperacusis.'
'Aan wat?' vroeg ik.
'Hyperacusis. Overgevoeligheid voor geluid. Mensen met hyperacusis ervaren veel geluiden als te sterk en onaangenaam omdat hun tolerantie voor geluid enorm is afgenomen,' vertelde Claire ons, die moeite had boven de herrie van de limbowedstrijd en het lawaai in de keuken uit te komen. 'Geluiden die andere mensen nauwelijks kunnen horen, zijn voor die mensen bijna niet te verdragen.'
'En wat heeft dat tot gevolg?' vroeg ik.
'Dat heeft tot gevolg dat zo'n persoon zich geïsoleerd voelt. Voeg daar een agressieprobleem en wat psychopathische trekjes bij en dan krijg je iemand als Garry Tenning.'
'Het spook van de Blakely Arms,' zei Cindy. 'Zeg alsjeblieft dat er geen enkele kans bestaat dat hij vrijkomt op borgtocht.'
'Geen enkele,' verzekerde ik haar. 'Hij heeft bekend. We hebben het moordwapen. We hebben hem achter de tralies en daar blijft hij.'
'Nou, als die Garry Tenning echt overgevoelig is voor geluid, dan wordt hij knettergek in de gevangenis,' zei Yuki.
'Zo mag ik het horen!' zei Cindy, die naar haar oren wees.
Even later kwam Lorraine met onze bestelling. We vielen aan op het eten en brachten elkaar intussen op de hoogte van de laatste nieuwtjes. Claire vertelde dat ze twee keer zoveel werk op haar bordje had gekregen en dat er die avond een afscheidsfeestje voor dr. G. werd gehouden. Hij had een fantastische baan in Ohio aangeboden gekregen en geaccepteerd. We brachten een toost uit op dr. Germaniuk en kletsten verder. Op een gegeven moment vroeg Claire aan Yuki hoe ze zich voelde.
'Een beetje bipolair,' zei Yuki met een grijns. 'Er zijn dagen dat ik denk

dat Fred-a-lito-lindo de jury ervan zal overtuigen dat hij echt ontoerekeningsvatbaar is. En de volgende dag ben ik er heilig van overtuigd dat ik Mickey Sherman alle hoeken van de rechtszaal zal laten zien.'

Op een gegeven moment waren we bezig met een vriendschappelijk wedstrijdje over wie de beste naam voor Claires ongeboren baby kon bedenken. Cindy riep: 'Margarita, als het een meisje is,' en kreeg een gratis rondje aangeboden.

Veel te snel lagen er alleen nog botjes op onze borden en zaten we aan de koffie. We werden bijna weggekeken door de hongerige meute die klaarstond om onze plekken in te nemen. We betaalden de rekening en daagden elkaar uit om als eerste de regen in te rennen. Ik liep als laatste naar buiten. Even later reed ik richting Potrero Hill. Ik luisterde naar het ritme van de ruitenwissers, staarde naar de halo's om de koplampen die me tegemoetkwamen en merkte dat de stilte in de auto, die volgde op een turbulente dag en het opgewekte gezelschap van mijn vriendinnen, me in een sombere stemming bracht.

Joe zou niet op de stoep voor mijn appartement op me zitten te wachten.

Zelfs Martha was nog steeds op vakantie.

Terwijl ik de trap op liep naar mijn appartement ging het onweren. Het regende nog steeds toen ik die avond in mijn eentje in bed stapte.

108

Rich en ik zaten de volgende ochtend ongeduldig te wachten tot Mary Jordan kwam opdagen. Ze was tien minuten te laat en leek van streek. Ik nam de officemanager van de Westwood Registry mee naar het raamloze hok dat we de kantine noemen en zette koffie. Rich trok een paar stoelen bij. Ik schonk een mok koffie voor haar in: zwart met twee scheppen suiker. Dat herinnerde ik me nog van de laatste keer dat we haar hadden gesproken.

'Ik heb voor Madison gebeden,' zei Jordan. Haar handen, die in haar schoot lagen, bewogen onrustig. Ik zag wallen onder haar ogen. 'En ik heb gedaan wat God gewild zou hebben.'

Ik kreeg een gespannen gevoel in mijn maag bij haar woorden. 'Wat heb je dan gedaan, Mary?'

'Toen meneer Renfrew vanochtend wegging, ben ik nog een keer in zijn privékantoor op onderzoek uitgegaan. En daar heb ik dit gevonden.'

Ze zette een grote handtas op tafel en haalde er een ingebonden, ouderwets aandoend, blauw grootboek uit. QUEENSBURY REGISTER stond op de voorkant. Ze wees naar de nette blokletters. 'Dat is het handschrift van meneer Renfrew. Hier staat de boekhouding in van een zaak die de Renfrews twee jaar geleden in Montreal hadden.'

Ze sloeg het register open op de plek waar een hard, vierkant stuk papier tussen twee bladzijden zat ingeklemd. Jordan haalde het ertussenuit en draaide het om.

Het was een foto van een blond jongetje van ongeveer vier met prachtige blauwgroene ogen.

'Ik ben zo terug, oké?' zei ik tegen Jordan.

Ze knikte.

Ik had samen met HOVJ Kathy Valoy in de lift gestaan, dus ik wist dat ze op kantoor was. Ik belde haar en vertelde over het Queensbury-register en de foto van het knulletje. 'De Renfrews hebben kennelijk door het hele land uitzendbureaus voor kindermeisjes gehad, Kathy. En volgens

mij kijk ik nu naar een foto van een ander slachtoffer.'
Kathy moet de trap met twee treden tegelijk hebben genomen, want voor mijn gevoel had ik nauwelijks opgehangen of ze stond al in de deuropening.
Ze vroeg Mary Jordan opnieuw of ze de informatie uit zichzelf had opgezocht. Mary knikte bevestigend.
'Ik zal rechter Murphy een belletje geven,' zei Valoy, die naar de foto staarde en beide handen door haar korte zwarte haar haalde. 'Eens kijken wat dat oplevert.'
Een paar minuten nadat we bij de lift afscheid hadden genomen van Jordan, belde Kathy Valoy op. 'Ik fax nu het huiszoekingsbevel naar je toe.'

109

We belden aan bij de Westwood Registry en Paul Renfrew opende de deur voor ons. Hij droeg een grijs pak met een visgraatpatroon, een perfect gestreken overhemd en een vlinderdasje. Hij trok zijn borstelige wenkbrauwen op en schonk ons een brede glimlach.

Hij leek blij ons te zien.

'Hebt u goed nieuws? Hebt u Madison gevonden?' vroeg hij.

Ineens viel zijn blik op de vier geüniformeerde agenten die uit het politiebusje stapten.

'We hebben een huiszoekingsbevel, meneer Renfrew,' zei ik.

Conklin wenkte de agenten, die de trap op stommelden met lege kartonnen dozen. Ze liepen achter ons aan door de lange gang naar Renfrews kantoor.

Zijn werkplek zag er netjes uit. Op het bureau stond een halfvolle mok thee en naast een opengeslagen dossier stond een schoteltje met een paar muffins.

'Wat kunt u ons vertellen over het Queensbury-register?' vroeg ik Renfrew.

'Ga toch zitten,' zei hij, en hij wees naar een van de twee kleine banken die in de hoek van de kamer stonden. Ik ging zitten en Renfrew trok zijn bureaustoel bij, terwijl hij constant bezorgde blikken op Conklin wierp, die de agenten aanwijzingen gaf. Dossier na dossier ging in de dozen.

'Dat we een zaak met de naam Queensbury hadden, is geen geheim,' vertelde Renfrew. 'Ik had u er wel over verteld, maar we hebben dat bureau gesloten omdat het niet rendabel was.'

Hij stak zijn handpalmen omhoog alsof hij wilde zeggen: dat is alles, meer zit er niet achter.

'Ik ben namelijk niet zo'n heel goede zakenman,' zei Renfrew.

'We willen met uw vrouw praten,' zei ik.

'Natuurlijk, en zij wil ook met u praten. Vanavond vliegt ze vanuit Zürich terug naar huis.'

Renfrews openhartige manier van doen was zo innemend, dat ik hem liet denken dat hij me had ingepakt. Ik glimlachte en vroeg: 'Kent u dit kind?'
Renfrew pakte de foto aan van het blonde knulletje met de blauwgroene ogen en keek er aandachtig naar.
'Ik herken hem niet. Zou dat wel moeten?'
Conklin kwam naar ons toe met een agent in zijn kielzog, die een stapel blauwe registers droeg.
'Meneer Renfrew, de komende tweeënzeventig uur mag u geen zaken doen, dat betekent dat u de telefoon in dit kantoor ook niet mag gebruiken. Dit is agent Pat Noonan. Het is zijn taak ervoor te zorgen dat uw zaak gesloten blijft tot die termijn verstreken is.'
'Hij blijft hier?'
'Tot zijn aflossing komt. Dat is over acht uur. Houdt u van football? Pat is een groot fan van de Fighting Irish. Hij kletst u de oren van het hoofd als hij de kans krijgt.'
Noonan glimlachte, maar Renfrew glimlachte niet terug.
'En nog iets, meneer Renfrew, u mag niet de stad uit gaan. Dat zou een heel slechte indruk maken.'

110

De spanning is Tracchio's kantoor was bijna niet te harden. De media zaten ons al een week lang onafgebroken op de huid: de televisie, de kranten, de roddelbladen. En wij stonden met onze mond vol tanden.
Een negentienjarig meisje was vermoord. Het kind van een prominente familie was ontvoerd en waarschijnlijk ook vermoord.
Dat vonden we allemaal afgrijselijk en iedereen in Tracchio's kantoor trok het zich persoonlijk aan.
'Boxer, vertel de chef wat we hebben,' droeg Jacobi me op.
Ik doe dit niet voor het eerst, inspecteur, had ik hem het liefst toegesnauwd, maar dat deed ik niet. Ik wierp hem alleen een vuile blik toe.
Ik beschreef wat we tot dusver hadden en mikte de bewijsstukken een voor een op zijn bureau. Als eerste de kopietjes van de brieven die de ontvoerders hadden geschreven. Als tweede de foto's van drie kinderen: Erica Whitten, Madison Tyler en het onbekende jongetje met de blauwgroene ogen.
'We kennen de identiteit van dat jongetje niet. Renfrew zegt dat hij hem niet kent, maar de foto van dat knulletje komt uit een van zijn eigen registers.'
Rich legde het Queensbury-register naast twee Westwood-registers neer. 'We weten dat de Renfrews drie uitzendbureaus voor kindermeisjes hebben gehad: eentje in Boston, het bureau dat ze nu hebben, en al wat langer geleden hadden ze er eentje in Montreal met de naam Queensbury Registry. De politie in Montreal heeft een oude zaak openstaan,' zei ik. 'Een jongetje dat André Devereaux heet werd twee jaar geleden uit een speeltuintje in de buurt van zijn huis ontvoerd. Hij had een kindermeisje.'
'Kwam dat kindermeisje van de Queensbury Registry?'
'Ja, chef,' antwoordde Conklin. 'Ik heb die registers doorgenomen. Als je alles bij elkaar optelt: de huur de kosten om kindermeisjes te rekruteren en vanuit Europa hiernaartoe te halen, de kosten voor het kantoor,

en al het papierwerk, dan verliezen de Renfrews geld en niet zo'n klein beetje ook. Zelfs als je de forse honoraria meetelt, die ze in rekening brengen bij hun cliënten.'
'En toch gaan ze door,' zei ik. 'Waarom? Wat levert het ze op?'
Rechercheur Macklin schoof een uitdraai van een digitale foto naar Tracchio toe. 'Dat is André Devereaux,' zei hij. 'Hij lijkt op het knulletje van de foto uit het Queensbury-register.'
'Andrés kindermeisje was Britt Osterman, een Zweedse. Ze was door de Queensbury Registry ingehuurd. Een week na de ontvoering van André Devereaux werd Britt Osterman in de berm van een landweggetje gevonden. Met een kogel in haar hoofd. De eigenaren van de Queensbury Registry waren twee Amerikanen die zichzelf John en Tina Langer noemden. De Langers verdwenen na de ontvoering. De Canadese politie heeft ons deze foto van de Langers ge-e-maild.'
Macklin legde een computeruitdraai op Tracchio's bureau met een afbeelding van een blanke man en vrouw van achter in de veertig. Het was een informeel kiekje dat op een feest was genomen. Prachtige zaal. Adembenemend mooie lambrisering. Mannen in smoking. Vrouwen in cocktailjurken.
Macklin wees iemand aan op de foto, een brunette van achter in de veertig die een bronskleurige, diep uitgesneden jurk droeg. Ze leunde tegen een glimlachende man aan, die zijn arm om haar heen had geslagen.
Ik had geen idee wie de vrouw was, maar ik kende de man. Op de foto had hij zwart haar dat strak achterover was gekamd. Hij had een sikje en droeg geen bril.
Maar aangezien ik hem kort geleden nog had gezien, herkende ik hem. John Langer was Paul Renfrew.

111

Die dag zaten Conklin en ik iets na twaalven 's middags in Uncle's Café in Chinatown. We hadden beiden de dagschotel besteld: stoofpotje, aardappelpuree en sperzieboontjes. Conklin had al een flinke bres geslagen in zijn aardappelpuree, maar ik had geen trek.

We zaten voor het raam en hadden goed uitzicht op de overkant van de troosteloze straat waar een rijtje huizen stond en de Westwood Registry. Een zwangere, Chinese vrouw met vlechtjes schonk ons nog een kop thee in. Toen ik een halve seconde later door het raam keek, zag ik Paul Renfrew, zoals hij zichzelf nu noemde, naar buiten komen en de bordestreden af lopen.

'Kijk daar eens,' zei ik, en ik tikte met mijn vork op Conklins bord. Mijn mobieltje begon te rinkelen. Het was Pat Noonan.

'Meneer Renfrew zei dat hij ging lunchen en om halftwee weer terug zou zijn.'

Dat betwijfelde ik.

Volgens mij sloeg Renfrew op de vlucht. En hij had geen flauw idee door hoeveel paar ogen hij in de gaten werd gehouden.

Conklin betaalde de rekening. Ik belde naar Stanford en Jacobi, trok mijn jack aan over mijn kogelvrije vest, en keek naar Renfrew, die met kwieke pas langs kruidenwinkeltjes en souvenirzaakjes liep in de richting van de kruising van Waverly en Clay.

Conklin en ik bereikten de Crown Vic op het moment dat Renfrew het portier van zijn blauwe BMW sedan opende. Hij wierp een blik achterom, stapte in en reed weg in zuidelijke richting.

Toen Renfrew Sacramento Street bereikte, schoten Dave Stanford en zijn partner Heather Thomson vlak achter de BMW de verkeersstroom in, terwijl Jacobi en Macklin de noordelijke route richting Broadway namen. We gebruikten mobilofoons om onze locaties en die van de BMW door te geven en zorgden ervoor dat niet steeds dezelfde auto achter hem aan zat, maar wisselden elkaar af. Mijn hart ging sneller slaan toen we Paul Ren-

frew volgden, die Joost mocht weten waarheen vluchtte.
We achtervolgden hem over de Bay Bridge en reden noordwaarts over de 24 en uiteindelijk reden we Contra Costa County binnen.
Conklin en ik hadden net de leiding van de achtervolging overgenomen toen Renfrew Altarinda Road verliet en Orinda binnen reed, een klein stadje met prijzige huizen, dat omringd werd door heuvels.
Ik hoorde Jacobi via de meldkamer aan de lokale politie doorgeven dat we in het kader van een moordonderzoek een verdachte volgden. Macklin vroeg de politie van Oakland om helikopterassistentie. De stem die ik daarna hoorde, was die van Stanford. Hij schakelde de grote jongens in en vroeg om assistentie van een FBI-arrestatieteam.
'De SFPD heeft niet langer de leiding over de arrestatie,' zei ik tegen Conklin.
De BMW van Renfrew ging langzamer rijden en draaide de oprit in van een wit huis met blauwe luiken en puntgeveltjes.
Conklin reed langzaam door en aan het einde van de straat draaiden we om. We reden langzaam terug en zetten de auto op een schaduwrijk plekje schuin tegenover het huis waar Renfrew zijn blauwe BMW naast een zwart Honda-busje had gezet.
Het kon geen toeval zijn.
Dat moest het busje zijn dat voor de ontvoering van Madison Tyler en Paola Ricci was gebruikt.

112

Ik trok het kenteken van het busje na op de computer in de auto. Ik dacht al aan een huiszoekingsbevel en de inbeslagname van het busje en hoopte dat we een spatje van Paola Ricci's bloed in een naad van de bekleding zouden vinden – een tastbaar bewijs dat het verband zou vormen tussen de Renfrews en de ontvoering van Paola Ricci en Madison Tyler.

Er werden twee zones vastgesteld en afgezet: de binnenzone vormde een cirkel om het huis met de blauwe luiken en de buitenzone grendelde het gebied binnen een straal van twee straten om het huis met de puntgevels af.

Ik had geen beweging in het huis gezien en vroeg me af wat er binnen gebeurde. Was Renfrew aan het inpakken? Vernietigde hij belastende documenten?

Het was bijna vier uur 's middags toen vijf zwarte SUV's de straat in reden. Ze parkeerden op de stoep met hun neus naar het witte huis.

Dave Stanford liep naar onze auto en overhandigde me een megafoon. Zijn paardenstaart was verdwenen net als de humor in zijn ogen. Dave werkte niet langer undercover.

'Wij hebben de leiding, Lindsay. Maar aangezien Renfrew jou kent, mag jij kijken of je hem naar buiten kunt praten.'

Conklin startte de motor, reed de auto naar de overkant van de straat en parkeerde hem pal voor Renfrews oprit. Zowel de BMW als het busje kon geen kant meer op.

Ik stapte uit, stelde me achter het openstaande portier op en drukte de knop van de megafoon in. 'Paul Renfrew, dit is brigadier Boxer. Er is een arrestatiebevel tegen u uitgevaardigd. U wordt gearresteerd op verdenking van moord. Kom naar buiten met uw handen omhoog.'

Mijn stem schalde door de stille woonstraat. Vogels vlogen verschrikt op en overstemden het geluid van de rotorbladen.

'Ik zie iets bewegen op de eerste verdieping,' zei Conklin.

Elk spier in mijn lichaam spande zich. Mijn ogen vlogen naar de eerste

verdieping. Ik zag niets, maar de haartjes op mijn armen stonden rechtovereind. Ik voelde dat er een wapen op me was gericht.
Ik bracht de megafoon naar mijn mond en drukte de knop weer in. 'Meneer Renfrew, dit is uw laatste en enige kans. Er is een heel arsenaal wapens op uw huis gericht. Zorg dat we er geen gebruik van hoeven te maken.'
De voordeur ging krakend open. Renfrew verscheen in de deuropening. Hij riep: 'Ik kom naar buiten. Niet schieten! Alsjeblieft! Niet schieten!'
Mijn blik schoot naar links om te kijken hoe het FBI-arrestatieteam reageerde. Een stuk of tien M16-geweren waren nog steeds op de voordeur gericht. Ik wist ook dat er een sluipschutter op een van de daken lag met een Remington Model 700, die het voorhoofd van Renfrew in de kruisdraden van zijn krachtige telescoopvizier had.
Ik legde de megafoon weg. 'Stap naar buiten zodat we u kunnen zien,' riep ik naar de man in de deuropening. 'Nu omdraaien en áchterwaarts in de richting van mijn stem lopen.'
Renfrew stond onder de luifel van de voordeur. Slechts tien meter kortgeschoren gras scheidde ons.
'Dat kan ik niet,' zei Renfrew met zwakke, bijna smekende stem. 'Als ik verder loop, schiet ze me neer.'

113

Renfrew zag er bang uit en dat was begrijpelijk. Als hij een verkeerde beweging maakte, kelderde zijn levensverwachting tot twee seconden. Toch was hij niet bang voor ons.

'Wie wil u neerschieten?' vroeg ik.

'Mijn vrouw Laura. Ze is boven met een semiautomatisch pistool. Ze wil niet naar buiten komen. Ik ben bang dat ze niet zal toestaan dat ik me overgeef.'

Het zag er niet goed uit. Als we erachter wilden komen wat er met Madison Tyler was gebeurd, moesten we Paul Renfrew in leven houden.

'Doe precíés wat ik zeg,' riep ik. 'Trek uw jas uit en gooi hem naast u op de grond... oké. Goed zo. Keer nu uw broekzakken binnenstebuiten.'

De microfoon van mijn zender stond aan zodat de rest kon meeluisteren.

'Maak uw riem los, meneer Renfrew. En laat uw broek zakken.'

Renfrew wierp me een verbaasde blik toe, maar gehoorzaamde. Zijn overhemd reikte tot net over zijn dijen.

'Draai nu langzaam rond. Helemaal rond. Trek uw overhemd omhoog zodat ik uw middel kan zien.'

Hij deed wat hem opgedragen werd.

'Oké, u kunt uw broek weer optrekken.'

Snel hees hij zijn broek omhoog.

'Nu wil ik dat u uw broekspijpen tot aan uw knieën omhoogtrekt.'

'Helemaal geen lelijke benen voor een vent.' Conklin keek me over het dak van de auto aan. 'We moeten hem daarvandaan halen.'

Ik knikte. Als zijn vrouw naar beneden kwam, kon ze Renfrew vanuit de deuropening neerknallen.

Ik zei tegen Renfrew dat hij zijn broekspijpen kon loslaten, een paar stappen vooruit moest doen en beide handen tegen de muur van het huis moest zetten.

'Als u doet wat ik zeg, kan ze u niet in het vizier krijgen,' zei ik op geruststellende toon. 'Hou beide handen tegen de muur en loop zo naar de zuidelijke hoek van het huis. Ga dan op de grond liggen met uw handen in uw nek.'

Toen Renfrew op de grond lag, reed een zwarte Suburban het grasveld op. Er sprongen twee FBI-agenten uit, die hem fouilleerden en boeiden. Ze duwden hem net op de achterbank van hun auto toen ik glas hoorde breken op de eerste verdieping van het huis. O, nee.

Ik zag een vrouwengezicht voor het raam verschijnen.

Ze hield een pistool tegen de zijkant van het hoofd van een klein meisje gedrukt, dat er doodsbang uitzag.

Het meisje was Madison Tyler.

De vrouw die haar gijzelde was Tina Langer, alias Laura Renfrew, en ze zag eruit alsof ze in staat was tot moord. Haar gezicht was vertrokken van woede, maar ik zag geen spoortje angst.

Ze riep door het raam: 'Het einde van het spel is altijd het spannendste, vindt u ook niet, brigadier Boxer? Ik wil een vrijgeleide. Voor mij én Madison. Die helikopter is een goed begin. Laat iemand die piloot bellen. Zorg dat hij op het grasveld landt. En snel! O, ja... als iemand ook maar één stap in mijn richting zet, dan schiet ik dit meis...'

Ik zag het gat in haar voorhoofd voor ik het schot van de Remington hoorde dat door de sluipschutter was afgevuurd.

Madison gilde het uit toen de vrouw die zichzelf Laura Renfrew noemde, verstijfde.

Ze liet het meisje los toen ze viel.

114

Was Madison Tyler ongedeerd? Dat was het enige waaraan ik dacht toen Conklin en ik de slaapkamer op de eerste verdieping aan de straatzijde binnen stormden. Geen Madison te zien.

'Madison?' riep ik op schelle toon.

'Waar ben je, lieverd?' riep Rich Conklin terwijl we op de kast af liepen. 'Wij zijn van de politie.'

We bereikten de kast op hetzelfde moment. 'Madison, alles is in orde, liefje,' zei ik, en ik draaide de deurknop om. 'Niemand zal je iets doen.'

Ik opende de deur en zag een stapel kleding op de grond liggen, die in het ritme van iemands ademhaling bewoog.

Ik ging op mijn knieën zitten, nog steeds bang voor wat ik zou aantreffen. 'Maddy,' zei ik, 'ik heet Lindsay. Ik ben politieagente. Het is voorbij.'

Voorzichtig schoof ik de stapel opzij tot ik het meisje zag. Ze jammerde zachtjes en wiegde heen en weer met gesloten ogen.

Godzijdank. Het was Madison.

'Alles komt goed, lieverd,' zei ik met trillende stem. 'Ik breng je naar huis.'

Madison opende haar ogen en ik stak mijn armen naar haar uit. Ze stortte zich in mijn armen, ik trok haar dicht tegen me aan en legde mijn wang tegen haar hoofdje.

Ik haalde het mobieltje van mijn riem en toetste een nummer in dat ik uit mijn hoofd had geleerd. Mijn handen beefden zo erg dat ik het nummer opnieuw moest intoetsen.

Bij het tweede belletje werd er opgenomen.

'Mevrouw Tyler, u spreekt met Lindsay Boxer. Ik sta hier met rechercheur Conklin. We hebben Madison gevonden.' Ik hield mijn mobieltje voor Madisons gezicht en fluisterde: 'Zeg eens iets tegen je mama.'

115

Aan het begin van de avond bevonden Conklin en ik ons op de twaalfde verdieping van het FBI-hoofdkantoor aan Golden Gate Avenue. We zaten in een ruimte met vijftien andere FBI-agenten en politieagenten en keken naar de videomonitor die ons de beelden uit de verhoorkamer liet zien. Dave Stanford en zijn partner Heather Thompson ondervroegen Renfrew.

Ik zat naast Conklin en keek naar Stanford en Thomson, die de afgrijselijke misdrijven van Paul Renfrew stuk voor stuk onder de loep namen. Renfrew, alias John Lager, alias David Cornwall, alias Josef Waller, de naam die hij bij zijn geboorte had gekregen.

'Hij geniet van de aandacht die hij krijgt,' zei ik tegen Conklin.

'Het is maar goed dat ik niet in die kamer ben,' zei Conklin. 'Mijn handen gaan jeuken van zoiets.'

Conklins 'zoiets' sloeg op Wallers zelfingenomen, minzame houding. Hij had geen grote mond, deed niet minachtend en stelde zich ook niet uitdagend op, maar praatte tegen Stanford en Thomson alsof ze collega's waren. Het leek wel alsof hij verwachtte dat de relatie met zijn ondervragers stand zou houden nadat hij zijn bekentenis had gedaan.

Macklin, Conklin en ik zaten aan onze stoel gekluisterd toen Waller op liefkozende toon de namen van zijn slachtoffers uitsprak: André Devereaux, Erica Whitten, Madison Tyler en een klein meisje met de naam Dorothea Alvarez uit Mexico-Stad.

Een kind van wie we niets hadden geweten.

Een kind dat misschien nog leefde.

Waller dronk koffie met kleine teugjes en vertelde Stanford en Thomson dat de drie vermiste kinderen nu als seksspeeltjes in de huizen van steenrijke mannen verbleven, die verspreid over de wereld woonden.

'Het was het idee van mijn vrouw om knappe Europese meisjes te laten overkomen en ze als kindermeisjes bij vooraanstaande families te plaatsen. Daarna moesten er kopers voor de kinderen worden gevonden. Ik

hield me met de kindermeisjes bezig. Dat was mijn werk. Ze waren het trotst op de kinderen die mooi, intelligent en begaafd waren. En ik moedigde ze aan om me alles over de kinderen te vertellen.'
'Dus onbewust wezen de kindermeisjes u op uw toekomstige slachtoffer. Ze hadden geen flauw idee van uw plannen,' zei Thomson.
Renfrew glimlachte.
'Hoe kwam u aan kopers?' vroeg Stanford.
'Mond-tot-mondreclame,' zei Renfrew. 'Onze cliënten waren allemaal rijke mannen van standing en ik heb altijd het gevoel gehad dat de kinderen in goede handen waren.'
Ik kreeg de neiging om te kotsen, maar in plaats daarvan greep ik de armleuningen van mijn stoel vast en hield ik mijn ogen op het scherm gericht.
'U hebt Madison bijna twee weken bij u gehouden,' zei Thomson. 'Dat lijkt me nogal riskant.'
'We wachtten tot er geld overgemaakt was,' zei Waller op spijtige toon. 'We zouden anderhalf miljoen voor Madison krijgen, maar de koper haakte af. Daarna kregen we een ander aanbood, minder hoog, en toen verscheen de oorspronkelijke koper ineens weer op het toneel. Die paar extra dagen hebben ons de das omgedaan.'
'Nog even over de ontvoering van Madison en Paola,' zei Stanford. 'Jullie ontvoerden die twee op klaarlichte dag voor de ingang van een druk park. Indrukwekkend, dat moet ik toegeven. Ik wil graag weten hoe jullie dat voor elkaar kregen.'
'Dat liep nog bijna fout.' Waller zuchtte diep, alsof hij nadacht hoe hij het verhaal zou brengen.
'We reden met het busje naar het Alta Plaza Park,' zei de psychopaat in zijn grijze pak met visgraatmotief.
'Ik zei tegen Paola en Madison dat ze met ons moesten meekomen. Ziet u, de kinderen vertrouwden de kindermeisjes en die vertrouwden óns weer.'
'Briljante strategie,' zei Stanford.
Renfrew knikte bij de lovende woorden, die kennelijk genoeg aansporing vormden om verder te vertellen. 'We vertelden ze dat er een ongeluk was gebeurd, dat Elizabeth Tyler van de trap was gevallen. Ik had Madison op de achterbank en gebruikte chloroform op haar, ze was zo buiten westen. Maar Paola probeerde het stuur te grijpen. Dat had ons allemaal het

leven kunnen kosten. Ik moest haar wel uitschakelen. Wat zou u gedaan hebben?'
'Ik zou je bij je geboorte de nek omgedraaid hebben,' zei Stanford. 'Jezus, wat zou ik dat graag gedaan hebben.'

Deel vijf

Fred-a-lito-lindo

116

Op de overvolle publieke tribune zaten misdaadjournalisten, familieleden van slachtoffers en tientallen mensen die op de *Del Norte* aanwezig waren geweest toen Alfred Brinkley de fatale schoten had afgevuurd. Het gefluister zwol aan tot luid geroezemoes toen Brinkley tussen twee bewakers in de rechtszaal binnen kwam.

Daar had je hem!

De veerbootschutter.

Mickey Sherman bleef staan tot Brinkleys handboeien en de ketting om zijn middel waren verwijderd. Sherman ging zitten en schoof uitnodigend een stoel naar achteren voor zijn cliënt, die hem vroeg: 'Krijg ik nu mijn kans?'

'Daar denk ik nog over na,' antwoordde Sherman. 'Weet je het zeker, Fred?'

Brinkley knikte. 'Hoe zie ik eruit?'

'Goed. Je ziet er goed uit.'

Mickey leunde achterover en keek eens goed naar zijn bleke, graatmagere cliënt wiens haar slecht was geknipt, die uitslag op zijn wangen had van het scheren en een glimmend pak droeg dat om zijn schriele lijf heen slobberde.

Het was een ongeschreven regel dat je je cliënt niet liet getuigen tenzij het water je tot aan de lippen stond en zelfs dan deed je dat alleen als je cliënt geloofwaardig en sympathiek genoeg was om de jury op andere gedachten te brengen.

Fred Brinkley was sullig en saai.

Maar hadden ze nog wel iets te verliezen? Het OM had ooggetuigenverklaringen, een videoband en een bekentenis. Daarom woog Sherman de voor- en nadelen nog tegen elkaar af. Een groot risico vermijden versus een kans dat Fred-a-lito-lindo de juryleden ervan kon overtuigen dat de herrie in zijn hoofd zo gekmakend was dat hij niet bij zijn verstand was toen hij die arme mensen neerschoot...

Fred had het recht om zich in de getuigenbank te verdedigen, maar Sherman dacht dat hij zijn cliënt zo nodig wel op andere gedachten kon brengen. Hij was er nog niet uit toen de juryleden de zaal werden binnen geleid. Even later kwam de rechter binnen. Met een klap van zijn hamer opende hij de zitting en er daalde een verwachtingsvolle stilte neer.

Rechter Moore tuurde boven de rand van zijn bril uit naar Sherman en vroeg: 'Bent u zover, meneer Sherman?'

'Jazeker, edelachtbare.' Sherman stond op, knoopte zijn jasje dicht en zei tegen zijn cliënt: 'Fred…'

117

'Dus na het ongeluk van je zus kwam je in het Napa State Hospital terecht?' Sherman zag dat Fred zich veel beter op zijn gemak voelde in het getuigenbankje dan hij had verwacht.
'Ja. Ik heb me vrijwillig laten opnemen. Ik kon het niet meer aan.'
'Juist ja. En in Napa werd je onder behandeling gesteld?'
'Ja. Het is al erg genoeg om zestien te zijn zonder dat je kleine zusje voor je ogen omkomt.'
'Dus je was depressief omdat je je zusje niet kon redden toen ze door de giek overboord werd geslagen?'
'Edelachtbare,' zei Yuki die opstond, 'we hebben geen bezwaar tegen de getuigenis van meneer Brinkley, maar we vinden wel dat hij ten minste moet worden ingezworen.'
'Ik zal een andere vraag stellen.' Sherman glimlachte onaangedaan en leek alleen oog te hebben voor zijn cliënt. 'Fred, hoorde je al stemmen in je hoofd voordat je zusje dodelijk verongelukte?'
'Nee. Ik hoorde hem pas na die tijd.'
'Fred, wil je de jury vertellen wie je met "hem" bedoelt?'
Brinkley legde zijn gevouwen handen op zijn hoofd en zuchtte diep, alsof een beschrijving van de stem deze tot leven zou wekken.
'Het zit zo,' legde Brinkley uit. 'Er is meer dan één stem. Er is ook een vrouwenstem, een beetje een eentonige, zeurderige stem, maar zij is niet belangrijk. Het gaat om die andere stem en die is pisnijdig. Hij kookt van woede en is helemaal over de rooie. En die zegt wat ik moet doen.'
'Dat is de stem die jou die dag op de veerboot opdroeg om te schieten?'
Brinkley knikte mistroostig. 'Hij schreeuwde dat ik ze moest doden, dat was alles wat telde. Ik kon alleen hem horen. Ik moest wel doen wat hij me opdroeg. Hij was de enige die echt was, de rest was een verschrikkelijke nachtmerrie.'
'Fred, klopt het als ik zeg dat je nooit ofte nimmer iemand zou hebben neergeschoten als die stemmen er niet waren geweest? De stemmen die

jou na de dood van je zusje nu al vijftien jaar zeggen wat je moet doen?' vroeg Sherman.
Sherman zag dat zijn cliënt niet langer naar hem luisterde, maar dat hij naar de publiekstribune staarde.
'Dat is mijn móéder,' zei Brinkley. Er klonk verwondering in zijn stem. 'Dat is mám!'
Vele hoofden keerden zich in de richting van een aantrekkelijke, licht gekleurde Afro-Amerikaanse vrouw van begin vijftig, die naar een leeg plekje halverwege een rij schuifelde, een strakke glimlach op haar zoon wierp en ging zitten.
'Fred,' zei Sherman.
'Mam! Ik ga het vertellen, hoor!' riep Brinkley. Zijn stem was hees van emotie en zijn gezicht was vertrokken van pijn.
'Luister je, mam? Zet je maar schrap, want ik ga de waarheid vertellen! Meneer Sherman, u zit er helemaal naast. U zegt steeds "ongeluk". Maar Lily's dood was helemaal geen ongeluk!'
Sherman draaide zich naar de rechter toe en zei kalm: 'Edelachtbare, ik denk dat dit een goed moment is om even een korte pauze...'
Brinkley onderbrak zijn advocaat en zei op scherpe toon: 'Ik heb geen pauze nodig. Eerlijk gezegd heb ik uw hulp helemaal niet meer nodig, meneer Sherman.'

118

'Edelachtbare,' zei Sherman, die net deed alsof zijn cliënt zich niet ineens als een gestoorde gedroeg, 'ik vraag u de getuigenis van meneer Brinkley te schrappen.'
'Op grond waarvan, meneer Sherman?'
'Ik ging met haar naar béd, mam!' schreeuwde Brinkley luid. 'En dat was niet de eerste keer. Ze deed net haar topje uit toen de giek...'
'O, lieve god,' jammerde iemand op de tribune.
'Op grond van het feit dat de getuige niet meewerkt aan de ondervraging, edelachtbare,' antwoordde Sherman.
Yuki sprong op. 'Edelachtbare, meneer Sherman heeft deze getuige zélf opgeroepen en deze getuige is zijn eigen cliënt!'
Brinkleys ogen schoten plotseling van zijn moeder naar de juryleden die hij indringend aanstaarde.
'Ik heb gezworen dat ik de waarheid zou vertellen,' zei hij, terwijl achter hem het tumult aanzwol. Hoewel de rechter herhaaldelijk hard met zijn hamer op tafel sloeg, ging het geluid verloren in het lawaai in de rechtszaal. 'En de waarheid is dat ik geen poot heb uitgestoken om mijn zusje te redden,' zei Brinkley. Er vlogen klodders speeksel van zijn lippen. 'Ik heb die mensen op de veerboot vermoord omdat hij het zei. Ik ben heel gevaarlijk!'
Sherman liep terug naar de tafel van de verdediging, ging zitten en stopte kalmpjes zijn papieren in een map.
'Die dag op de veerboot,' schreeuwde Brinkley, 'heb ik mijn wapen op die mensen gericht en de trekker overgehaald. En dat zou ik zo weer kunnen doen!'
De juryleden keken met grote verschrikte ogen toe terwijl Alfred Brinkley de tranen van zijn ingevallen wangen veegde.
'Zo is het wel genoeg, meneer Brinkley,' bulderde de rechter.
'Jullie hebben gezworen dat er gerechtigheid zou geschieden.' Brinkley begon ritmisch op zijn knieën te slaan. 'Jullie moeten me de doodstraf

geven voor wat ik die mensen heb aangedaan. Dat is de enige manier om zeker te weten dat ik het nooit meer zal doen. Als jullie me niet de doodstraf geven, dan kom ik terug. Dat beloof ik.'
Mickey Sherman stopte de map in zijn glanzende, metallickleurige aktetas en klikte de sloten resoluut dicht.
'Meneer Sherman,' zei rechter Moore met een geërgerde klank in zijn stem, 'hebt u nog vragen voor uw getuige?'
'Nee, edelachtbare.'
'Mevrouw Castellano? Wilt u een kruisverhoor afnemen?'
Er was niets wat Yuki kon bedenken dat Brinkleys eigen woorden kon overtreffen. Als jullie me niet de doodstraf geven, dan kom ik terug. Dat beloof ik.
'Ik heb geen vragen, edelachtbare.'
Op het moment dat de rechter tegen Brinkley zei dat hij kon gaan, was Yuki opeens op haar qui-vive.
Had Brinkley net zijn eigen doodsvonnis getekend?
Of had zijn gedrag de jury ervan overtuigd dat hij ontoerekeningsvatbaar was? Daden die duidelijker spraken dan woorden, was dat soms het geval?

119

Fred Brinkley zat op het harde bed in zijn twee bij drie meter grote cel op de negende verdieping van het paleis van justitie. Overal om hem heen was geluid: stemmen van andere gevangenen; piepende wielen van de maaltijdwagen; en deuren die werden dichtgeslagen.

Brinkley had het dienblad met zijn avondeten op zijn schoot. Droge kipfilet, waterige aardappelpuree en een hard broodje, net als de avond ervoor. Hij kauwde het voedsel goed, maar genoot er niet van.

Hij veegde zijn mond schoon met een bruin papieren servetje dat naast zijn eten lag, verfrommelde het tot een prop die zo hard en rond was als een knikker en legde hem toen precies midden op het dienblad.

Hij schoof het plastic bestek netjes naar één kant, stond op, liep een paar passen en schoof het dienblad onder de deur door.

Daarna liep hij terug naar zijn bed. Hij plofte neer, leunde met zijn rug tegen de muur en liet zijn benen over de rand bungelen. Vanaf die plek kon hij de wasbak annex wc-constructie links van hem zien en de muur van B-2-blokken tegenover hem.

De muur was grijsgeverfd en op diverse plekken waren er tekens in gekrast: telefoonnummers, scheldwoorden, bendenamen en symbolen die hij niet begreep. Hij begon de B-2-blokken in de muur te tellen. Zijn oog volgde de voegen, alsof de specie tussen de blokken een doolhof vormde waarvan de oplossing in de lijnen tussen de blokken was te vinden.

Een bewaker aan de andere kant van de cel haalde het dienblad weg. Op zijn naamplaatje stond: OZZIE QUINN.

'Tijd voor je pillen, Fred-o,' zei Ozzie.

Brinkley liep naar de traliedeur, stak zijn hand uit en nam het kartonnen bekertje met de pillen aan. De bewaker keek toe terwijl Brinkley de inhoud in zijn mond liet glijden.

'Spoel het hier maar mee door,' zei Ozzie, die nog een kartonnen bekertje door de tralies stak, dat gevuld was met water. Hij keek toe terwijl Brinkley de pillen doorslikte.

'Over tien minuten gaat het licht uit.'
'Dan is het oogjes dicht en snaveltjes toe,' zei Fred.
Hij liep terug, liet zich weer op zijn bed vallen en leunde tegen de muur.
Hij probeerde binnensmonds te zingen, ay, ay, ay, ay, Mama-cita-lindo.
Hij zette zich af tegen de rand van het bed en stormde met gebogen hoofd op de B-2-blokkenmuur af.
En nog een keer.

120

Toen Yuki de rechtszaal weer binnen liep, zat haar baas, Leonard Parisi, naast David Hale aan de tafel voor de verdediging. Zodra ze het nieuws over Brinkleys zelfmoordpoging had gehoord, had ze Len gebeld. Toch had ze niet verwacht hem in de rechtszaal te zien.

'Leonard, fijn je te zien,' zei ze, maar ze dacht: verdomme! Neemt hij de zaak over? Dat zal hij me toch niet aandoen?

'Hoe gaat het met de jury?' vroeg Parisi.

'Goed. Althans, dat zeiden ze tegen de rechter. Niemand wil een nietigverklaring. Mickey vroeg niet eens om uitstel.'

'Mooi zo. Ik ben gek op die arrogante pummel,' mompelde Parisi.

Aan de andere kant van het middenpad zat Sherman met zijn cliënt te praten. Brinkleys ogen waren bont en blauw. Er zat een groot verband op zijn voorhoofd en hij droeg een lichtblauw ziekenhuishemd met daaronder een gestreepte pyjamabroek.

Brinkley had zijn ogen neergeslagen en plukte aan de haartjes op zijn arm terwijl Sherman tegen hem praatte, en keek niet op toen de gerechtsbode riep: 'Allemaal opstaan.'

De rechter ging zitten, schonk een glas water in en vroeg Yuki of ze zover was. Yuki antwoordde bevestigend. Het was tijd voor haar requisitoir. Ze liep naar de katheder en hoorde het bloed in haar oren gonzen. Ze schraapte haar keel, begroette de juryleden en begon.

'Het is niet aan ons om uit te maken of meneer Brinkley psychische problemen heeft,' zei Yuki. 'We hebben allemáál problemen, maar sommigen van ons kunnen daar beter mee omgaan dan anderen. Meneer Brinkley heeft verklaard dat hij een boze stem in zijn hoofd hoort en misschien is dat ook wel zo. Dat weten we niet en dat maakt ook niet uit. Een psychische stoornis is geen vrijbrief voor moord, dames en heren. En het feit dat hij stemmen in zijn hoofd hoort, verandert niets aan het feit dat Alfred Brinkley wist dat hij iets verkeerds deed toen hij vier onschuldige mensen executeerde, onder wie een negenjarig jongetje

dat de onschuld zelve was. Hoe weten we dat meneer Brinkley wist dat wat hij deed, verkeerd was?' vroeg ze aan de jury. 'Dat weten we omdat zijn gedrag, zijn daden, dat duidelijk maakten.'
Yuki was even stil om de spanning op te voeren en keek de zaal rond. Ze zag Leonards kolossale gestalte en de gespannen uitdrukking op zijn gezicht; ze zag de gestoorde blik in Brinkleys ogen; en ze zag dat de juryleden haar geconcentreerd aankeken en wachtten tot ze verder zou gaan.
'We zullen het gedrag van meneer Brinkley eens nader bekijken,' zei ze. 'Ten eerste had hij een geladen Smith & Wesson-revolver Model 10 bij zich toen hij die dag op de veerboot stapte. Daarna wachtte hij tot de veerboot afmeerde zodat hij niet midden in de baai gevangen kwam te zitten en geen kant meer uit kon. Die daden duiden op opzet. Die daden duiden op voorbedachten rade. Terwijl de *Del Norte* afmeerde, richtte Alfred Brinkley zijn wapen en schoot hij vijf mensen neer. Daarna vluchtte hij. Hij maakte zich zo snel mogelijk uit de voeten. Dat betekent dat hij wist dat wat hij deed, verkeerd was, dames en heren. Meneer Brinkley was twee dagen op de vlucht voor hij zichzelf aangaf en zijn misdaden bekende... omdat hij wist dat hij iets verkeerds had gedaan. We zullen misschien nooit weten wat er precies in meneer Brinkleys hoofd omging op die eerste november, maar we weten wel wat hij dééd. En we hebben gehoord wat hij ons gistermiddag in zijn eigen woorden heeft verteld. Hij richtte zijn wapen op zijn slachtoffers,' zei Yuki, die haar arm uitstak, net deed alsof haar hand een wapen was, en naar het hoofd van de juryleden en het publiek wees terwijl ze langzaam een halve cirkel beschreef. 'Hij haalde de trekker zes keer over. En hij vertelde ons zélf dat hij gevaarlijk is. Het beste bewijs dat meneer Brinkley bij zijn volle verstand is, is het feit dat hij het op beide punten met ons eens is. Hij is schuldig. En daar dient hij de hoogste straf voor te krijgen die de wet toestaat. Geeft u meneer Brinkley alstublieft waar hij zelf om heeft gevraagd, zodat we ons nooit meer zorgen hoeven te maken dat hij weer met een geladen vuurwapen rondloopt.'
Yuki voelde haar gezicht gloeien van opwinding toen ze terugliep en naast Len Parisi ging zitten. Hij fluisterde: 'Fantastisch gedaan, Yuki. Mijn complimenten.'

121

Mickey Sherman ging staan. Hij richtte zich tot de jury en vertelde zonder opsmuk een tragisch verhaal, alsof hij met zijn moeder of zijn vriendin praatte.

'Ik moet toegeven, dames en heren van de jury, dat Fred Brinkley de opzet had om die mensen neer te schieten en dat deed hij ook. Dat hebben we nooit ontkend en dat zullen we ook niet doen. Maar wat was zijn motief? Had hij een rekening te vereffenen met een van de slachtoffers? Was het een overval of een drugsdeal die verkeerd liep? Schoot hij die mensen uit zelfverdediging dood? Nee, nee en nog eens nee. Het is de politie niet gelukt om een motief te vinden en de reden daarvoor is simpel. Er was geen motief. En als er geen motief is voor een misdaad, blijf je zitten met de vraag: waarom? Fred Brinkley lijdt aan een schizo-affectieve stoornis, dat is een ziekte, net als leukemie of multiple sclerose. Hij heeft die ziekte niet over zichzelf afgeroepen. Hij wist niet eens dat hij die ziekte had. Toen Fred die mensen neerschoot, besefte hij niet dat hij iets verkeerds deed of dat die mensen echt waren. Dat heeft hij u verteld. Het enige wat hij wist, was dat een luide, dreigende stem in zijn hoofd hem zei dat hij die mensen moest neerschieten. De enige manier om die stem het zwijgen op te leggen, was hem te gehoorzamen. En u hoeft ons niet op ons woord te geloven wanneer we zeggen dat Fred Brinkley wettelijk gezien ontoerekeningsvatbaar is. Fred Brinkley kampt al jaren met psychische aandoeningen, dat was vijftien jaar geleden al zo toen hij in een psychiatrische inrichting werd opgenomen. Tientallen getuigen hebben verklaard dat ze meneer Brinkley tegen televisies hoorden praatten, dat hij zachtjes zong en zo hard met zijn hand tegen zijn voorhoofd sloeg dat de afdruk nog tijden daarna zichtbaar bleef. Zo graag wilde hij de stemmen uit zijn hoofd slaan. U hebt ook de getuigenis van dokter Sandy Friedman gehoord, een vooraanstaand klinisch en forensisch psycholoog, die meneer Brinkley heeft onderzocht, driemaal uitgebreid met hem heeft gesproken en tot de diagnose

is gekomen dat hij aan een schizoaffectieve stoornis lijdt.'
Sherman liep heen en weer voor de jurybanken.
'Dokter Friedman heeft ons verteld dat Fred Brinkley ten tijde van de misdaad in een psychose verkeerde. Hij leed aan een psychische ziekte of stoornis die verhinderde dat hij zich aan de regels van de wet of de maatschappij hield. Dat is de definitie van ontoerekeningsvatbaarheid. We hebben het niet over een ziekte die door advocaten is verzonnen,' zei Sherman. Hij liep naar de tafel van de verdediging en pakte een lijvig, ingebonden boekwerk op.
'Dit is de DSM-IV, de diagnostische bijbel van de psychiatrie. Er ligt een exemplaar voor u klaar in de jurykamer zodat u zelf kunt lezen dat een schizoaffectieve stoornis een psychische aandoening is. Een ernstige psychische aandoening die het denken en doen bepaalt van de mensen die eraan lijden. Mijn cliënt is niet bewonderenswaardig. Hij verdient geen medaille. Maar Fred Brinkley is geen crimineel en ook in zijn verleden is niets te vinden wat anderszins suggereert. Het gedrag dat hij gistermiddag in de rechtszaal vertoonde, was een duidelijk voorbeeld van zijn ziekte. Want zou iemand die bij zijn volle verstand is de jury om de doodstraf vragen?'
Sherman liep terug naar de tafel van de verdediging, legde het boek neer en dronk een slokje water voor hij zich weer naar de katheder begaf.
'De bewijzen voor ontoerekeningsvatbaarheid zijn overweldigend in deze zaak. Fred Brinkley doodde niet uit liefde of haat, voor geld of voor de kick. Hij is niet slecht. Hij is ziek. Ik vraag u dan ook de enige juiste beslissing te nemen en Fred Brinkley niet schuldig te verklaren op grond van ontoerekeningsvatbaarheid. En ik vraag u de overheid te vertrouwen om haar burgers tegen deze man te beschermen.'

122

'Het is jammer dat jullie Yuki's requisitoir gemist hebben.' Cindy sloeg met een liefdevol gebaar een arm om Yuki heen en keek Claire en mij stalend aan. 'Een dijk van een slotrede, echt waar.'
'En dat is jouw objectieve mening als journaliste?' vroeg Yuki, die lichtjes bloosde en met een glimlach een lok haar achter haar oren streek.
'Dat is een grapje, zeker?' Cindy lachte. 'Nee, het is mijn persóónlijke mening.'
We zaten in MacBain's, tegenover het paleis van justitie, en we hadden alle vier ons mobieltje op tafel gelegd. Sydney MacBain, onze serveerster en de dochter van de eigenaar, bracht vier glazen en twee grote flessen mineraalwater.
'Water, water, alleen maar water,' zei Syd. 'Wat hebben jullie toch, meiden? Dit is een bar, hoor!'
Ik wees naar ieder van ons en zei: 'Tja, Syd, op het moment is het werken, werken en werken.' Ik wees naar Claire en zei: 'Zwanger en werken.'
Sydney lachte, feliciteerde Claire, nam onze bestelling op en liep terug naar de keuken.
'En, hoort hij stemmen?' vroeg ik Yuki.
'Misschien wel. Maar er zijn wel meer mensen die stemmen horen. Alleen al in San Francisco zijn dat er vijf- tot tienduizend. Waarschijnlijk zitten in deze bar ook een paar mensen die stemmen horen. En hier vliegen de kogels je toch ook niet om de oren? Misschien hoort Fred Brinkley stemmen. Maar die dag? Hij wist heel goed dat hij iets verkeerds deed.'
'Hij is een moordzuchtige klootzak,' zei Claire. 'En dat is míjn persoonlijke mening als ooggetuige en slachtoffer.'
Ineens zag ik die afgrijselijke dag weer kristalhelder voor me: het dek dat glibberde van het bloed; de doodsbange passagiers die het uitschreeuwden; en ik voelde de angst weer die door me heen was geschoten omdat ik bang was dat Claire het niet zou overleven. Ik herinnerde me dat ik

Willie in mijn armen trok en God intens dankbaar was dat Brinkleys laatste schot Willie had gemist.
'Denk je dat de jury hem schuldig verklaart?' vroeg ik aan Yuki.
'Geen idee. Dat zouden ze wel moeten doen. Als iemand de stoel verdient, is hij het wel.' Yuki strooide zo driftig zout op haar frietjes, dat haar donkere haar voor haar gezicht zwaaide waardoor niemand haar ogen kon zien.

123

Om twee uur 's middags op de derde dag van het juryoverleg kreeg Yuki het telefoontje. Er ging een schok door haar heen. Het was zover.

Een paar tellen zat ze roerloos in haar stoel, alleen haar ogen knipperden. Daarna was ze weer bij de les.

Ze piepte Leonard op en stuurde sms'jes naar Claire, Cindy en Lindsay, die allemaal binnen een paar minuten in de rechtszaal konden zijn. Ze stond op van haar bureau, liep de gang op en stak haar hoofd om de hoek van Davids werkplek.

'Ze zijn terug!'

David legde zijn broodje tonijn neer en ging met Yuki de lift in, die hen naar de begane grond bracht. Ze staken de lobby schuin over, liepen door de met leer beklede deuren naar de tweede lobby, lieten hun identiteitsbewijs zien aan de bewaker, stapten door het volgende stel dubbele deuren de rechtszaal binnen, en namen plaats aan de tafel van de openbaar aanklager.

De rechtszaal was volgestroomd toen het bericht de ronde deed. Medewerkers van Court TV zetten hun camera's op. Verslaggevers van de plaatselijke kranten, freelancers van de roddelbladen, radio-omroepen en landelijke media, hadden de achterste rij bezet. Cindy zat op de hoek aan het gangpad.

Yuki zag Claire en Lindsay op de publieke tribune zitten, maar ze zag Elena Brinkley, de moeder van de verdachte nergens.

Mickey Sherman, die een flatteus donkerblauw pak droeg, liep door het middenpad. Hij zette zijn metallickleurige aktetas op de tafel voor de verdediging, knikte naar Yuki en pleegde een telefoontje.

Yuki's telefoon rinkelde. 'Len,' zei ze, zodra zijn naam in het schermpje oplichtte, 'er is een uitspraak.'

'O, verdomme, ik zit bij mijn cardioloog,' mopperde Len. 'Hou me op de hoogte.'

De zijdeur van de zaal ging open en Alfred Brinkley werd binnengeleid.

124

Er zat geen verband meer op Brinkleys voorhoofd waardoor de rij hechtingen zichtbaar was, die van het midden van zijn voorhoofd verticaal tot aan zijn haargrens liep. De blauwe plekken om zijn ogen waren vervaagd tot een groengele verkleuring. Een van de bewakers maakte Brinkleys handboeien en de ketting om zijn middel los en de verdachte ging naast zijn advocaat zitten.

Even later kwamen de twaalf juryleden en de twee reservejuryleden door een andere zijdeur de rechtszaal binnen. Ze zagen er op-en-top verzorgd uit: strak in het pak, keurig gekapt en de vrouwen hadden hun sieraden uit de kast gehaald. Ze keken niet naar Yuki en ze keken ook niet naar de verdachte. In feite zagen ze er nogal gespannen uit, alsof ze tot een uur geleden nog over de uitspraak hadden gebakkeleid.

De deur achter in de rechtszaal ging open en rechter Moore kwam binnen. Hij opende de zitting, maakte zijn bril schoon en zei: 'Meneer de juryvoorzitter, ik heb gehoord dat de jury tot een uitspraak is gekomen?'

'Dat klopt, edelachtbare.'

'Dan kunt u de uitspraak aan de gerechtsbode geven.'

De voorzitter van de jury was een timmerman met halflang, blond haar, wiens vingers verkleurd waren door de nicotine. Hij zag er gespannen uit toen hij een dubbelgevouwen formulier aan de gerechtsbode gaf, die het aan de rechter overhandigde.

Rechter Moore vouwde het formulier open en staarde ernaar. Hij verzocht het publiek het protocol van de rechtbank te respecteren en rustig te blijven wanneer de uitspraak werd voorgelezen.

Yuki legde haar handen plat op tafel zodat ze niet zouden trillen. Naast zich hoorde ze David Hale gejaagd ademhalen.

Rechter Moore las de uitspraak voor. 'Inzake de tenlastelegging van moord met voorbedachten rade op Andrea Canello, acht de jury de verdachte, Alfred Brinkley, niet schuldig op grond van ontoerekeningsvatbaarheid.'

Yuki voelde zich misselijk worden.
Ze schoof met een ruk naar achteren op haar stoel en hoorde nauwelijks de stem van de rechter, die de naam van de andere slachtoffers oplas en bij elke tenlastelegging de uitspraak 'niet schuldig op grond van ontoerekeningsvatbaarheid' liet horen.
Yuki stond op toen Claire en Lindsay haar richting uit liepen. Ze stonden om haar heen toen Brinkleys handen en enkels werden geboeid en zagen dat hij Yuki een vreemde blik toe wierp. Er lag een geheimzinnige glimlach om zijn mond.
Yuki had geen flauw idee wat Brinkley ermee bedoelde, maar ze voelde de haartjes in haar nek rechtovereind staan.
Toen sprak Brinkley tegen haar. 'Goed geprobeerd, mevrouw Castellano. Heus. Maar u snapt het zeker wel. Iemand zal hiervoor moeten boeten.'
Een van de bewakers gaf Brinkley een duw en na nog één blik op Yuki, schuifelde hij tussen zijn twee bewakers in de rechtszaal uit. Hij werd opgesloten in een psychiatrische inrichting.
Stapelgek of bij zijn volle verstand, Alfred Brinkley zou in elk geval een hele tijd van de straat zijn. Dat wist Yuki.
En toch was ze bang.

125

Een maand later waren Conklin en ik terug in het Alta Plaza Park waar het allemaal begonnen was.

We keken naar Henry Tyler, die zich over het pad naar ons toe haastte, de panden van zijn loshangende jas wapperden in de wind. Hij schudde Conklin stevig de hand en stak vervolgens zijn hand naar mij uit.

'We hebben ons leven terug en dat hebben we aan jullie te danken. Ik kan niet zeggen hoe dankbaar ik jullie ben.'

Tyler riep zijn vrouw, die bij het klimrek stond, en zijn dochtertje, dat erbovenin zat. Madisons gezicht lichtte op toen ze ons zag. Ze klauterde snel naar beneden en kwam naar ons toe rennen. Henry Tyler sloeg zijn armen om zijn dochter heen en tilde haar op. Madison leunde over haar vaders schouder en sloeg haar armen om Rich en mij heen.

'Ik vind jullie heel lief,' zei ze.

Ik glimlachte nog steeds toen Henry Tyler Madison neerzette en met een stralend gezicht tegen ons zei: 'Liz, Maddy en ik zijn jullie zo dankbaar. Jullie hebben er drie vrienden voor het leven bij gekregen.'

Ik kreeg het bijna te kwaad. Vandaag was het fantastisch om politieagente te zijn.

Rich en ik liepen even later terug naar de auto en namen de onaangename kanten van ons werk door: de saaie karweitjes die zoveel tijd in beslag namen maar er nu eenmaal bij hoorden, de moordenaars en junkies met wie je in contact kwam, en aanwijzingen die nergens toe leidden.

'En dan,' zei ik, 'breng je een zaak als deze tot een goed einde. Wat een geweldige kick geeft dat.'

Rich bleef staan en legde zijn hand op mijn arm. 'Laten we hier even stoppen.'

Ik ging op een muurtje zitten dat door de zon was verwarmd en Rich kwam naast me zitten. Ik kon zien dat hem iets dwarszat.

'Lindsay, ik weet dat je denkt dat ik verliefd op je ben,' zei hij, 'maar het is meer dan dat. Geloof me.'

Het was de eerste keer dat ik me niet op mijn gemak voelde toen ik in Rich Conklins aantrekkelijke gezicht keek. Mijn gedachten gingen terug naar die avond in het hotel in Los Angeles en ik werd overspoeld door schuldgevoelens.

'Wil je ons een kans geven?' vroeg hij. 'Ga vanavond met me uit eten, Lindsay. Ik beloof je dat ik niets zal proberen. Ik wil alleen dat we...'

Rich las mijn gevoelens in mijn ogen en viel stil. Hij schudde zijn hoofd en zei: 'Ik zal erover ophouden.'

Ik legde mijn hand op de zijne.

'Het spijt me,' zei ik.

'Dat hoeft niet... laat maar zitten, Lindsay. Doe maar net alsof ik niets heb gezegd, oké?' Hij probeerde te glimlachen en dat lukte bijna. 'Ik heb in elk geval weer stof voor een paar jaar therapie.'

'Ben jij in therapie?'

'Nee. Zou dat helpen, denk je?' Hij grijnsde. 'Het is alleen, nou ja, je weet in elk geval wat ik voor je voel. Daar moet ik het maar mee doen.'

Het was geen gemakkelijk ritje terug naar het bureau. We waren beiden gespannen en de conversatie verliep stroef tot we een melding kregen van een lijk in de Tenderloin. We reden ernaartoe en waren tot ver na onze dienst bezig. De samenwerking verliep goed, alsof we al jaren partners waren.

Iets na negenen vond ik het welletjes en nam ik afscheid van Rich. Ik zat net in mijn auto toen mijn mobieltje begon te rinkelen.

'Wat nu weer,' mopperde ik.

Er klonk ruis en toen hoorde ik een warme, volle stem in mijn oor en was het alsof de zon doorbrak.

'Ik weet dat ik een gewapende politieagent niet moet besluipen, dus ik waarschuw je alvast, Blondie. Ik ben dit weekend in de stad. Ik heb nieuws. En ik wil je zo graag weer zien.'

126

Toen ik die avond thuis op de bank zat, werd er aan de voordeur gebeld. Ik drukte de knop van de intercom in en zei: 'Ik kom eraan,' waarna ik met twee treden tegelijk de trap af rende. Karen Triebel, Martha's oppas, stond voor de deur. Ik gaf haar een knuffel en bukte me om mijn allerliefste Martha in mijn armen te sluiten.

'Ze heeft je echt gemist, Lindsay,' zei Karen.

'Denk je?' Ik schaterde het uit toen Martha jankte en blafte en me van pure blijdschap omverliep. Ik zat in de deuropening met Martha's voorpoten op mijn borst en werd uitgebreid afgelebberd door haar.

'Ik ga ervandoor. Ik zie dat jullie twee even alleen willen zijn,' riep Karen achterom terwijl ze naar haar oude Volvo liep.

'Wacht even, Karen. Kom mee naar boven. Ik heb je cheque klaarliggen.'

'Dat is wel goed! Dat komt de volgende keer wel,' zei ze, waarna ze instapte, het portier met een stukje waslijn dicht bond en de motor startte.

'Bedankt!' riep ik haar na toen ze langsreed en zwaaide. Vervolgens richtte ik mijn aandacht op mijn schatje.

'Weet je wel hoeveel ik van je hou?' fluisterde ik in een van Martha's zijdezachte oren.

Kennelijk wist ze dat.

Ik rende samen met haar naar boven, schoot een jas aan en trok mijn hardloopschoenen aan. We jogden over Nineteenth naar het Rec Center Park, waar ik me uitgeput op een bank liet vallen. Ik keek naar Martha, die helemaal uit haar bol ging. Ze rende heen en weer, zat achter andere honden aan en genoot.

Na een tijdje kwam ze terug naar het bankje en ging ze naast me zitten. Haar kop rustte op mijn dij en ze keek naar me op met haar grote bruine ogen.

'Ben je blij dat je weer thuis bent, Boo? Heb je een leuke vakantie gehad?'

We jogden in een langzamer tempo terug naar mijn appartement. Ik

trakteerde Martha op een grote bak voer en sprong onder de douche. Tegen de tijd dat ik me had afgedroogd en mijn haar had geföhnd, was Martha op mijn bed in slaap gevallen.
Ze was diep in slaap: haar oogleden trilden, haar kaken klapperden en haar poten bewogen in het ritme van een of andere fantastische hondendroom.
Ze werd niet eens wakker toen ik me optutte voor mijn afspraakje met Joe.

127

Het Big 4 Restaurant ligt boven op de heuvel in Nob Hill, tegenover de Grace Cathedral. Het restaurant is vernoemd naar de vier Central Pacific Railroad-barons. Het interieur is voorzien van chique donkerhouten lambrisering en prachtige verlichting en overal staan weelderige boeketten. En volgens een stuk of tien van de duurdere glossy tijdschriften, heeft de Big 4 een van de beste chef-koks van de stad.

Joe genoot van een foie gras en ik had me laten verleiden tot avocado met prosciutto als voorgerecht. Toch liet ik me niet zo in vervoering brengen door de prachtige omgeving en het zalige eten dat ik de verlegen uitdrukking in Joe's ogen niet opmerkte of het feit dat hij zijn ogen niet van me kon afhouden.

'Ik had allerlei afgezaagde dingen bedacht,' zei hij. 'Maar vraag me niet wat, oké, Linds?'

'Nee, natuurlijk niet.' Ik grijnsde. 'Zou ik zoiets doen?'

'En na lang nadenken – nee, echt, Blondie, dat meen ik – dus na lang nadenken ben ik tot een conclusie gekomen en daar wil ik het met je over hebben.'

Ik legde mijn bestek neer en de ober haalde mijn bord weg.

'Laat maar horen.'

'Oké,' zei Joe. 'Je weet dat ik uit een gezin met zes kinderen kom en dat we opgroeiden in een rijtjeshuis in Queens. En dat mijn vader altijd weg was.'

'Hij was vertegenwoordiger.'

'Ja, in stoffen en fournituren. Hij reisde de hele oostkust af en was zes dagen per week onderweg. Soms zelfs meer. We misten hem allemaal. Maar mijn moeder miste hem het meest, ze was stapelgek op hem. Op zekere dag werd hij vermist,' vertelde Joe. 'Hij belde 's avonds altijd op voor we naar bed gingen, maar die keer niet. Dus belde mijn moeder de staatspolitie op, die hem de volgende dag slapend in zijn auto aantrof voor een garage net buiten een klein stadje in Tennessee.'

'Had hij autopech?'
'Ja, en in die tijd bestonden er uiteraard nog geen mobiele telefoons. Je kunt je niet voorstellen wat we doormaakten tot we hoorden dat hij in orde was. We dachten dat hij met zijn auto in een sloot was gereden en verdronken was of dat hij bij een roofoverval op een benzinestation was doodgeschoten, of dat hij ergens nog een vrouw had.'
Ik knikte. 'Ik begrijp het, Joe.'
Joe was even stil en vertelde toen verder. 'Mijn vader zag hoe moeilijk het voor mijn moeder was, voor ons allemaal, en hij zei dat hij ander werk zou zoeken. Een andere baan betekende wel dat we het thuis met minder geld zouden moeten doen dan hij wilde. Op een dag, ik zat in het tweede jaar van de middelbare school, nam hij ontslag en kwam hij voorgoed thuis.'
Joe schonk nog een glas wijn voor ons in en we namen een slokje terwijl de ober onze hoofdgerechten bracht. Maar door de toon in Joe's stem en het gevoel dat langzamerhand in me opwelde, was ik mijn eetlust kwijt.
'Wat gebeurde er, Joe?'
'Hij bleef thuis. We gingen een voor een het huis uit. Mijn ouders moesten met minder geld rondkomen, maar ze waren een stuk gelukkiger. En dat zijn ze nog steeds. Toen ik dat zag, heb ik mezelf de belofte gedaan dat ik mijn gezin nooit dezelfde ellende zou laten doormaken als mijn vader bij ons had gedaan door altijd van huis te zijn. Toen ik de laatste keer bij je was en je gezicht zag toen ik zei dat ik een vliegtuig moest halen, drong het eindelijk tot me door. Het kwartje viel. Ik zag dat ik onbewust hetzelfde had gedaan als mijn vader. En dan nu het nieuws waarover ik het had, Lindsay. Ik ben thuis. Ik ben voorgoed thuis.'

128

Ik hield Joe's hand vast terwijl hij me vertelde dat hij overgeplaatst was naar San Francisco. Ik luisterde, keek in zijn ogen en zag dat hij me liefdevol aanstaarde. Toch begonnen mijn hersens te malen.

Joe en ik hadden het er vaak over gehad hoe het zou zijn om in dezelfde stad te wonen en ik had het uitgemaakt omdat het erop leek dat we er alleen over praatten maar dat die plannen nooit gerealiseerd zouden worden. Nu ik tegenover hem zat, vroeg ik me af of het probleem wel Joe's werk was geweest of dat we onbewust samengespannen hadden om een veilige afstand te bewaren tot een relatie die de belofte in zich meedroeg van een levenslange verbintenis.

Joe pakte zijn koffielepeltje op en stak het in zijn borstzakje.

Volgens mij dacht hij dat het zijn leesbril was.

Hij stak zijn hand in zijn jaszak en haalde er een klein zwartfluwelen doosje uit.

'Ik heb iets voor je, Lindsay.'

Hij zette de vaas rozen die midden op tafel stond opzij en gaf me het doosje.

'Toe maar. Maak maar open.'

'Ik weet niet of ik dat wel kan,' zei ik.

'Gewoon het deksel omhoog doen. Er zit een scharnier aan de achterkant.'

Ik lachte om zijn grapje, maar ik weet bijna zeker dat mijn adem stokte toen ik deed wat hij zei. Een platina ring met drie grote diamanten in het midden en een kleine diamant aan elke kant schitterde me tegemoet. Ik snakte naar adem. Dat ging vanzelf. Zo'n soort ring was het nu eenmaal. Ik keek op en staarde in Joe's ogen. Het was bijna alsof ik in mijn eigen ogen keek, zo goed kende ik hem.

'Ik hou van je, Lindsay. Wil je met me trouwen? Wil je mijn vrouw worden?'

De ober kwam onze kant uit, wierp één blik op onze tafel en vertrok zon-

der een woord te zeggen. Ik klapte het deksel dicht, wat een doffe klik veroorzaakte, en het leek alsof het licht in de zaal minder werd.
Ik slikte een paar keer omdat ik niet wist wat ik moest zeggen. De raderen in mijn hoofd draaiden op volle toeren en de zaal leek ook te draaien.
Joe en ik waren beiden al eerder getrouwd geweest.
En we waren beiden gescheiden.
Was ik bereid om nog een keer die grote stap te zetten?
'Linds?'
Eindelijk wist ik een paar woorden uit mijn keel te persen. 'Ik hou ook van jou, Joe en ik ben… ik ben er helemaal ondersteboven van.' Mijn stem klonk schor.
'Ik heb wat tijd nodig om mijn gedachten op een rijtje te zetten. Ik wil honderd procent zeker zijn. Wil je dit zolang voor me bewaren? Alsjeblieft?' Ik schoof het kleine doosje over tafel.
'We zullen het eerst een tijdje zo aankijken en de gewone dingen doen,' zei ik tegen Joe. 'Samen de was doen. Films kijken. De weekeinden samen zijn zonder dat jij op zondagmiddag in je auto stapt en naar het vliegveld rijdt.'
Ik zag hevige teleurstelling op Joe's gezicht verschijnen en voelde een steek in mijn hart. Een paar tellen zat hij er verloren bij. Hij pakte mijn hand, draaide mijn handpalm naar boven, legde het doosje erin en sloot mijn vingers eromheen.
'Bewaar jij dit maar, Lindsay. Ik verander niet van gedachten. Ik ben vastbesloten, hoeveel wassen we ook moeten draaien, hoeveel keer we de auto ook wassen, het vuilnis buitenzetten of bekvechten over wiens beurt het is om iets te doen. Ik verheug me er zelfs op.' Hij grijnsde.
Ongelooflijk hoe de zaal ineens weer oplichtte.
Joe glimlachte en nam mijn beide handen in de zijne. 'Zeg het maar wanneer je zover bent, dan schuif ik die ring aan je vinger. En vertel ik mijn ouders dat er een grote, Italiaanse trouwerij op komst is.'

129

Op 6 juni gebaarde Jacobi dat Rich en ik in zijn kantoortje moesten komen. Hij was woest; ik had hem zelden zo nijdig gezien.

'Ik heb slecht nieuws. Alfred Brinkley is ontsnapt,' zei hij.

Mijn mond viel open.

Niemand ontsnapte uit Atascadero. Mensen die door de rechtbank dwangverpleging in een tbs-kliniek kregen opgelegd, kwamen daar terecht en dat betekende dat Atascadero eerder een zwaarbeveiligde gevangenis was dan een ziekenhuis.

'Hoe is het gebeurd?' vroeg Conklin.

'Hij ramde zijn hoofd tegen de muur van zijn cel...'

'Kreeg hij geen medicijnen? Werd hij niet extra in de gaten gehouden vanwege zijn zelfmoordneigingen?'

Jacobi haalde zijn schouders op. 'Weet ik veel. Hoe dan ook, gewoonlijk gaat de dokter naar de afdeling toe, maar de dokter in kwestie, ene Carter, stond erop dat Brinkley naar zijn kantoor werd gebracht. Dus werd hij door een bewaker van de "gesloten" vleugel naar Carters kantoor in de "open" vleugel geëscorteerd.'

'O, nee.' Ik begreep wat er was gebeurd. 'En de bewaker had een wapen.'

'De bewakers dragen alleen wapens wanneer ze tbs-patiënten van de ene naar de andere vleugel brengen,' legde Jacobi aan Conklin uit. 'Die dokter gaf opdracht om Brinkleys boeien los te maken zodat hij een neurologisch onderzoek kon doen.'

Jacobi vertelde dat Brinkley een scalpel had gegrist, de bewaker had ontwapend en er met het wapen vandoor was gegaan. Hij had de kleding van de dokter aangetrokken, de sleutels van de bewakers gebruikt om naar buiten te komen en was vervolgens in de auto van de dokter weggereden.

'Dat is twee uur geleden gebeurd,' zei Jacobi. 'Er loopt al een opsporingsbevel voor de blauwe Subaru Outback L.L. Bean van dokter Carter.'

'Waarschijnlijk heeft hij die auto intussen al gedumpt,' zei Carter.
'Dat zit er wel in,' zei Jacobi. 'Ik weet niet of het belangrijk is,' ging hij door, 'maar volgens de directeur van Atascadero was Brinkley aan het tieren over een seriemoordenaar over wie hij wat gelezen had. Edmund Kemper.'
Conklin knikte. 'Die vermoordde zes jonge vrouwen en woonde bij zijn moeder.'
'Juist ja, die bedoel ik. Op zekere avond komt hij thuis van een afspraakje en zijn moeder zegt iets als: "Nu ga je me zeker vervelen met wat je vanavond allemaal hebt uitgespookt."'
'Was zijn moeder op de hoogte van de moorden?' vroeg ik.
'Nee, Boxer, dat was ze niet. Ze was gewoon een kreng van het zuiverste water. Ik was trouwens net op weg naar de plee toen de melding binnenkwam, dus mag ik mijn verhaal even afmaken?'
Ik grijnsde. 'Vertel verder, baas.'
'Dank je. Dus die moeder van Kemper zegt: "Ik zal me wel dood vervelen bij dat verhaal van je." En wat doet zoonlief? Hij wacht tot ze slaapt, hakt haar hoofd eraf en zet het op de schoorsteenmantel. En dan vertelt hij aan het hóófd van zijn moeder wat hij die avond allemaal heeft meegemaakt. De lange versie, neem ik aan.'
'Die gek heeft zichzelf aangegeven, als ik het me goed herinner,' zei Conklin. Hij liet zijn knokkels kraken en dat doet Rich alleen wanneer hij van slag is.
Ik kreeg ook een akelig gevoel bij het idee dat Brinkley, die zwaar psychotisch was, vrij rondliep met een geladen wapen. Ik herinnerde me hoe hij naar Yuki had gekeken na afloop van de rechtszaak. Hij had haar een vreemde blik toegeworpen en gezegd: 'Iemand zal hiervoor moeten boeten.'
'Ja, Kemper gaf zichzelf aan. Maar toen hij zijn bekentenis aflegde, zei hij dat hij die meisjes vermoord had in plaats van zijn moeder. Snap je?' Jacobi keek me aan. 'Pas op het laatst vermoordde hij de juiste persoon.'
'En de directeur van Atascadero zei dat die Kemper iets voor Alfred Brinkley betekende?'
'Dat kun je wel zeggen,' zei Jacobi, die opstond, zijn broek ophees en over Conklins lange benen heen stapte en naar de deur liep. 'Brinkley was geobsedeerd door Edmund Kemper.'

130

Fred Brinkley liep over Scott Street en keek strak voor zich uit vanonder de rand van dr. Carters basketbalpetje. Hij keek naar de toppen van de zeilen in de jachthaven aan het einde van de straat en snoof de geur op die van de baai kwam.

Zijn hoofd deed nog steeds pijn, maar door de medicijnen waren de stemmen in zijn hoofd een stuk rustiger geworden zodat hij kon nadenken. Hij voelde zich sterk en kra-kra-kra-krachtig. Zoals hij zich had gevoeld toen Bucky en hij die zielige hufters op de veerboot hadden neergeknald.

Tijdens het lopen liet hij in gedachten het tafereeltje in dr. Carters kantoor nog een keer de revue passeren. Zodra hij van de boeien was verlost, was hij uit de startblokken geschoten alsof hij een superheld was.

Raak je neus aan.

Raak je tenen aan.

Grijp het scalpel.

Zet het tegen de keel van de dokter en vraag de bewaker om zijn wapen.

Fred lachte hardop toen hij aan die stomme bewaker dacht, die tegen hem tekeerging terwijl hij hem en de dokter naakt aan elkaar vastbond, gaasproppen in hun mond ramde en de twee in de kast opsloot.

'Binnen de kortste keren zit je hier weer, jij gestoorde idioot.'

Fred raakte het wapen aan in de zak van Carters jas en dacht: ik kom terug, zeker weten.

Daar kun je van op aan.

Maar nog even niet.

De huizen aan Scott Street stonden zo'n zeven meter van de weg af. Ze schuurden dicht tegen elkaar aan, als varkens aan de trog. De drive-inwoning die Fred zocht was crèmekleurig en had donkerbruine luiken.

Daar was het huis: gemaaid gazon, grote citroenboom. Het zag er precies zo uit als hij het zich herinnerde. De garagedeur was open en hij zag haar auto staan.

Dit was fantastisch. En de timing was ook perfect.
Fred Brinkley liep opgetogen over de zeven meter lange, geasfalteerde oprit en glipte vervolgens de garage in. Hij wrong zich langs de lichtblauwe BMW cabriolet uit '95, pakte het snoerloze spijkerpistool van de werkbank, schoof er een vol magazijn in, en schoot op de muur om er zeker van te zijn dat het werkte. *Tsjak.*
Hij liep de trap op, draaide de deurknop om en stapte de woonkamer met de hardhouten vloer binnen. Een paar tellen bleef hij voor het altaartje staan. Hij griste de in leer gebonden fotoalbums van de ladekast, greep de aquarel van de ezel en nam de spullen mee naar de keuken.
Ze zat aan de keukentafel met haar chequeboek en was rekeningen aan het betalen. Er stond een kleine televisie aan waarop *Trial Heat* was te zien.
De vrouw met het donkere haar draaide zich om toen hij de keuken binnen stapte en haar ogen werden groot van schrik toen ze zag wie het was.
'Hola, *Mamacita,*' zei hij opgewekt. 'Ik ben het. Het is tijd voor de "Fred en Elena Brinkley Show".'

131

'Jij hoort hier helemaal niet te zijn, Alfred,' zei zijn moeder.
Fred legde het spijkerpistool op het aanrecht en draaide de keukendeur op slot. Daarna bladerde hij door de fotoalbums en wees hij zijn moeder op de foto's van Lily in haar kinderwagen, Lily met mama, en Lily in haar minieme badpak.
Fred zag Elena's ogen groot worden van schrik toen hij de aquarel met Lily's portret tegen de rand van het aanrecht sloeg, waardoor het glas brak. Hij hield de fotoalbums omhoog.
'Nee!'
'Jawel, mama. Jawel. Dit zijn smerige foto's. Vies en vunzig.'
Hij opende de vaatwasser, plaatste de fotoalbums opengeslagen in de bordenrekken en legde de aquarel op het bovenste rek. De complete fotocollectie van zijn heilig verklaarde zus bevond zich nu in de vaatwasser. Hij sloeg de deur dicht en zette de timer op vijf minuten.
Het klokje begon te tikken.
'Alfred,' zei zijn moeder, die overeind kwam, 'dit is niet grappig meer.'
Fred duwde haar terug op haar stoel.
'Hij gaat pas over vijf minuten draaien. Het enige wat ik wil, is vier minuten jouw onverdeelde aandacht en dan zal ik je kostbare albums redden.'
Fred trok een stoel bij en ging pal naast zijn moeder zitten. Ze gaf hem haar 'wat ben je toch een walgelijk portret'-blik. De blik waardoor hij haar al zijn hele leven haatte.
'Ik was nog niet klaar met wat ik je die dag in de rechtszaal wilde vertellen,' zei hij.
'De dag dat je zo onbeschaamd lóóg, bedoel je,' zei ze. Ze draaide haar hoofd naar de tikkende vaatwasser en wierp even een blik op de afgesloten keukendeur.
Fred haalde de Beretta van de bewaker uit zijn jaszak en schoof de veiligheidspal terug.

'Ik wil met je praten, mama.'
'Dat ding is niet geladen.'
Fred grijnsde en vuurde een schot af op de vloer. Zijn moeder werd lijkbleek.
'Leg je armen op tafel. Toe nou maar, mam. Je wilt die foto's toch terug, of niet soms?'
Fred greep een van haar armen beet die ze stijf langs haar zij hield, legde hem op tafel, zette het spijkerpistool op de boord van haar mouw en haalde de trekker over.
Tsjak. Hij spijkerde de andere kant van de mouw ook vast. *Tsjak. Tsjak.*
'Ziezo. Wat dacht je, mam? Dat ik je pijn zou doen? Ik ben niet gék hoor.'
Hij greep haar andere arm beet, legde hem op tafel en spijkerde de mouw vast aan de tafel. Elke keer dat hij de trekker overhaalde, kromp zijn moeder ineen. Ze zag eruit alsof ze zo in huilen kon uitbarsten.
De knop van de timer versprong toen er een minuut was verstreken.
Tik, tik, tik.
'Geef me mijn foto's terug, Fred. Ze zijn het enige wat ik nog heb...'
Fred bracht zijn mond vlak bij zijn moeders oor en fluisterde luid: 'Je had gelijk. Ik heb gelogen in de rechtszaal, mam. Omdat ik je pijn wilde doen. Om je te laten weten hoe ik me altijd voel.'
'Ik heb geen tijd om naar je te luisteren,' zei Elena Brinkley, die uit alle macht haar arm probeerde weg te trekken.
'Je hebt wél tijd. Vandaag draait het namelijk om mij. Begrepen?' Hij spijkerde de stof van haar mouw tot aan de ellebogen aan de tafel vast.
Tsjak, tsjak, tsjak, tsjak.
'Weet je wat de waarheid is? Ik wílde al die vieze dingen met Lily doen en dat was jouw schuld, mam. Omdat jij van Lily een Lolita maakte door die korte rokjes, de nagellak en de hoge hakken; ze was twaalf! Wat dacht je eigenlijk? Dat niemand haar een beurt wilde geven als ze er zo uitzag?'
De telefoon rinkelde en Elena Brinkley draaide haar hoofd verlangend naar het geluid. Fred stond op en rukte het snoer uit de muur. Hij pakte het messenblok van het aanrecht en zette het met een klap op de keukentafel. BAM.
'Vergeet die telefoon. Je hoeft met niemand te praten. Ik ben de belangrijkste persoon in jouw wereld.'
'Waar ben je in godsnaam mee bezig?'

'Hoezo?' zei hij, terwijl hij een groot mes uit het blok trok. 'Ben je soms bang dat ik je tong eruit ga snijden? Denk je echt dat ik zo gestoord ben?' Hij lachte honend toen hij de doodsbange blik op Elena's gezicht zag.
'Het punt is, mama, dat ik Lily Peter Ballantine zag pijpen, de knul die in de haven werkte.'
'Dat heeft ze niet gedaan!'
Brinkley haalde het twintig centimeter lange lemmet langs het wetstaal. *Sjoesj, sjoesj, sjoesj*. Het geluid deed hem goed.
'Je kunt maar beter weggaan. De politie zoekt...'
'Ik ben nog niet kláár! Voor het eerst in je leven zul je naar me luisteren. Jij hatelijk secreet.'
Sjoesj, sjoesj, sjoesj.
Binnen in zijn hoofd begon hij weer te praten. Vermoord haar! Vermoord haar!
Fred legde het mes weg en veegde zijn bezwete handen aan dr. Carters broek af. Hij pakte het mes weer op.
'Zoals ik al zei, was Lily me altijd aan het uitdagen, mam. Ze paradeerde halfnaakt rond en toen pijpte ze ook nog die Ballantine. Dus, vergeet die foto's en luister naar me! Lily en ik maakten een tochtje met de dagzeiler en op een plek waar niemand ons kon zien, lieten we het anker vallen, en daar trok Lily haar topje uit.'
Leugenaar. Je kleine zusje de schuld geven, hè? Lafaard.
'Daarom liep ik naar haar toe en speelde ik wat met haar kleine tietjes. Toen keek ze me net zo aan als jij nu doet. Alsof ik hondenstront was.'
'Ik wil het niet horen.'
'Je zult luisteren,' zei Brinkley, die het lemmet zachtjes tegen de dunne huid van zijn moeders keel legde. 'Ze droeg alleen een klein bikinibroekje en had het lef om te zeggen dat ik de freak was. En weet je wat ze nog meer zei? "Ik vertel het aan mam." Dat waren haar laatste woorden. Toen ze haar rug naar me toe draaide, gaf ik een harde ruk aan de giek. Hij knalde tegen haar achterhoofd aan en...'
Ineens klonk er glasgerinkel gevolgd door een oorverdovende knal en een explosie van licht.
Fred Brinkley dacht dat de wereld verging.

132

Ik keek door het kleine keukenraam en zag tot mijn afschuw dat Brinkley het geslepen mes op de keel van zijn moeder zette.
We waren gewapend en stonden klaar om in actie te komen, maar hadden geen vrij schootsveld omdat Elena Brinkley het zicht blokkeerde. Als we door een van de deuren binnenvielen, zou Brinkley genoeg tijd hebben om haar te vermoorden.
De angst om de vrouw greep me bij de keel. Ik had de neiging om te schreeuwen.
In plaats daarvan draaide ik me om naar Ray Quevas, het hoofd van ons SWAT-team. Hij schudde zijn hoofd om me duidelijk te maken dat er nog steeds geen vrij schootsveld was. De situatie kon elk moment de verkeerde kant op gaan, dus toen hij vroeg of hij groen licht kreeg om een flitsgranaat te gebruiken, zei ik ja.
We zetten een masker en een beschermende bril op. Ray versplinterde met de loop van de granaatwerper het keukenraam en vuurde.
De granaat ketste tegen de achtermuur van de keuken en ontplofte met een oorverdovende dreun en braakte een verblindend licht uit.
Binnen een halve seconde had het SWAT-team de deur open en stonden we midden in de met rook gevulde keuken. We wilden maar één ding: Brinkley uitschakelen voor hij weer helder kon nadenken en zijn wapen zou gebruiken.
Brinkley lag voorover op de grond met zijn benen onder de keukentafel. Ik ging op zijn rug zitten en trok zijn armen naar achteren.
Ik had de handboeien bijna dicht toen hij zich met een ruk omdraaide en me van zich af smeet. Hij was zo sterk als een dolle stier. Toen ik overeind probeerde te komen, greep Brinkley zijn pistool dat op de grond was gevallen.
Conklin rukte zijn masker af en schreeuwde: 'Hou je handen waar ik ze kan zien.'
We zaten in een impasse.

133

Diverse laserlichtjes dansten op Brinkleys voorhoofd, maar hij hield zijn wapen met beide handen vast en had de standaardschietpositie aangenomen; zijn legertraining kwam om de hoek kijken. Zijn Beretta was op Conklin gericht. En Richies loop wees naar Brinkley.

Ik ramde mijn Glock in Brinkleys rug en schreeuwde door mijn masker heen: 'Stilstaan! Als je ook maar een vinger beweegt, schiet ik je kapot.'

Richies voet schoot uit, Brinkleys wapen vloog uit zijn hand en kletterde op de grond.

Er waren zes wapens op Brinkley gericht terwijl ik hem in de boeien sloeg en ik voelde opluchting door me heen golven, zelfs toen hij ons hardop uitlachte.

Ik trok mijn masker af en kokhalsde een beetje door de fosforlucht die nog in de keuken hing. Ik snapte niet wat Brinkley zo grappig vond.

We hadden hem. We hadden hem levend te pakken gekregen.

'Hij wilde me vermoorden!' schreeuwde Elena Brinkley naar Jacobi. 'Kunnen jullie hem niet achter slot en grendel houden?'

'Wat is er gebeurd?' vroeg Brinkley, die over zijn schouders naar me keek.

'Ken je me nog?' vroeg ik.

'Ja hoor. Jij bent mijn vriendin, Lindsay Boxer.'

'Mooi zo. Je staat onder arrest wegens ontsnapping uit een gesloten inrichting,' zei ik. 'En volgens mij komt daar ook nog een aanklacht bij wegens roekeloos gedrag. En misschien zelfs eentje voor poging tot moord.'

Achter me hoorde ik Jacobi tegen Elena Brinkley zeggen dat ze stil moest blijven zitten zodat hij haar kon bevrijden.

'Je hebt het recht om te zwijgen,' zei ik tegen Brinkley.

Elena bevrijdde zichzelf. Ze trok een mouw los die scheurde, rukte haar blouse open en wist haar andere arm ook vrij te krijgen. Ze liep naar haar zoon toe.

'Ik haat je,' zei ze. 'Hadden ze je maar doodgeschoten.' Ze gaf hem een harde klap in zijn gezicht.

'Goh, is dat even schrikken,' zei hij met een schuine blik in mijn richting.
'Alles wat je zegt kan en zal tegen je gebruikt worden,' ging ik door.
'Lul niet zo dom!' schreeuwde Brinkley tegen me, die zich niet bewust leek te zijn van de zwaarbewapende agenten die vol adrenaline zaten en hem het liefst verrot zouden trappen.
'Het enige wat je kunt doen, is me terugbrengen naar Atascadero. Je kunt me aanklagen zoveel je wilt, maar daar bereik je niets mee.'
'Hou je kop, klootzak,' zei ik. 'Wees blij dat we je niet in een lijkzak ritsen.'
'Nee, jij moet je kop houden!' schreeuwde Brinkley terug, terwijl het speeksel in het rond vloog. Ineens verscheen er een sluwe grijns op zijn gezicht. 'Ik kan niet schuldig zijn aan wat dan ook. Ik ben ontoerekeningsvatbaar verklaard, weet je nog wel?'
'Nee!' hoorde ik Elena Brinkley plotseling schreeuwen toen de vaatwasser begon te draaien en het water naar binnen stroomde.

Epiloog

De zesde kogel

134

Ik kende de arme donder niet die in zijn adamskostuum op Claires tafel lag. Ik wist alleen dat zijn dood misschien te maken had met de tragedie op de *Del Norte*. Claire had de hoofdhuid van de patiënt losgemaakt en over zijn gezicht getrokken als de boord van een sok; de bovenkant van zijn schedel afgezaagd; en zijn hersens verwijderd.

Ze hield een kogelscherf tussen haar duim en wijsvinger omhoog.

'Hij is eerst door iets anders heen gegaan, lieverd,' vertelde ze me. 'Misschien door een stuk hout. Wat het ook was, het heeft de snelheid van de kogel en de kracht van de inslag verminderd, maar de man uiteindelijk toch gedood.'

Ik belde Jacobi, die zei: 'Je weet wat je moet doen, Boxer. Vertel hem je verhaal, maar hou het simpel.'

Daarna verbond hij me door met de chef.

Ik vertelde Tracchio de korte versie, dat Wei Fong, een tweeëndertigjarige bouwvakker, die ochtend alsnog was overleden nadat hij maandenlang in het Laguna Honda Hospital voor langdurige verpleging als een plant had gevegeteerd vanwege een inoperabele schotwond in zijn hoofd. En dat hij die kogel had opgelopen op de dag dat Alfred Brinkley op de passagiers van de *Del Norte* had geschoten.

'Brinkleys zesde kogel was een afzwaaier en die is Wei Fong uiteindelijk fataal geworden.'

'Je hebt mijn mobiele nummer?' vroeg Tracchio.

Claires handen, die normaal zo vast als een huis waren, trilden toen ze de scherf in een plastic zakje deed. We zetten beiden onze handtekening onder het papierwerk en vervolgens belde ik het gerechtelijk lab.

Ik hoorde Claire tegen de overleden man op haar tafel zeggen: 'Meneer Fong, ik weet dat u me niet kunt horen, maar toch wil ik u bedanken.'

Claires Pathfinder stond bij de ambulance-ingang geparkeerd. Ik verhuisde de spullen die op de passagiersstoel lagen naar de achterbank, stapte in en deed mijn gordel om.

'Het doet me een beetje aan de Manson-moorden denken,' zei ik, toen we Harriet Street in reden. 'Twéé moordonderzoeken: Tate en La Bianca. En twéé rechercheteams die wekenlang langs elkaar werkten voor ze beseften dat de moorden door dezelfde daders waren gepleegd. Wij werkten aan de Brinkley-zaak. En Macklins team werkte aan de Wei Fong-zaak, maar schoot geen meter op.'

'Tot de man overleed. Heb je alles?' vroeg Claire.

'Ja. De hele handel.'

De kogelscherf zat in een plastic zakje in mijn borstzak en het wapen zat in een verzegelde bewijszak die aan mijn voeten lag. We namen de 280 naar Cesar Chavez en gingen toen richting Hunters Point, waar het gerechtelijk lab was gevestigd. Al snel zag ik het blauwgrijze, betonnen gebouw.

Claire vond een plekje onder een van de drie palmbomen die de wacht hielden op het parkeerterrein.

Voor Claire de handrem had aangetrokken, was ik de auto al uit.

135

De directeur van het gerechtelijk lab, Jim Mudge, zat in zijn kantoor op ons te wachten. Hij begroette ons vriendelijk, nam de verzegelde bewijszak van me over en haalde Alfred Brinkleys dodelijke vriend 'Bucky' tevoorschijn.

We liepen mee met Mudge, die zijn kantoor verliet, de gang schuin overstak, de tweede deur rechts nam, de schietbaan op liep en het wapen aan de wapenexpert overhandigde, die de Smith & Wesson Model 10 in een lange, afgesloten bak met water afvuurde. Hij viste de kogelkop uit het water en overhandigde hem aan mij.

'Alstublieft, brigadier. Veel succes ermee. Ik hoop dat die smeerlap achter de tralies belandt.'

Mudge ging Claire en mij voor naar een kamer achter in de gang. Ik zag een hoefijzervormige opstelling van werkstations en langs een van de wanden stond een tafel met diverse microscopen.

Een jonge vrouw begroette ons en zei: 'Ik ben Petra. Wat hebben jullie voor me?'

Ik overhandigde haar de .38-kogel uit Alfred Brinkleys wapen en de kogelscherf die Claire uit meneer Fongs hersens had gepeuterd.

Ik hield mijn adem in en stond in gedachten te duimen.

Claire en ik gingen om de vrouw heen staan, die de kogelscherf en de kogelkop op een objectiefglaasje legde en onder de microscoop schoof.

Petra glimlachte toen ze een stap naar achteren deed en zei: 'Kijk zelf maar.'

Ik tuurde door het dubbele oculair, vergeleek de twee en zelfs voor mij was het duidelijk.

De groeven, de afdrukken van de trekken en velden in de loop, die op de scherf te zien waren, kwamen exact overeen met de groeven op de kogel die net met Alfred Brinkleys wapen was afgevuurd.

De scherf was afkomstig van de zesde kogel, die Alfred Brinkley op Claires zoon Willie had afgevuurd, maar die was afgezwaaid.

Die kogel betekende dat Alfred Brinkley opnieuw berecht kon worden.
Ik draaide me naar Claire toe en wilde haar zowel omhelzen als een high five geven, maar kon geen beslissing nemen, dus deed ik eerst het een en toen het ander.
'We hebben hem!' zei Claire toen we elkaar omhelsden.

136

Een uur laten stonden Rich Conklin en ik in een grijze kamer vol kleine tafels en stoelen in Atascadero. Brinkley werd binnengeleid; hij had een gezonde gelaatskleur en zag er goed doorvoed uit.

Ik dacht dat hij me ten dans ging vragen, zo opgetogen keek hij toen hij me zag.

'Heb je me gemist, Lindsay? Zelf denk ik nog steeds aan de laatste keer dat ik je zag!'

'Je hoeft niet te gaan zitten, Fred,' zei ik tegen hem. 'We komen je arresteren. Je wordt aangeklaagd wegens doodslag.'

'Je maakt een grapje. Je houdt me voor de gek, toch?'

Ik kon de glimlach die in me opborrelde, niet meer binnenhouden. Zo blij was ik. 'Jouw grote dag op de *Del Norte*, herinner je je die nog?'

'Wat is daarmee?'

'Het laatste schot dat je afvuurde, miste Willie Washburn maar trof een ander doel. We komen je arresteren wegens doodslag op meneer Wei Fong, Fred-o.'

'Maak het nou een beetje, Lindsay,' zei Brinkley, die onaangedaan schokschouderde. 'Dus jij beweert dat ik iemand heb doodgeschoten die ik niet eens gezien heb?'

'Ja. Dat komt omdat je zo'n eersteklas schutter bent.'

'Dat kun je vergeten. Ik ben vrijgesproken van die schietpartij op de *Del Norte*. Ik ben ontoerekeningsvatbaar verklaard, weet je nog wel? En je kunt iemand niet tweemaal voor hetzelfde misdrijf berechten.'

'Nee, daar heb je gelijk in. Maar je werd niet beschuldigd van doodslag op meneer Fong in die rechtszaak, Fred. Dit is een compleet nieuwe zaak. Nieuwe bewijsstukken. Nieuwe jury. En volgens mij wil je moeder deze keer vast wel als getuige voor het OM optreden.'

Brinkleys glimlach verdween toen ik hem opdroeg zich om te draaien. Ik sloeg hem in de handboeien en Conklin wees hem op zijn rechten.

Rich en ik namen Alfred Brinkley tussen ons in mee naar de auto. Zodra

hij achter het metalen hekwerk op de achterbank zat, veranderde zijn gezicht en verscheen er een gepijnigde uitdrukking. Ik kreeg het idee dat zijn geest misschien terugkeerde naar een eerdere periode in zijn leven, toen hij nog een jongen was en de ellende voor hem was begonnen.
Maar Fred zong luidkeels tegen de tijd dat we de snelweg weer op draaiden. '*Ay, ay, ay, ay, canta y no llores. Porque cantando se allegran, cielito lindo.*'
'Heeft je moeder je dat geleerd, Fred?' vroeg ik. Ik wist wat de woorden van het oude liedje betekenden. Zing en huil niet. Want van zingen word je vrolijk, mijn liefste.
Ik keek in de achteruitkijkspiegel en ving tot mijn grote verbazing Brinkleys blik op. Hij hield op met zingen en zei op luide fluistertoon: 'Hé, Lindsay, denk je echt dat je me te pakken hebt?'

Onze dank gaat uit naar deze topmensen in hun vak die zo gul met hun tijd en kennis zijn geweest: auteur en psychiater dr. Maria Paige; dr. Humphrey Germaniuk, forensisch patholoog en lijkschouwer van Trumbull County, Ohio; hoofdinspecteur Richard Conklin, politiekorps Stamford, Connecticut; Allen Ross, arts, Montague, Massachusetts; de juridische experts Philip Hoffman, New York en Melody Fujimori, San Francisco; en strafpleiter Mickey Sherman, Stamford, Connecticut.
Bijzondere dank gaat uit naar onze fantastische researchers: Don MacBain, Ellie Shurtleff en Lynn Colomello.

Maria verslapte in mijn armen en pas toen drong het tot me door dat ik schoten had gehoord. Twee gedempte knallen die me nauwelijks waren opgevallen. Ik had de schutter helemaal niet gezien, niet eens een glimp van hem opgevangen. Ik wist zelfs niet zeker van welke kant de schoten waren gekomen. Maria fluisterde 'O, Alex...' Toen werd ze stil en heel slap.

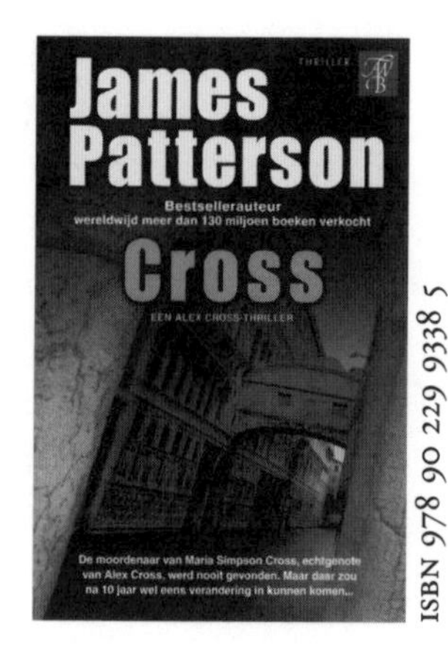

ISBN 978 90 229 9338 5

James Patterson

Cross

In 1993 stond Alex Cross aan het begin van een veelbelovende carrière bij de politie van Washington D.C., toen een vrouw voor zijn ogen werd doodgeschoten. Het erop volgende politieonderzoek leverde niets op en na verloop van tijd verdween de moord als een *cold case* in de archieven. Maar Alex Cross zou deze zaak nooit vergeten. Want de moordenaar van Maria Simpson Cross, echtgenote van Alex Cross, werd nooit gevonden.
Jaren later staat Cross op een keerpunt in zijn leven. Hij heeft de politie en de FBI vaarwel gezegd en zijn oude beroep van psycholoog weer opgepakt. Zijn vroegere partner John Sampson roept echter nogmaals zijn hulp in. Een serieverkrachter is actief in Georgetown en zijn gruwelijke modus operandi vertoont overeenkomsten met een oude zaak van Cross en Sampson. Dan blijkt er een verband te bestaan tussen deze verkrachtingszaak en de nooit opgeloste moord op Maria...

'Leest als een TGV.' – Nieuwe Revu